SIETE EXPERIMENTOS QUE PUEDEN CAMBIAR EL MUNDO

PAIDÓS CONTEXTOS

Títulos publicados:

RUPERT SHELDRAKE

SIETE EXPERIMENTOS QUE PUEDEN CAMBIAR EL MUNDO

Una guía para revolucionar la ciencia

Ediciones Paidós
Barcelona - Buenos Aires - México

Título original: *Seven experiments that could change the world*
Publicado en inglés por Fourth Estate Limited, Londres

Traducción de Luis M. Romano Haces

Cubierta de Víctor Viano

1.ª edición, 1995

© 1994 by Rupert Sheldrake
© de todas las ediciones en castellano,
   Ediciones Paidós Ibérica, S.A.,
   Mariano Cubí, 92 - 08021 Barcelona
   y Editorial Paidós, SAICF,
   Defensa, 599 - Buenos Aires

ISBN: 84-493-0132-7
Depósito legal: B-12.042/1995

Impreso en Gràfiques 92, S. A.,
Torrassa, 108 - Sant Adrià de Besós (Barcelona)

Impreso en España - Printed in Spain

A mis hijos

Sumario

TERCERA PARTE
Ilusiones científicas

Prefacio

Me han fascinado desde hace muchos años algunas de las cuestiones analizadas en este libro, por ejemplo el regreso a casa de las palomas desde mi primera infancia. He pasado también más de veinticinco años dedicado a la investigación científica, y he desarrollado un gran respeto por el poder del enfoque experimental. He visto por mí mismo que a través de experimentos bien diseñados uno puede hacerle preguntas a la naturaleza y recibir respuestas de ella.

Me ha impresionado también la manera con que se puede hacer una investigación fundamental con un presupuesto reducidísimo. En el transcurso de mi educación científica en Cambridge topé con muchos ejemplos de la tradición de los «documentos con cinta lacrada» imprescindibles en la ciencia británica. Me encontré con esa tradición en forma palpitante cuando, durante algunos años, como becario investigador de la Royal Society, compartí un laboratorio en el Departamento de Bioquímica de la Universidad de Cambridge con el fallecido Robin Hill, decano de investigación de la fotosíntesis, cuyos experimentos aún en marcha cuestan incluso menos que la partida presupuestaria normal asignada a los estudiantes graduandos de primer año.

En la India, donde pasé más de cinco años haciendo investigación agrícola, me hallé con que los científicos indios, por imperativos de flagrante necesidad, han desarrollado ingeniosas maneras de efectuar la investigación de campo con un mínimo de gastos. En el instituto internacional donde trabajé, cerca de Hyderabad, adopté y desarrollé aquellos métodos locales, empleando principalmente a aldeanos del lugar, y encontré que ese tipo de investigación era muy productivo. Por ejemplo, mis colegas y yo desarrollamos un nuevo sistema de cosecha múltiple de garbanzos que utilizan hoy en día muchos de los campesinos de la India y contribuye a aumentar el abastecimiento alimentario.

Más recientemente, mi interés por la hipótesis de la causalidad formativa, propuesta por vez primera en mi libro *A New Science of Life* (1981),* me condujo a aplicar el método experimental para plantear cuestiones científicas insólitas, especialmente respecto al desarrollo de hábitos en la naturaleza a través del proceso de la resonancia mórfica. Algunos de los primeros experimentos empleados para probar esta hipótesis se describen en mi libro *The Presence of the Past* (1988);** muchos más se han llevado a cabo desde entonces en universidades de Europa, América y Australia. Los resultados (que pienso describir en un futuro libro) son alentadores. Me ha impresionado la elegante sencillez de los diseños experimentales desarrollados por los investigadores, algunos de ellos estudiantes, que proporcionan elocuentes ejemplos de cómo hacer investigación de gran alcance a muy bajo costo.

La idea de escribir este libro surgió en Londres en 1989. Se me había invitado a reunirme con la directiva del Institute of Noetic Sciences (Instituto de ciencias noéticas; *noético* significa «perteneciente a la mente»), un tanque de pensamiento con base en California. Planeaban un proyecto sobre la naturaleza de la causalidad, y me invitaron a que les diese mi opinión sobre el tema, especialmente a la luz de la hipótesis de la causalidad formativa. En el curso de nuestra discusión, hablamos sobre los futuros programas de investigación en general. Me preguntaron qué haría yo si fuese miembro de la directiva y quisiera apoyar una investigación interesante y prometedora con recursos limitados. Mi respuesta consistió en redactar una lista de experimentos sencillos y de bajo costo que podrían cambiar el mundo, y en abogar acto seguido por aquel programa de investigación.

Aquella noche, en una cena habida en el Garrick Club, varios

* *Una nueva ciencia de la vida*, Barcelona, Kairós, 1990.
** *Presencia del pasado: resonancia mórfica y hábitos de la naturaleza*, Barcelona, Kairós, 1990.

miembros de la directiva, incluyendo a un senador estadounidense, me sugirieron que escribiese yo mismo un libro sobre el tema
en cuestión. Esto constituyó una idea nueva para mí, pero cuanto
más pensaba en ello, más me gustaba. Se me fueron ocurriendo
esbozos de nuevos tipos de experimentos y, de los muchos que tomé
en consideración, seleccioné por último los siete de este libro. En
consecuencia, no se trata tanto de un libro como de un programa
de investigación de amplia base, con una invitación abierta a participar en ella.

El desarrollo de estas ideas se ha visto ayudado por una beca
del Institute of Noetic Sciences, del que soy miembro antiguo, ha-
biéndome ofrecido también este instituto su ayuda para coordinar
este programa de investigación en Norteamérica. El proyecto ha
recibido un apoyo económico adicional de la Fundación Schweis-
furth, de Munich, Alemania, gracias a la generosidad de la señora
Elizabeth Buttenberg.

Estoy en deuda con muchas personas en cuanto a información,
análisis y consejos tocante a las distintas áreas de investigación que
cubre este libro, en especial a Ralph Abraham, Sperry Andrews,
Susan Blackmore, Jules Cashford, Christopher Clarke, Larry Dossey, Lindy Dufferin y Ava, Dorothy Emmet, Suitbert Ertel, Wins-
ton Franklin, Karl Geiger, Brian Goodwin, David Hart, Sandra
Houghton, Nicholas Humphrey, Thomas Hurley, Francis Huxley, el difunto Brian Inglis, Rick Ingrasci, Stanley Krippner, An-
thony Laude, David Lorimer, Terence McKenna, Dixie MacRey-
nolds, Wim Nuboer, el difunto Brendan O'Regan, Brian Petley,
Robbie Robson, Robert Rosenthal, Miriam Rothschild, Robert
Schwartz, James Serpell, George Sirk, Dennis Stillings, Louis van
Gasteren, Rex Weyler y a mi esposa, Jill Purce. He recibido también valiosa información de más de trescientos informadores, experimentadores y corresponsales, especialmente en conexión con
el comportamiento de los animales caseros, la vuelta a casa de las
palomas, la experiencia de los miembros fantasma y la sensación
de que están mirándolo a uno. Agradezco muchísimo toda esta ayuda brindada desinteresadamente.

Doy las gracias a las personas que han leído, enteros o en parte,
los distintos manuscritos de este libro, que se ha beneficiado de
su crítica y comentarios, en especial a Ralph Abraham, Christopher Clarke, Suitbert Ertel, Nicholas Humphrey, Francis Huxley,
Brian Petley, Kit Scott y a mis editores Christopher Potter y An-
drew Coleman.

Le agradezco a Christopher Sheldrake los dibujos que hizo en las figuras 5, 7 y 8, y a las personas siguientes el permiso para reproducir ilustraciones: a Peter Bennett (fig. 1); Rick Osman (figs. 2 y 3); Jill Purce (fig. 4); Usborne Publishing Ltd (fig. 9B); y a Stanley Krippner (fig. 12).

Introducción general

¿Por qué las grandes cuestiones no necesitan una gran ciencia?

Propongo en este libro siete experimentos que podrían transformar nuestra perspectiva de la realidad. Nos llevarían mucho más allá de las fronteras actuales de la investigación. Podrían revelar mucho más sobre el mundo que lo que la ciencia se ha atrevido a concebir hasta ahora. Cualquiera de ellos, de tener éxito, abriría unas perspectivas nuevas y desconcertantes. Considerados en su conjunto, podrían revolucionar nuestro modo de entender la naturaleza y a nosotros mismos.

Este libro no versa únicamente en un tipo de ciencia más abierta, sino en una manera más abierta *de hacer* la ciencia: más pública, más participativa y menos como monopolio de una casta sacerdotal científica. Los experimentos que presentamos cuestan muy poco, algunos prácticamente nada. Esta investigación está abierta potencialmente a cualquiera que se sienta interesado.

Como la ciencia institucional se ha vuelto tan conservadora, tan limitada por los paradigmas convencionales, algunos de los problemas más fundamentales o bien permanecen ignorados, o tratados como tabúes, o relegados al fondo de la agenda científica. Porque constituyen anomalías, porque no encajan. Por ejemplo, las facultades para hallar la dirección idónea de los animales migradores o que vuelven a su casa, como las mariposas Monarca y las palomas mensajeras, son muy misteriosas. Todavía están por explicar dentro de los términos de la ciencia ortodoxa, y acaso no se puedan explicar. Pero el hallazgo de la dirección por parte de los animales es un campo investigativo de poca categoría, si se le compara, digamos con la biología molecular, y muy pocos científicos trabajan en él. Sin embargo, unas investigaciones relativamente sencillas del comportamiento para hallar el camino hacia casa podrían transformar nuestro conocimiento de la naturaleza de los animales y conducir al mismo tiempo al descubrimiento de fuerzas, campos e influencias desconocidos en este momento para los físicos. Y esos experimentos requieren unos gastos muy pequeños, como demuestro en este libro. Se hallan perfectamente dentro de la capacidad de muchas personas que no son científicas profesionales. Desde luego las personas más calificadas para llevar a cabo esta investigación serían los colombófilos (aficionados a las palomas mensajeras), que alcanzan más de cinco millones en el mundo entero.

En el pasado, la mayor parte de la investigación científica estaba a cargo de los aficionados; y *aficionadas*, por definición, son aquellas personas que hacen alguna cosa porque les gusta. Charles Darwin, por ejemplo, nunca ejerció un cargo institucional; trabajó independientemente en su casa de Kent, Inglaterra, estudiando los percebes, escribiendo, criando palomas y haciendo experimentos en el jardín con su hijo Francis. Pero a partir de la última parte del siglo XIX, la ciencia se ha profesionalizado cada vez más.[1] Y desde la década de los 50 ha habido una enorme expansión de la investigación institucional. Existe actualmente sólo un puñado de científicos independientes, de los que el más conocido es James Lovelock, principal propugnador de la hipótesis Gaia, basada en la idea de que la Tierra es un organismo vivo. Y aunque siguen existiendo naturalistas aficionados e inventores por cuenta propia, se les ha marginado.

Sin embargo, el explorar las áreas estudiadas más allá de los límites actuales de la ciencia se ha convertido en algo mucho más fácil de lo que se imagina la mayoría de la gente. Estamos entrando de nuevo en una fase del desarrollo científico en la que personas no profesionales, con preparación científica o sin ella, pueden hacer investigaciones de vanguardia. La capacidad informática, antes monopolio de las grandes organizaciones, está a la disposición de todo el mundo: hay ordenadores en millones de hogares. Hay

---

1. Encontrará un interesante análisis de esta transición en el Reino Unido en Berman (1974).

más personas con tiempo libre que nunca. Cada año cientos de miles de estudiantes tienen que hacer proyectos de investigación científica como parte de sus prácticas; a algunos les agradaría la oportunidad de convertirse en auténticos pioneros. Y hay muchas organizaciones y asociaciones informales que proporcionan en la actualidad modelos para comunidades autónomas de investigadores, con actividades tanto dentro como fuera de las instituciones científicas. Preveo una relación complementaria entre los investigadores no profesionales y profesionales en el que los primeros dispondrán de una mayor libertad para explorar áreas nuevas de la investigación y proporcionarían los últimos un enfoque más riguroso, permitiendo así la confirmación de descubrimientos nuevos y su incorporación al creciente acervo de la ciencia.

Al igual que en sus períodos más creativos, la ciencia puede ser cultivada de nuevo desde un nivel popular. La investigación puede brotar de un interés personal por la naturaleza de la naturaleza —un interés que mueve originalmente a muchas personas a seguir carreras científicas, aunque se ve sofocado a menudo por las demandas de la vida institucional. Afortunadamente, el interés por la naturaleza alienta con la misma fuerza, si no más, a muchas personas que no son científicos profesionales.

Probablemente la mayoría de los lectores de este libro no tendrán de hecho el tiempo o inclinación precisos para llevar a cabo los experimentos que se proponen. Pero la idea misma de que *podrían* participar es de ésas que dan alas, y me he dado cuenta de que la acogen calurosamente tanto las personas que tienen una preparación científica como las que no la tienen. He hallado también que, al proponer experimentos muy concretos, se agudiza inmediatamente la discusión de un tema dado, y se enfocan mejor las cuestiones existentes.

Dentro de las ciencias naturales, hay cada cierto tiempo revoluciones que destronan las ortodoxias establecidas.[2] Pero el método experimental está situado en el meollo mismo de la ciencia. Ese método sigue estando en el centro al tiempo que los paradigmas vienen y van. Aunque estoy convencido de que el estado actual de la ciencia tiene muchos fallos, creo en cambio firmemente en la importancia de los experimentos. De no ser así, no escribiría este libro.

El método experimental no esconde en sí ningún misterio particular. Es sólo una forma especializada de un proceso fundamen-

2. Kuhn (1970).

tal existente en todas las sociedades humanas, e incluso en todo el reino animal, y consiste en aprender mediante la experiencia. La palabra latina *experire*, probar, someter a prueba, es la raíz de nuestras palabras «experiencia» y «experimento» (y también de «experto»). En francés, *expérience* significa a la vez experiencia y experimento, lo mismo que la palabra griega ἐμπειρία, origen de nuestro adjetivo «empírico».

Los experimentos científicos están concebidos de un modo deliberado y consciente para que den respuesta a nuestras preguntas. Los experimentos son caminos para hacer preguntas a la naturaleza. Se les puede emplear para decidir entre hipótesis rivales dejando que la naturaleza misma hable a través de los datos. Los experimentos constituyen en este sentido unas formas modernas de los oráculos. Entre los adivinos e intérpretes tradicionales de los oráculos figuraban los chamanes, los augures, los vaticinadores y videntes, los profetas y profetisas, los sacerdotes y sacerdotisas, brujas, magos y meigas. En el mundo moderno, aunque aquéllos siguen subsistiendo, los científicos han asumido muchos de sus papeles.

Las hipótesis científicas se someten a prueba mediante la observación, siendo las mejores hipótesis aquellas que encajan mejor en las observaciones. Nuestro conocimiento de la naturaleza sólo puede avanzar a través de los experimentos; sólo mediante la comprobación empírica puede establecerse un nuevo paradigma científico y la ciencia sólo puede progresar mediante las pruebas experimentales. Esta fe en el método experimental es fundamental en la práctica de la ciencia, y la comparten prácticamente todos los científicos, incluyendo al autor de este libro.

Rara vez ha habido más interés del público en las cuestiones fundamentales de la ciencia —por ejemplo, en la cosmología, la teoría cuántica, el caos, la complejidad, la evolución y la consciencia—, pero al mismo tiempo, nunca ha existido un divorcio mayor del público respecto a la investigación oficial. Este libro llama la atención hacia áreas de la investigación menospreciadas como consecuencia de los hábitos de pensamiento convencionales, en las que unos experimentos relativamente sencillos podrían rendir óptimos resultados, con oportunidades extraordinarias de hacer descubrimientos dignos de mención. Esos experimentos poco dispendiosos abren una investigación de vanguardia a los no profesionales, y al mismo tiempo brindan oportunidades nuevas a aquellos investigadores profesionales que se enfrentan a dificultades cada vez mayores para conseguir fondos, como también a los estudiantes que buscan proyectos capaces de entusiasmar.

La investigación de los temas que se proponen en este libro está coordinada hoy en día en Gran Bretaña por la Scientific and Medical Network; en los Estados Unidos por el Institute of Noetic Sciences; y se han establecido también centros coordinadores en Alemania, España, Francia y Holanda. Estos centros ayudarán a poner en contacto unos investigadores, brindando asesoramiento sobre los métodos experimentales y los procedimientos estadísticos, y proporcionando información regular al día mediante circulares. Se dan detalles en las páginas 251-252.

Poderes extraordinarios de animales ordinarios

Introducción a la primera parte

¿Por qué han sido menospreciados ciertos poderes desconcertantes de los animales?

La biología institucional está dominada hoy en día por la teoría mecanicista de la vida, según la cual todos los animales y plantas son esencialmente unas complejas máquinas, perfectamente explicables en principio de acuerdo con la física y la química modernas. Esta teoría está lejos de ser nueva. La propuso por vez primera en el siglo XVII René Descartes como parte de la filosofía mecanicista de la naturaleza: el cosmos era una máquina, y lo era asimismo cuanto en él se contiene, incluyendo los cuerpos humanos. Sólo era diferente la mente consciente y racional del hombre, al ser de esencia espiritual. Se suponía que la mente interactuaba con el mecanismo del cuerpo a través de una pequeña región del cerebro.

El enfoque mecanicista de la vida ha sido eficaz en muchos sentidos. Tanto las granjas-fábricas como el negocio agrario, la ingeniería genética, la biotecnología y la medicina moderna rinden tributo a su utilidad práctica. Y en lo que atañe al conocimiento fundamental, hemos aprendido mucho sobre la base molecular de los organismos vivos, la naturaleza del material genético, el ADN, las actividades químicas y eléctricas del sistema nervioso, el papel fisiológico de las hormonas, y un largo etcétera.

La biología académica ha heredado también de la ciencia del siglo XVII una gran fe en el reduccionismo: se trataba de explicar los sistemas de mayor complejidad a través de sus partes menores y más simples. Al principio se creyó que los átomos constituían los cimientos fundamentales de toda la explicación de la física. Se sabe ahora que los átomos son unas complejas estructuras de actividad compuestas por partículas subatómicas, consistentes a su vez en cuadros vibratorios existentes dentro de unos campos, lo que ha disuelto los cimientos, aparentemente sólidos, de la ciencia materialista. En palabras de Karl Popper, filósofo de la ciencia, «el materialismo se ha transcendido a sí mismo a través de la física moderna».[1] Pero tenemos que, dentro de la biología académica, el espíritu reduccionista sigue estando fuerte, y presta un gran impulso al intento de reducir los fenómenos de la vida al nivel molecular. En ese punto y en opinión común, la batuta del reduccionismo pasa sin reparo a manos de los químicos, que la pasan a su vez a los físicos cuando las moléculas se reducen a átomos y por último, a partículas subatómicas. En consecuencia, la biología molecular es una de las ciencias de la vida más prestigiosas y mejor cimentadas. Entretanto, aquellos campos de investigación de naturaleza inherentemente holística ocupan un estatus muy bajo dentro de la jerarquía científica: por ejemplo, la etología o estudio del comportamiento animal, o la morfología, o estudios de las formas de los organismos.

Sin embargo, desde el momento en que Descartes la propuso por vez primera, la teoría mecanicista de la vida ha sido muy controvertida, y se le opuso hasta la década de los años veinte la escuela biológica rival conocida como vitalismo.[2] Vitalismo es la doctrina que dice que los organismos vivos están realmente vivos. Mecanicismo es la que afirma que están literalmente inanimados y que carecen de alma. Durante más de dos siglos los vitalistas sostuvieron que los seres vivos estaban animados por principios vitales desconocidos para los físicos y químicos que partían del estudio de la materia inanimada. Frente a ellos, los mecanicistas sostuvieron siempre que no existían los llamados factores vitales o fuerzas de la vida. Su dogma básico sostenía que, aunque no se pudiese explicar todavía en el idioma de la física y la química todo lo concerniente a los organismos vivos, se llegaría a explicar en algún momento dentro de un futuro no demasiado distante.

1. Popper y Eccles (1977).
2. Encontrará relatos históricos de esta controversia en Sheldrake (1981, 1988).

Como los vitalistas admitían la existencia de principios vitales desconocidos, propendían a mostrar una opinión abierta a la posibilidad de aquellos fenómenos que no se pudieran explicar en términos mecanicistas, como los fenómenos psíquicos de los seres humanos y las extrañas facultades existentes en los animales.[3] Frente a ellos, los mecanicistas, como cuestión de principio, se cerraban en términos generales a la posibilidad de cualquier fenómeno que pareciera inexplicable a la luz de la física y la química del momento.

Los mecanicistas acuden con frecuencia a un argumento llamado «la cuchilla de Occam». Esa cuchilla o «navaja de afeitar» fue utilizada en su origen por Guillermo de Occam, un filósofo medieval de Oxford, como artilugio para negar que las estructuras teóricas tuvieran realidad alguna fuera de nuestra mente. Basándose en que «no hay que multiplicar innecesariamente las entidades», hay que dar preferencia a la hipótesis más simple. Pero cuando los mecanicistas utilizan la cuchilla de Occam, no lo hacen ateniéndose a ninguna pauta filosófica rigurosa, sino únicamente como justificación para aferrarse al punto de vista científico ortodoxo en su tiempo.[4] Suelen considerar como cosa de cajón que las explicaciones mecanicistas son las más sencillas, aun en el caso de que el intento de aplicarlas en la práctica para predecir, pongamos por caso, el comportamiento de una hormiga partiendo de la estructura de su ADN implicaría unos cálculos tan endiabladamente complicados que no se podrían poner en práctica. Hay que rechazar la postulación de cualquier tipo de campos, fuerzas o principios no materiales —de no ser que los hayan aceptado ya los físicos. Los mecanicistas han temido siempre, y siguen temiendo, que ad-

3. Por ejemplo, los dos líderes de la escuela vitalista a principios del siglo xx, Hans Driesch y Henri Bergson fueron presidentes de la British Society for Psychical Research (Sociedad Británica de Investigación Psíquica); y las convicciones vitalistas del naturalista Eugène Marais le permitieron investigar de un modo muy original el comportamiento de los animales sociales. En el capítulo 3 se analiza su trabajo sobre las termitas. Además, entre los investigadores psíquicos se dio una actitud abierta general frente a los poderes extraordinarios de los animales, expresada, por ejemplo, por Haynes (1973).

4. Occam empleó este argumento en oposición a los platónicos y a su noción de la existencia de ideas eternas y universales, ya sea independiente o como ideas existentes en la Mente Divina. Por lo mismo, este argumento se opone a la noción de que las leyes matemáticas universales de la naturaleza existan independientemente de la mente humana. Muchos mecanicistas, y desde luego muchos físicos, son platónicos en su fuero interno y no aplican la navaja de Occam a esa parte de su pensamiento. Occam utilizó también su navaja contra los aristotélicos y su doctrina de una esencia no material inherente a las cosas materiales. Este argumento excluiría asimismo la existencia real de campos del tipo del gravitatorio universal y los electromagnéticos. Diremos también que la mayoría de los mecanicistas no toman en serio tampoco la navaja de Occam en referencia a este caso. En su mayoría conciben una existencia real de los aceptados campos de la naturaleza en vez de verlos como simples modelos existentes sólo en la mente de los físicos.

mitir la realidad de cualquier cosa «misteriosa» o «mística» dentro del ámbito de la vida equivaldría a abandonar las certidumbres logradas por la ciencia con tanta dificultad.[5]

A las personas situadas fuera de la ciencia establecida pueden parecerles remotas y polvorientas estas controversias de tan viejo cuño. Pero desgraciadamente siguen conservando su vigencia hoy en día. La mayoría de los biólogos, agrónomos y médicos han sido educados en la creencia de que la teoría mecanicista representa el triunfo de la razón sobre la superstición, contra la que hay que defender a toda costa la verdadera ciencia. A pesar de todo, los fenómenos psíquicos se han negado a hacer mutis. Los animales siguen comportándose extrañamente. Las formas de medicina no mecanicistas florecen al margen de las instituciones ortodoxas. Los reparos de la gente tocante a la aplicación práctica de los principios mecanicistas en los cultivos de fábrica, el negocio agrario, la explotación forestal y la vivisección, en vez de disminuir, aumentan abiertamente. Las expectativas de la ingeniería genética despiertan más temor que admiración. Y la teoría mecanicista de la evolución por efecto de la casualidad ciega y la selección natural dista de haber ganado los corazones y la mente de la mayoría de la gente a pesar del gran empeño puesto por los evangelistas neodarwinistas.

Todos estos factores se conjuran dando lugar a una actitud defensiva en muchos biólogos, y a una aversión a explorar la posibilidad de que la vida pueda ser una cosa más extraña que todo lo que haya soñado la física de antes. Esto ayuda a explicar el porqué de que los desconcertantes fenómenos que analizo en los tres capítulos siguientes hayan recibido tan escasa atención de parte de los investigadores profesionales.

Aunque la vieja controversia vitalista-mecanicista ha contribuido en mucho para dar forma a la actitud de los biólogos de nuestro tiempo, ha dejado de constituir, en mi opinión, un sendero fecundo para explorar la naturaleza de la vida. A partir de los años 20, ha surgido una alternativa más amplia frente a la teoría mecanicista de la vida en forma de la filosofía holística u organísmica de la naturaleza. Desde su punto de vista, el conjunto es algo más que

5. Hay algunos que ven incluso estas cuestiones a la luz de una gran batalla del bien contra el mal, contra «la Bestia maligna que dormita debajo», según ha dicho Gerald Holton, todo un científico de Harvard, quien recientemente ha exhortado a los defensores de la ciencia mecanicista, que describe como la visión cósmica «apropiada», a que estén en guardia, pidiéndoles que se empeñen en «desarmar» a esa mala Bestia como un «deber inexcusable para con su propio sistema de creencias» (Holton, 1992).

la suma de sus partes. No sólo los organismos vivos, sino también los sistemas no biológicos, tales como las moléculas, cristales y galaxias, tienen propiedades holísticas que no son reducibles a sus partes. La naturaleza está compuesta por organismos, no por máquinas.[6]

Mientras la biología académica permanece sometida todavía a una manera de pensar antigua, un paradigma de más de trescientos años, otras ramas de la ciencia se han adentrado de muchas maneras más allá de la visión cósmica mecanicista. Desde los años 60, el cosmos entero se está pareciendo más a un organismo en desarrollo que a una máquina, crece continuamente y desarrolla en su seno nuevos esquemas de organización al desarrollarse. El rígido determinismo de la física de viejo cuño ha dado lugar al reconocimiento de una espontaneidad inherente a la naturaleza —a través del indeterminismo al nivel cuántico, a través de la termodinámica desequilibrada y a través de las intuiciones que brindan las teorías caótica y de la complejidad.[7] Ha aparecido dentro de la cosmología el reconocimiento de una especie de inconsciente cósmico a través del descubrimiento de la «materia negra», cuya naturaleza es oscura en extremo, a pesar de que parece constituir alrededor del 90-99 por ciento de la materia universal. Entretanto, la teoría cuántica ha revelado aspectos extraños y paradójicos de la naturaleza, incluyendo el fenómeno de la no localidad o no separabilidad, según el cual unos sistemas que fueron en otro tiempo partes de un conjunto más grande conservan una misteriosa interconexión incluso estando separados por muchos kilómetros.[8]

Los biólogos en general adoptan una perspectiva pasada de moda de la realidad física. Por definición se han especializado en la biología; en su mayoría poseen muy poca o ninguna preparación tocante a la mecánica cuántica y otros aspectos de la física moderna. Irónicamente, muchos de ellos siguen esperando reducir los fenómenos de la vida a la física del pasado; pero la física se ha movido hacia delante.

Ese sustrato ideológico permite explicar por qué los investigadores profesionales han menospreciado esos poderes al parecer extraordinarios de los animales y que, en consecuencia, sigan pendientes de respuesta unas cuestiones de tanto fundamento. Debo decir con todo que no estoy propugnando ninguna teoría particu-

---

6. Vea un análisis detallado en Sheldrake (1988).
7. Vea, por ejemplo, a Prigogine y Stengers (1984), Gleik (1988) y Waldrop (1993).
8. Vea un análisis de estos descubrimientos y sus implicaciones en Sheldrake (1990).

lar para explicarlas. Creo que la ortodoxia actual es excesivamente limitada y demasiado estrecha; pero creo también que el camino hacia delante depende de lo que nos cuente la naturaleza misma. En el momento actual necesitamos más hechos, y espero que los experimentos siguientes nos ayuden a abrir unas áreas de la investigación que han permanecido cerradas durante demasiado tiempo.

CAPÍTULO

1

Animales de compañía que saben cuándo regresan sus dueños

Los vínculos existentes entre los animales y la gente

En mi ciudad natal, Newark-on-Trent, había entre mis vecinos una viuda que tenía un gato. Su hijo era marino mercante. Un día me dijo que sabía siempre cuándo su hijo regresaba a casa con permiso aunque él no la informaba de cuándo le tocaba esperarlo. El gato salía de casa y se plantaba en el felpudo de la puerta y maullaba durante una hora o dos antes de que él llegara de hecho, «por eso yo sé siempre cuándo tengo que ponerme a prepararle el té», añadía.

No era la clase de mujer que se inventa ese tipo de cosas, aunque la historia podría haber mejorado de tanto contarla. Su aceptación, tan flemática, de aquel fenómeno, a todas luces paranormal, me dio que pensar. ¿Estaba ocurriendo en realidad una cosa extraña? ¿O se trataba más bien de algún tipo de ilusión, producto de una mentalidad supersticiosa, anhelante y no científica? Averigüé pronto que muchos propietarios de animales caseros contaban historias similares. En algunos casos, los animales en cuestión daban la impresión de conocer con horas de antelación el regreso de un miembro de la familia ausente durante mucho tiempo. En otros, menos extraordinarios, se trataba de animales caseros que se ponían excitados poco antes de que su dueño regresara a casa del trabajo.

En 1919 el naturalista estadounidense William Long publicó un libro fascinante titulado *How Animals Talk* (Cómo hablan los animales), en el que describía cómo, en sus años de escolar, un perro que tenía, un viejo setter llamado Don, reaccionaba ante sus ausencias en el internado:

> Don quedaba en casa descontento al máximo durante mis estancias en el internado; pero daba la impresión de saber siempre cuándo regresaba yo a casa. Durante meses enteros andaba tranquilamente por la casa, y obedecía a mi madre a la perfección, aunque a ella nunca le gustó tener un perro; pero el día en que se me esperaba, salía de casa sin hacer caso a ninguna orden, y se iba a un altozano que había detrás del camino, desde el que podía dominar la carretera. A cualquier hora que regresara yo, tanto al mediodía como a medianoche, lo encontraba siempre esperándome. En una ocasión en que yo iba hacia casa, sin que se me esperara ni hubiese enviado noticia alguna de mi regreso, mi madre echó en falta a Don, y lo llamó en vano. Unas horas después, como no regresaba a su hora de comer ni contestaba a sus repetidas llamadas, salió a buscarlo, y lo encontró plantado expectante en el sendero... Y sin dudar un momento que yo iba a necesitarla pronto, ella se puso a prepararme la habitación. Si el perro hubiera estado acostumbrado a pasar su tiempo ocioso en aquel sendero, uno podría achacar inconscientemente aquella acción al azar o a la teoría del acierto y el error; pero nunca se le había visto ponerse a esperar allí en ningún caso, excepto en los días en que me esperaban. En una ocasión, observaron que montaba su guardia a pocos minutos de la hora exacta en que mi tren había dejado la distante ciudad. A todas luces él sabía cuándo emprendía yo el camino hacia casa.[1]

Abundan las historias de ese tipo. Pero ¿hasta qué punto podemos tomarlas en serio? La persona más o menos escéptica está siempre presta a desecharlas aludiendo a coincidencias casuales, a «indicios sutiles», a la agudeza del sentido del olfato y el oído, a la rutina, o si no a la credulidad, el ilusionismo o las ganas de cargar con el engaño de las personas que creen en semejantes cosas.

Esas objeciones de cajón usuales no son resultado de estudios empíricos detallados. En realidad, no se ha hecho hasta ahora lo que se dice investigación alguna sobre ese tema. Esa falta de investigación no se debe a falta de interés general en el asunto. Todo lo contrario; existe una gran curiosidad entre la gente hacia los mis-

---

1. Long (1919), págs. 78-79.

teriosos poderes de los animales caseros. Tampoco ha sido cuestión de dinero; los experimentos respectivos básicos no cuestan prácticamente nada. Lo que ocurre más bien es que la investigación científica ha chocado con la combinación de tres poderosos tabúes, que voy a considerar con mayor detalle al final de este capítulo: el tabú existente contra la investigación de lo paranormal; el tabú contra tomar en serio a los animales caseros; y el tabú en contra de los experimentos con ellos. De momento, me limitaré a ignorar sencillamente esos tabúes, para centrarme de lleno en un posible experimento.

EXPERIMENTOS CON ANIMALES QUE SABEN CUÁNDO SUS DUEÑOS ESTÁN DE REGRESO A CASA

La idea de un experimento simple y barato para comprobar cómo los animales caseros saben cuándo sus dueños vienen de regreso a casa se me ocurrió en el curso de una conversación con un amigo escéptico, Nicholas Humphrey. Llegaban sin cesar a mi conocimiento historias sobre este fascinante fenómeno, y le pregunté qué opinaba sobre aquello. Para mi sorpresa, no puso en duda el fenómeno en sí; más aún, me dijo que su perro daba la impresión de tener unos poderes muy extraños. Pero añadió enseguida que no se trataba en realidad de ninguna cosa misteriosa; los animales de compañía eran muy duchos en responder a indicios sutiles y a menudo tenían unos sentidos sorprendentemente agudos.

Sin duda muchas personas han tenido conversaciones como ésta. Pero en vez de olvidarla sin sacar conclusiones como suele ocurrir, aquella conversación me encendió la lucecilla de un sencillo experimento. Cuando un animal casero reacciona con bastante antelación a la llegada de su propietario, se puede excluir la posibilidad de explicar sin más su comportamiento aduciendo una previsión rutinaria o los estímulos sensoriales volviendo a casa de una manera inusual y en un momento imprevisto. Todavía más, para excluir la posibilidad de que el animal capte las expectativas de la persona que espera en casa, esa persona no debe saber cuándo va a llegar el miembro ausente de la familia.

Esto no quiere decir que la rutina, los sonidos y olores familiares, o el comportamiento de la gente que hay en casa no tengan importancia para el animal. Estoy seguro de que son importantísimos. El objetivo del experimento es sencillamente eliminar las diferentes influencias que pudieran combinarse normalmente, para averiguar si existe un componente inexplicado de su comportamiento. ¿Sigue sabiendo el animal cuándo la persona en cuestión va camino a casa tras haber sido eliminadas todas las claves sensoriales concebibles? En este sentido, el experimento se parece a la investigación del regreso a casa de las palomas. Incluso cuando se ha eliminado una clave tras otra, las palomas siguen hallando el camino hacia su casa (véase el capítulo 2).

La única investigación publicada de este tipo que he encontrado fue llevada a cabo por un «amigo científico» de William Long, el dueño del perro Don cuyo caso acabo de citar:

> Este segundo perro, Watch (Reloj) de nombre y de carácter, estaba acostumbrado a salir al encuentro de su amo de modo similar a como Don salía al mío en el sendero. Su propietario, un carpintero y maestro de obras, muy ocupado, tenía un despacho en la ciudad y acostumbraba a regresar a casa de su oficina o lugar de trabajo a cualquier hora, a veces temprano, por la tarde, pero igual también mucho después de anochecer. A cualquier hora que aquel hombre se ponía de camino a casa, Watch parecía seguir su movimiento como si lo viera, empezaba a ponerse inquieto, ladraba para que le dejaran salir si estaba entonces en la casa, y salía corriendo para encontrarse con su amo como a medio camino... Aquella extraña «dote» era del dominio común del vecindario, y en cierta ocasión un vecino incrédulo organizó un experimento: el dueño del perro accedería a anotar la hora en que saldría para casa, y una o más personas interesadas en la prueba estarían pendientes del perro. De ese modo mi amigo científico sometió a prueba repetidas veces a Watch, y observó que emprendía el camino con sólo unos momentos de diferencia respecto al tiempo en que su amo abandonaba su despacho o lugar de trabajo en el centro de la ciudad, situado a unos 5 o 6 kilómetros y medio de distancia.[2]

Por descontado que me gustaría hacer más preguntas sobre Watch y su comportamiento. Pero ya han muerto el perro y aquellas personas. El único camino que me queda para seguir avanzando pasa por las observaciones y experimentos a efectuar con perros que vivan ahora.

En 1992 escribí un artículo sobre este tema donde pedía a los propietarios de perros que se pusieran en contacto conmigo si tenían observaciones relevantes, en especial si les gustaría tomar parte en la investigación. Aquel llamamiento se publicó en la sección «Members Research» (Investigación de los miembros) del *Bulletin*

2. Íd., págs. 81-82.

of the Institute of Noetic Sciences, que se distribuye entre los miembros de este instituto en Norteamérica y otros países.

Recibí más de cien cartas de contestación, muchas con fascinantes observaciones. Algunas de ellas daban la impresión de echar por tierra cualquier explicación apegada a las reacciones de rutina. He aquí, por ejemplo, un relato de la señora Louise Gavit, de Morrow, Georgia:

> En nuestro caso, mis idas y venidas carecen de pautas u horarios, pero mi marido me dice (cosa extensiva a la experiencia anterior con dos gatos y un perro que actuaban igual) que nuestro perro reacciona siempre ante mi regreso hacia casa. De hecho da la impresión de que responde a mi *intención y acción* de regresar a casa. Midiendo con la mayor exactitud que puedo mis movimintos en comparación con las acciones emprendidas por el perro, sus respuestas a mis acciones mentales y físicas son las siguientes: cuando dejo el lugar donde he estado y camino hacia el coche con intención de volver a casa, nuestro perro «B J» despierta a su dueño, se acerca a la puerta, se tumba en el suelo cerca de la puerta y apunta con el hocico hacia ella. Y se queda esperando allí. Cuando ya estoy cerca, se pone más pendiente, y empieza a andar de un lado a otro y a mostrar más excitación cuanto más cerca estoy de casa. Y nunca deja de asomar el hocico por la rendija de la puerta, saludándome, en cuanto la abro. Ese sentido parece no sufrir limitaciones con la distancia. Da la impresión de no reaccionar en absoluto cuando voy de un lugar cualquiera a otro, pero su respuesta se manifiesta al parecer en el momento en que concibo la idea de volver a casa, y emprendo la acción de caminar hacia el coche para volver a ella.

Se trata de unas observaciones fascinantes. Le sugerí a la señora Gavit que ensayase el regreso a casa por medios inusuales, por ejemplo, llevándola alguna otra persona en un coche no familiar para el perro. Me contestó que aquello no producía al parecer ninguna diferencia.

> Mi método de desplazarme es irregular: lo hago en mi coche, en el de mi marido, en un camión, o en una serie de coches desconocidos para B J, o a pie. No sé cómo, pero B J responde a mi pensamiento/acción siempre del mismo modo. Responde así incluso cuando ha visto que mi coche está todavía dentro del garaje, que está situado en el sótano de nuestra casa.

He aquí otro ejemplo, del señor Starfire, de Kahului, Hawai:

> Mi perra Debbie se ponía siempre a esperar junto a la puerta como media hora antes de que mi papá volviera a casa del trabajo. Cuando mi

padre estuvo en el servicio militar tenía un horario de trabajo sumamente irregular. Carecía de importancia el que mi padre telefonease antes. Durante algún tiempo sospeché que la perra reaccionaba ante el teléfono. Pero está claro que no era así porque a veces decía mi padre que iba a volver pronto a casa, pero tenía que quedarse fuera hasta bien tarde. En ocasiones ni siquiera telefoneaba. La perra nunca se engañó, por lo que excluí la teoría del teléfono. Mi madre fue la primera en darse cuenta de aquel comportamiento. Y se ponía a preparar la cena siempre cuando la perra se iba hacia la puerta. Si Debbie no iba hacia la puerta, sabíamos entonces que padre iba a volver a casa tarde. Cuando se retrasaba, la perra lo esperaba de todas maneras, pero no se ponía a hacerlo hasta que él venía ya hacia casa.

Otro ejemplo, que tampoco se puede explicar acudiendo a la expectativa rutinaria es el de la señora Jan Woody de Dallas, Texas:

Nuestra perra Cayce sabía cuándo mi marido o yo nos poníamos en marcha hacia casa. Dejaba de hacer entonces lo que estuviera haciendo, ya sea en el patio trasero (pedía entonces que la dejaran entrar en casa) o dentro de casa, e iba a plantarse junto a la puerta de entrada en el minuto exacto en que mi marido o yo dejábamos cualquier actividad que estuviéramos desempeñando. A veces mi marido me telefoneaba para decirme que salía del tribunal y preguntarme si Cayce había ido a ponerse junto a la puerta. Otras veces nos decíamos uno al otro cuándo habíamos salido del trabajo y preguntábamos si la perra había ido a ponerse junto a la puerta en aquel minuto. Cayce lo señalaba ladrando, como actuaba para hacernos saber que acababa de llegar el correo, una de sus tareas. La perra se atuvo a aquella costumbre incluso cuando estaba en casa de mis padres o en un motel o un hotel. No veo cómo podía oír cuándo arrancaban nuestros coches cuando estaban en otra ciudad. Ni sé tampoco cómo podría recibir claves sensoriales de cualquier tipo dado que ni mi marido ni yo sabíamos cuándo el otro iba de camino a casa (no siendo cuando nos telefoneábamos). A veces yo me demoraba media hora o algo así en alguna otra actividad. Unas veces las vistas de mi marido en los juzgados duraban todo el día, otras veces una hora.

Por desgracia, Cayce murió en 1992, y por ese motivo no es posible hacer pruebas ulteriores que complementen las observaciones, notablemente claras, hechas por el señor y la señora Woody.

La señora Vida Bayliss vive en una zona boscosa de unas 16 hectáreas en el área rural de Oregón, a unos 5 kilómetros de la carretera. Su perro Orion es un ejemplar cruzado de bóxer y dobermann de siete años, que vaga a sus anchas por los extensos alrededores. Sin embargo, cuando la señora Bayliss regresa a casa, a pesar de que su horario es «bastante irregular», se encuentra casi siempre con que él está allí para saludarla. He oído otros muchos casos de perros y gatos que andan sueltos y que dan también la impresión de saber cuándo deben regresar a casa para saludar a sus propietarios. Orion sabe distinguir también los miembros de la familia de los desconocidos antes de su llegada, y ladra para avisar de que se acercan personas extrañas, pero guarda silencio con los miembros de la familia:

> Orion parece ser también bastante ecléctico en cuanto a las personas que considera «parte de la familia». Desde mi divorcio, aunque mi «ex» conduce el mismo coche de antes, se ha convertido ahora en causa de ladridos. En cambio, mis padres, aunque nos visitan con escasa frecuencia, han recibido siempre la acogida amable y silenciosa. Una vez que un miembro de la familia llegó conduciendo un coche alquilado fue objeto de ladridos hasta que bajó una ventanilla y hubo entonces un intercambio de saludos. Pero cuando tengo el coche en el taller y llego en uno «prestado», no me ladra. Mi camino de acceso está lleno de baches y tiene tres desniveles. ¿Me conocerá Orion debido a que conduzco aprisa por este camino tan familiar independientemente del coche que traiga?

Para dar contestación a esta pregunta, la señora Bayliss podría hacer la prueba de volver a casa a una hora desacostumbrada en un vehículo desconocido y conducido por alguna otra persona.

Otros corresponsales de los Estados Unidos me han descrito docenas de casos diversos y he recibido más de treinta informes verbales de un comportamiento anticipatorio similar en perros o gatos en Gran Bretaña y Alemania. Me han hablado también de un loro dotado de poderes similares. En todos estos casos hemos podido elaborar pruebas sencillas susceptibles de utilización para indagar más. Los ejemplos mencionados antes ilustran bastante bien los principios generales.

Probablemente hay millones de personas en todo el mundo que tienen animales que parecen saber cuándo van de vuelta a casa. Con que sólo unas cuantas docenas se interesen lo suficiente para hacer la investigación pionera básica, se podría establecer pronto si este fenómeno va o no más allá de los tipos convencionales de explicación científica. Si existe un efecto aparentemente «paranormal» y el mismo se ve confirmado por investigadores independientes, podrían hacerse entonces más experimentos para investigar ese fenómeno con más detalle. En esa fase podría ser útil probablemente la implicación de investigadores profesionales. Y comoquiera que los escépticos responderían probablemente elucubrando explicaciones alternativas cada vez más sutiles, haría falta hacer pruebas más sofisticadas para hacer frente a cualquier hipótesis escéptica razonable. Pero llegaría pronto un momento en el que las hipótesis de los escépticos resultarían más fantásticas que la idea de una conexión no admitida hasta entonces por la ciencia.

La investigación con esos animales que saben cuándo sus propietarios van camino de casa queda abierta a cuantas personas tengan un animal de compañía, especialmente si pueden contar con la cooperación de la familia, los amigos y, por supuesto, del animal en cuestión. Para los estudiantes en cuya casa hay animales de ésos, dicha investigación podría constituir un proyecto científico de un tipo extraordinariamente interesante.

EL SUSTRATO SOCIAL Y BIOLÓGICO

En la investigación de la parapsicología humana, la mayoría de los experimentos se hacen aburridos enseguida. Por docenas tienden a enfriarse en cuanto los sujetos empiezan a hallar fastidio en las repetitivas pruebas. Muy al contrario, la entusiasmada respuesta de los animales caseros al regreso de las personas familiares se repite una vez tras otra; a los animales no les aburren las llegadas de ellas a casa. Por ese motivo soy optimista en cuanto a la posibilidad de conseguir resultados repetibles y seguros en los experimentos hechos con animales que saben cuándo sus propietarios van de camino a casa.

Dar la bienvenida es un rasgo central existente en muchas relaciones persona/animal casero. En un estudio hecho en Cambridge, Inglaterra, se pidió a los propietarios de perros que clasificaran a los suyos de acuerdo con veintidós aspectos diferentes del comportamiento canino, tales como afición a jugar, obediencia y afecto. Se les pidió también que diesen su opinión del perro hipotéticamente «ideal». No nos sorprende que a su dechado canino le gustara salir de paseo, fuese obediente o inteligente, acogedor, expresivo y así por el estilo. Pero es más interesante la manera con que los atributos de los perros reales coincidían con las expectativas ideales de sus propietarios:

> Destacaban entre ellas la tendencia a ser muy afectuosos, a saludar intensamente al propietario o propietaria siempre que llegaba a casa, a ser muy expresivos (casi humanos), y a atender devotamente cualquier cosa que el propietario dijera o hiciera... Los perros y gatos se prestan particu-

larmente a comunicar esas evidentes señales de amistad, y su facultad de ganarse amigos e influir a las personas debe más a su capacidad en ese sentido que ningún otro factor. Tal vez la manera más obvia con que esos animales señalan su afecto hacia nosotros reside en su hábito de buscar nuestra compañía y de permanecer cerca de nosotros o incluso en contacto físico con nosotros. El perro promedio, por ejemplo, se comporta como si estuviese literalmente «atado» a su propietario con un cordón invisible. Dada la oportunidad, lo seguirá a todas partes, se sentará o acostará al lado suyo, y mostrará claras señales de pesar si aquel sale de casa y lo deja en ella, o si lo deja fuera de la habitación cerrándole la puerta inesperadamente.[3]

Del mismo modo que los saludos y encuentros de la gente suelen ser convencionales y estar ritualizados, lo son y están también los de los perros. Muchos de ellos emiten jadeantes ladridos de entusiasmo; echan hacia atrás los lados de la boca expresando la llamada sonrisa de sumisión; y si no estan bien disciplinados, tratarán de lamerle la cara al dueño. De ese modo y otros se comportan como los cachorros que saludan a sus padres, meneando la cola con tal animación que los cuartos traseros enteros forman parte de ese movimiento. Los saludos entre los lobos son similares. Cuando se destetan los cachorros, se les disuade de mamar y en vez de hacerlo, empiezan a solicitar alimento de sus padres u otros miembros de la manada. Cuando el adulto se les acerca con alimento en la boca, se le apiñan excitados alrededor de la cabeza, meneando la cola, adoptando gestos de sumisión y saltando y lamiéndole las comisuras de la boca. Entre los lobos adultos, esos mismos esquemas de comportamiento se convierten en ritualizados saludos y exhibiciones de solidaridad a la manada. La atención máxima va dirigida hacia los animales de más alto rango, que representan el papel paternal o maternal exhibiéndose con huesos, palos u otros objetos en la boca.[4]

De un modo parecido, el comportamiento de saludo de los gatos —que suele iniciarse con un gorjeo suave parecido al de un pájaro, acercándose el minino con la cola hacia arriba, sobándose contra las manos o los pies del dueño y ronroneando con fuerza, y revolcándose a veces sobre el lomo— es igual que el de los gatitos cuando saludan el regreso de su madre.

Durante millones de años, entre los antepasados salvajes de los perros y gatos, los pequeños se quedaban en la guarida mientras

3. Serpell (1986), págs. 103-104.
4. Íd., pág. 107.

los adultos salían de caza. Sigue ocurriendo eso mismo hoy en día entre sus parientes salvajes. El regreso de los cazadores con alimento es un acontecimiento de máxima importancia vital. Tras el comportamiento de los animales caseros queda una larga historia evolucionaria.

Los íntimos vínculos existentes entre los seres humanos y los perros datan de hace más de 10.000 años. Los gatos fueron domesticados más recientemente, a partir tal vez de hace unos 4.000 años, en Egipto. Si resulta que hay una conexión «paranormal» entre los animales de compañía y sus dueños, sería también muy probable que existan unas conexiones similares entre los miembros de los grupos existentes en las especies salvajes afines, y desde luego en un sinnúmero de otras especies animales. Además no hay nadie que conozca la naturaleza de los vínculos sociales existentes en las sociedades animales —o humanas. Volveré a este tema en el capítulo 3.

TRES TABÚES EXISTENTES CONTRA LA INVESTIGACIÓN CON ANIMALES CASEROS

Aunque no se ha hecho todavía prácticamente investigación alguna con los animales que saben cuándo sus dueños vienen hacia casa, los sencillos experimentos que hemos mencionado permitirían ya hacer estudios pioneros prácticamente sin gastos. ¿Por qué no se han hecho ya hace años? Debido a la existencia de fuertes tabúes, de acción inconsciente por lo general. Analizaré ahora brevemente esos tabúes, porque necesita ser consciente de ellos cualquiera que se interese por la investigación con dichos animales. Digamos también que ninguno de esos tabúes tiene mucha fuerza una vez sacados al plano consciente, y no tienen por qué presentar obstáculo alguno para la investigación sugerida en este capítulo.

Tabú es una version universalizada de una palabra de las islas de Tonga que hace referencia a lo que es «demasiado sagrado o maligno para ser tocado, mencionado o usado», o en dos palabras, para lo prohibido.[5] He aquí los tres tabúes principales que han inhibido la investigación de los inexplicados poderes de los animales caseros.

---

5. *The New Penguin English Dictionary* (1986), Penguin Books, Harmondsworth.

1. EL TABÚ EN CONTRA DE INVESTIGAR LO PARANORMAL

Para empezar, tenemos la prohibición general de tomar en serio los fenómenos «psíquicos» o «paranormales». Si se dan en realidad, ponen en entredicho la imagen cósmica mecanicista, que sigue informando la ortodoxia de la ciencia institucional. Por consiguiente, se les suele ignorar o negar, al menos en público

Sustentan activamentre este tabú los escépticos. No me refiero en este caso a ese escepticismo sano y normal que es un componente del sentido común, sino a los autoproclamados escépticos que forman grupos organizados y actúan como vigilantes intelectuales, prestos y dispuestos a hacer frente a cualquier afirmación pública de lo paranormal.[6] Los escépticos comprometidos tienden a identificar el enfoque cósmico mecanicista con la razón misma, y lo defienden apasionadamente. Son fundamentalistas científicos. Lo que temen es que si se permite que las reclamaciones de lo paranormal hagan pie, la civilización científica se verá agobiada por un gran resurgimiento de la superstición y la religión. Su enfoque favorito consiste en desechar los fenómenos «paranormales» como tonterías sin sentido y considerar la creencia en ellos como una aberración nacida de la ignorancia y un modo de pensar tendencioso —o también, en el caso de los que deberían estar más enterados, como cosa sintomática de debilidad intelectual.

Las personas preparadas y respetables tratan el interés por «lo paranormal» como una especie de pornografía intelectual. Florece en el ámbito privado así como en las ramas menos prestigiosas de los medios; pero se halla más o menos excluido del sistema educativo, de las instituciones científicas y médicas y de las disertaciones públicas de carácter serio.

Desgraciadamente, muchos escépticos comprometidos confunden la defensa de la ciencia con la defensa de un panorama cósmico particular. La investigación del tipo de la que sugiero en este capítulo, o incluso en todo el libro, puede conducir posiblemente más allá del paradigma mecanicista, pero no es en absoluto menos científica. Podría conducirnos a un conocimiento del mundo más amplio e inclusivo. Por otra parte, si demuestra que unos fenóme-

6. En los Estados Unidos, la asociación más conocida de este tipo es el CSICOP, Committee for the Scientific Investigation of Claims of the Paranormal (Comité de investigación científica de las reivindicaciones de lo paranormal). El CSICOP organiza conferencias anuales para los escépticos y publica una revista llamada *The Skeptical Inquirer* (El investigador escéptico). Organizaciones similares de escépticos se han establecido ya en otros países, y publican revistas propias como *The British and Irish Skeptic* (El escéptico británico e irlandés).

nos aparentemente paranormales admiten de hecho una explicación traducida a principios científicos estandarizados, los escépticos tendrán en último término alguna prueba en que apoyar sus creencias.

No es necesario tener miedo a los escépticos. Si se oponen a la indagación empírica a causa de prejuicios doctrinarios, pierden con ello el derecho a reclamar cualquier credibilidad científica. Pero si creen de veras en una investigación experimental de carácter abierto, como aseguran, deberán constituir más una ayuda que un obstáculo.

2. EL TABÚ EN CONTRA DE TOMAR EN SERIO A LOS ANIMALES DE COMPAÑÍA

El estatus mismo de estos animales implica un poderoso tabú, omnipresente e inconsciente en gran medida. El rasgo esencial de ese tabú reside en la noción, vagamente definida, de que el afecto del hombre hacia los animales tiene algo de extraño, perverso o despilfarrador.

Ha explorado recientemente este tabú James Serpell, investigador del comportamiento animal en la Universidad de Cambridge. Cuando se graduó en los años 70, se interesó en la investigación de las relaciones existentes entre la gente y sus animales caseros. Halló con gran sorpresa que se habían hecho muy pocos estudios científicos, si acaso, del tema, pese al hecho de que en más de la mitad de las casas de Europa Occidental y América del Norte hay por lo menos un animal de compañía, incluyendo las aves y los peces. En la Comunidad Europea se calcula que hay 26 millones de perros de compañía y 23 millones de gatos. En los Estados Unidos hay alrededor de 48 millones de perros y 27 de gatos, y el gasto nacional en alimento de animales y atención veterinaria anda en torno a los 10.000 millones de dólares.[7] Además, según ha indicado Nicholas Humphrey: «En los Estados Unidos hay casi tantos perros y gatos como televisiones. Se han investigado y documentado minuciosamente los efectos de la televisión, pero sigue estando virtualmente por analizar el efecto de los animales de compañía».[8] ¿A qué se debe esta ceguera extraordinaria de parte de los investigadores científicos?

7. Serpell (1986), págs. 11-12.
8. Humphrey (1983).

El estudio de Serpell es fascinante. Revela que ese tabú está relacionado con el gran abismo existente entre la actitud que tenemos hacia los animales de compañía y la que hay hacia los demás animales domesticados. Muchos gatos, perros y caballos son objeto de cariño y mimos, e incluso se guarda luto cuando mueren. En cambio, los cerdos, gallináceas, terneros y otros animales criados en las granjas-fábricas son tratados del modo más brutal, cruel y explotador, exento de ningún afecto. Son sólo unidades de una línea de producción; para lo único que sirven es para producir la máxima cantidad de alimento al mínimo costo posible. Las granjas-fábrica personifican el espíritu mecanicista. Y lo hace también el empleo de los animales de laboratorio: se les trata como unidades gastables, intercambiables a utilizar en experimentos despiadados.

Para justificar ese trato, hay que considerar a los animales menos favorecidos como seres inferiores, indignos de cualquier lazo sentimental. Surge un conflicto terrible si se considera que los animales explotados tienen algún valor en sí. Una manera de evitarnos ese conflicto consiste en mantener los animales privilegiados y los explotados en categorías separadas dentro de nuestra mente. Una de ellas consume comida para animales domésticos; a la otra se la procesa para producir esa comida. Pero surge el problema si las emociones se derraman desde los animales de compañía hacia los demás. Las personas se vuelven vegetarianas, o incluso se convierten en activistas a favor de los derechos de los animales. La solución más fácil reside en denigrar las relaciones de la gente con los animales caseros.

Los prejuicios contra las relaciones íntimas con animales no son cosa nueva. En Inglaterra, por ejemplo, durante la caza de brujas, se consideró cosa perversa y maligna la relación habida entre aquellas brujas y sus animales «familiares», especialmente gatos. Pero en las sociedades industriales modernas se ha acentuado el abismo existente entre los animales de compañía y otros animales domésticos, al permitir la bonanza económica general tener un número de «mascotas» sin precedentes en medio de un gran dispendio, sin utilidad económica, por motivos exclusivamente «subjetivos»; al tiempo que en el mundo exterior, el «objetivo», se crían una infinidad de animales menos favorecidos del modo más mecánico posible dentro de las granjas-fábrica y los laboratorios.

Este análisis evidencia el porqué de la inconveniencia de la experimentación convencional mecanicista en los animales de compañía. La ciencia instituida se halla del lado «objetivo» de esa línea divisoria, y esos animales son una cosa enteramente ajena al espíritu mecanicista. No son unidades gastables, sino que tienen su personalidad individual y establecen relaciones afectivas a largo plazo con la gente. No es cosa fácil organizarlos sistemáticamente. Ni están acostumbrados a que los traten «objetivamente» experimentadores independientes, empeñados en no mostrar sentimientos, y que tampoco son sus «dueños». Viven en el mundo «subjetivo» de la vida privada, polo opuesto al «objetivo» mundo de la ciencia.

Los libros de divulgación sobre animales de compañía dan por sentada la importancia de los vínculos humano-animales. Pongo como ejemplo este exigente consejo a los dueños de animales de Barbara Woodhouse, autora de varios populares libros sobre el adiestramiento de animales:

> Creo que uno tiene que dar mucho de uno mismo a los animales si quiere conseguir lo mejor de ellos. Algo más, uno tiene que tratarlos como querría que lo trataran a uno. Si se trata de conseguir lo mejor de nuestros perros, no tiene sentido encerrarlos en perreras durante la mayor parte de su vida y esperar después que sean inteligentes cuando salen de ellas. En mi opinión, los animales tienen que vivir con uno constantemente, y aprender las palabras y pensamientos que les diga y transmita uno, si se trata de que sean auténticos compañeros.[9]

Entretanto, en los Estados Unidos, es posible acudir a talleres con el animal propio, a elaborar allí la relación existente. Hay allí consultores, terapeutas y sanadores de animales domésticos, incluyendo los que brindan consulta por teléfono. Marca la vanguardia de esto Penelope Smith, del condado de Marin, California, que organiza talleres sobre el modo de aumentar la comunicación telepática con los animales siguiendo un programa muy paulatino. Su mensaje básico es el mismo de Barbara Woodhouse:

> Los animales entienden de veras lo que uno dice o lo que piensa de ellos, es decir, si uno consigue que atiendan y ellos quieren escuchar (igual que ocurre con cualquier persona)... Lo interesante es que cuanto más respeta uno la inteligencia de los animales, entablando conversación con ellos, incluyéndolos en la vida de uno y considerándolos como amigos, consigue normalmente unas respuestas más inteligentes y cálidas.[10]

En ese contexto, hay poca posibilidad de experimentar *sobre los* animales de compañía, pero quedan muchas oportunidades para

---

9. Woodhouse (1980), pág. 202.
10. Smith (1989).

una especie de compañerismo investigador *con ellos*, no negándose a las relaciones emocionales entre los animales y la gente, sino haciendo de esas relaciones la esencia de la investigación misma.

3. El tabú en contra de experimentar con los animales de compañía

El tercer tabú está relacionado con el segundo. La mayoría de los dueños de esos animales están muy vinculados con ellos y tratan de protegerlos contra cualquier daño. La ciencia se nos presenta como una fuerza relativamente negativa en relación con los animales, particularmente en las pruebas farmacológicas y en la vivisección. Cada año mueren millones de animales sacrificados en el altar de la ciencia, entre ellos conejos, cobayos, perros, gatos y monos. (Es chocante que en la bibliografía científica se utiliza la palabra «sacrificio» como término técnico al referirse al acto de matar a un animal.) La ciencia tiene también una imagen negativa entre muchos amantes de los animales por haber prohijado la industria de las granjas-fábrica.

En ese contexto, la idea de que la ciencia pueda invadir el santuario de la casa y someter a los amados animales de compañía a sus irrespetuosas manipulaciones es sumamente antipática. La interferencia en la esfera de estos animales es tabú.

Por comprensible que pueda ser esta reacción, no tiene sentido en los experimentos que sugiero en este libro. Los mismos no implican crueldad ni sufrimiento. Deben ser entretenidos no sólo para las personas sino también para los animales. Y muy lejos de empequeñecerlos y de deteriorar sus relaciones con la gente, tienden fácilmente a aumentar el respeto hacia los animales domésticos y sus poderes. Todavía más, creo que uno de los modos con que este tipo especial de investigación podría cambiar el mundo reside en que podría dar un nuevo sentido de las conexiones vitales, visibles e invisibles, existentes entre los ámbitos humano y animal.

Más investigación sobre el compañerismo con los animales

El que sepan cuándo «sus personas» regresan a casa es sólo una de las maneras de mostrar sus sorprendentes poderes. Existen varias más, brindando algunas de ellas todavía más oportunidades de hacer una fascinante investigación a muy bajo costo.

1. Facultades para hallar el camino a casa, que analizaremos en el capítulo siguiente.

2. Localización de dueños suyos que se han ido lejos de la casa, que se discute también en el capítulo siguiente.

3. Comunicación telepática manifiesta. En los casos dramáticos, algunos animales dan la impresión de saber cuándo su distante dueño está en peligro, y reaccionan entonces con señales de alarma y de angustia.[11] Otros casos son más corrientes: algunos perros, por ejemplo, prevén al parecer con una precisión impresionante cuándo van a sacarlos a pasear. Algunos animales de compañía parecen saber cuándo su familia va a marchar de vacaciones, incluso antes de que empiece a hacer el equipaje. Existen muchos relatos sobre caballos telepáticos e incluso algunos sobre tortugas. Recibí hace poco el relato siguiente de la señora Sharon Ronsse, de Snohomish, Estado de Washington:

> No hemos sido capaces de averiguar si la tortuga sabe (o se preocupa) algo o no tocante a nuestras idas y venidas. En cambio, he podido notar de un modo definido que la tortuga es telepática en lo que atañe a darle de comer. He comprobado que su comportamiento no se relaciona con un horario habitual de cebarla. A menudo le doy de comer a horas inusitadas del día o de la noche. La primera vez que me di cuenta de que salía al lugar donde la cebaba siempre que *pensaba yo* en hacerlo, empecé a hacer mis propios experimentos con ella. Me encontré con que en cualquier momento en que estuviera embutida a buen recaudo en su pequeña guarida, dormitando al parecer, no necesitaba yo hacer otra cosa que pensar en darle de comer. Para cuando yo había ido a la cocina a buscar algo que darle, había salido al cebadero a esperar su pitanza.

Es obvio que los animales caseros son muy sensibles a sutiles indicios emitidos por la gente que los rodea y que son capaces de captar influencias que escapan a sus propietarios. Los experimentos a efectuar sobre las aparentes comunicaciones telepáticas exigirían la eliminación de canales ordinarios de comunicación tales como la vista, el oído y el olfato. Por ejemplo, en el caso de la señora Ronsse y su tortuga, podría observar otra persona al quelonio —o vigilarlo incluso mediante una cámara de vídeo. Entretanto, dentro de la casa, en una habitación donde no pueda ser vista u oída por la tortuga, la señora Ronsse piensa en darle de comer (y acto seguido, en efecto, la alimenta), siguiendo un horario aleatorio. ¿Despierta la adormilada tortuga antes de que su dueña haya

11. Bardens (1987).

empezado a prepararle la comida, y antes de que haya hecho el menor ruido o movimiento?

4. Premoniciones de catástrofes experimentadas por animales. Existen muchos relatos sobre animales caseros que tratan de prevenir a sus dueños contra emprender un viaje que tiene mal fin. Es todavía más impresionante el comportamiento de los animales antes de los seísmos. Por ejemplo:

> Antes del terremoto de Agadir, Marruecos, en 1960, se observó que muchos animales vagabundos, incluyendo perros, escapaban corriendo del puerto antes de un temblor que mató a 15.000 personas. Se observó un fenómeno similar tres años después, antes del terremoto que redujo a escombros la ciudad de Skopje, Yugoslavia. Dio la impresión entonces de que la mayoría de los animales se habían ido antes del seísmo. Los rusos observaron también que los animales empezaron a abandonar Tashkent antes del terremoto de 1966.[12]

Sin duda tendría un gran valor práctico la investigación de casos como éstos, y es cierto también que en China han sabido utilizar con éxito este tipo de comportamiento en los animales durante siglos como indicador del advenimiento de calamidades. Es evidente sin embargo, que no se trata de un área donde sean de fácil ejecución este tipo de experimentos sencillos e inocuos.

5. Algunos animales caseros que regresan de un viaje parecen saber cuándo se están acercando a casa, incluso después de un gran trayecto en coche, tras anochecer y estando dormidos. Mi esposa y yo teníamos un gato, Remedy, que se despertaba cuando nos faltaban dos o tres kilómetros para llegar a casa, tras haber dormido a sus anchas durante horas. Semejante fenómeno podría apuntar a un nexo directo entre el animal y su casa, relacionado tal vez con las facultades de orientación que analizaremos en el capítulo siguiente. O podría indicar simplemente una respuesta a un cuadro muy conocido de movimientos y olores al acercarse el coche a casa siguiendo una ruta familiar. O constituir una respuesta al cambio de comportamiento al aprestarse a la llegada las personas que van en el coche.

También en estos casos pueden ser muy reveladores unos experimentos sencillos. Podemos someter a prueba la hipótesis de que el animal reacciona a unos estímulos que le son familiares volviendo a casa por un camino diferente, de preferencia uno que ese animal no haya recorrido antes. Puede reducirse al mínimo la posible

12. Íd., pág. 27.

influencia de las vistas, sonidos y olores ambientales manteniendo al animal en una caja o cesto, conduciendo después de anochecer, manteniendo cerradas las ventanillas del coche, el aire acondicionado funcionando y tocando música dentro de él. Si en estas condiciones el animal no muestra respuesta alguna, tendría un apoyo la explicación basada en los estímulos familiares.

De no ser así, y si los animales traídos a casa por itinerarios inusuales siguen dando la impresión de que saben cuándo están acercándose a casa, la siguiente posibilidad que hay que tratar de eliminar es la influencia de las demás personas que van en el coche. Un modo de hacerlo sería transportar al animal en una camioneta, de forma que no pueda ver, oír ni oler a su dueño, que va sentado al volante. Y podría registrar los movimientos del animal o bien una persona que no sepa el destino del vehículo, o bien controlarlos un vídeo, una grabadora u otros medios automáticos. Es todavía mejor si conduce la camioneta alguien que no sepa dónde está el domicilio del animal y que, por lo mismo, no pueda emitir claves sutiles. Se le puede indicar sencillamente que siga un itinerario concreto que lleve más allá de la casa del animal, pero sin decirle en qué calle está esa casa.

Si el animal sigue dando muestras de saber cuándo está acercándose a casa, saldría reforzada desde luego la hipótesis de un nexo directo entre él y su domicilio. Quedaría sometida entonces a ulterior investigación la naturaleza de ese nexo y su posible relación con un comportamiento orientativo. Pero no tendría sentido en cambio, hacer una investigación sofisticada y costosa hasta haber dejado bien establecida ante todo la existencia del fenómeno.

El objeto de este capítulo no reside en tratar de proporcionar teorías o explicaciones, sino únicamente en poner de hincapié que los fenómenos básicos siguen estando virtualmente por investigar. El compañerismo científico con los animales de compañía podría aportar una gran expansión del conocimiento de su capacidad de saber y un aprecio más profundo de la misma.

CAPÍTULO

2

¿Cómo se orientan las palomas hacia su casa?

UNA INTRODUCCIÓN MUY PERSONAL

Cuando yo era muy niño, las mañanas de los sábados en primavera y verano me llevaba mi padre a ver una gran suelta de palomas. En la estación local del tren, había palomas mensajeras de toda Gran Bretaña metidas en jaulas-cestas de mimbre apiladas una sobre otra. Cuando llegaba el momento señalado, los convoyantes abrían las tapas y salían disparadas cientos de mensajeras, un lote tras otro, en toda una conmoción de viento y plumas (fig. 1). Se remontaban en el cielo, daban vueltas volando y arrancaban después hacia sus alejados palomares.

Aquellas aves constituían una fuente de fascinación inagotable. Conforme fui conociendo a los convoyantes, me dejaban ayudarlos a soltar las palomas. Después, cuando iba a la escuela primaria, tuve ya algunas mensajeras propias. Pero me las mató un gato, y después me fui a un internado y no tuve ya otra oportunidad de tener aves.

Años después, a principios de los años setenta, siendo yo miembro investigador del Clare College, de Cambridge, resucitó mi interés por la orientación de las mensajeras y pregunté a mis compa-

FIGURA 1. Suelta de palomas mensajeras abriendo las canastas portátiles en una estación de ferrocarril. (De un óleo del pintor Norman Fake, fotografiado por Peter Bennett.)

ñeros de zoología cómo se las arreglaban esas palomas. Me di cuenta enseguida de que ninguno lo sabía en realidad, impresión que se me confirmó al leer los artículos y revisiones especializados de la bibliografía científica. Cualquier hipótesis admisible se había sometido a prueba y había fallado al parecer. Observé entonces que este alucinante misterio no sólo tenía que ver con la vuelta de las mensajeras, sino también con la migración. ¿Cómo se las arreglan las golondrinas inglesas para emigrar en otoño hasta el sur de África y regresar después en la primavera a Inglaterra, incluso al mismo edificio donde habían anidado el año anterior? Tampoco lo sabía nadie.

Empecé a sospechar que la orientación y la migración podían depender de algún sentido o poder no reconocido hasta entonces por la ciencia. Tenía yo en particular la impresión de que podría haber un nexo directo entre las aves y su casa, bastante parecido a una cinta elástica invisible. Se me ocurrió entonces un experimento, simple y económico, para probar esa posibilidad, cosa que hice por vez primera en Irlanda en 1973. Pero me fue imposible completar aquella investigación antes de salir para la India en 1974 para ocupar allí un puesto de investigación en un instituto agrícola internacional. Sólo en los años ochenta, cuando regresé a mi vez «a casa», me fue posible empezar a trabajar de nuevo con las mensajeras, esta vez en Inglaterra Oriental.

En este capítulo empezaré analizando lo que se ha descubierto hasta ahora sobre la migración y la orientación en general, y sobre las palomas en particular. A estas alturas, todas las explicaciones basadas en los sentidos convencionales y las fuerzas físicas han sido probadas hasta hacerlas polvo; nuestra ignorancia sobre el tema es más profunda que nunca. Tras resumir los resultados de mi propia investigación, concluyo esbozando un experimento potencialmente ilustrativo, muy al alcance de muchos colombófilos, clubes de los mismos y estudiantes de colegios y universitarios.

La orientación y la migración

Las palomas mensajeras se han empleado como tales desde hace miles de años. En el Génesis podemos leer que una paloma regresó al Arca de Noé con un ramo de olivo en el pico, lo que le reveló a Noé que el diluvio se batía en retirada.[1] El antiguo Egipto conoció un sistema postal de palomas mensajeras; en el Egipto moderno sigue siendo la paloma el emblema de las oficinas de correos. Todavía en este siglo se han utilizado en gran escala las palomas para llevar mensajes, no en último lugar por los distintos ejércitos en la Primera y la Segunda Guerra Mundial. Por todo el mundo hay hoy en día más de cinco millones de entusiastas de las mensajeras, que organizan sistemáticamente concursos de palomas a distancias de 800 o más kilómetros. Este deporte es especialmente po-

1. Génesis 8, 8-11.

pular en Bélgica, Gran Bretaña, Holanda, Alemania y Polonia. Esas palomas pueden volver a casa tras haber dejado atrás hasta 1.100 kilómetros en un día a velocidades medias superiores a los 100 km.

Pero las mensajeras distan mucho de ser un caso único en cuanto a capacidad orientativa.[2] Incontables anécdotas nos hablan de animales domésticos, incluso vacas, que vuelven a casa tras haberlos abandonado a muchos kilómetros de ella. Las más comunes se refieren a perros y gatos. Un collie, por ejemplo, llamado Bobby y perdido en Indiana, apareció al año siguiente en su casa de Oregón, a más de 3.000 km de distancia.[3] Estos casos constituyen la base del cuento del campesino que trató de deshacerse de un gato y sólo pudo regresar a casa siguiéndolo o de la conocida historieta de aventuras de animales *The Incredible Journey*,[4] llevada al cine por Walt Disney con el título de *El viaje increíble*, en la que un gato siamés, un viejo bull terrier y un joven labrador hallan su camino a casa a través de 400 km de terreno salvaje en el norte de Ontario, Canadá. El labrador fue el guía:

> Parecía como si le fuera imposible olvidar su meta y objetivo supremo —volver a casa, a la casa de su propio dueño, a la casa adonde pertenecía, y no le importaba ninguna otra cosa. Aquel imán de añoranza, aquella certeza, lo llevó a guiar a sus compañeros siempre hacia el oeste a través de una comarca salvaje y desconocida, tan certeramente como una paloma mensajera.[5]

La facultad humana de orientarse hacia casa está más desarrollada en los pueblos nómadas donde el sentido de la dirección es esencial para la supervivencia, como ocurre en el caso de los nativos australianos (conocidos allí curiosamente como «aborígenes»), los bosquimanos del desierto de Kalahari, en África Meridional y los fabulosos navegantes de Polinesia.

Las plusmarcas de distancia pertenecen a las aves. Sabemos que tanto los pingüinos de Tierra Adelia como los paíños de Leach, las pardelas pichonetas, los albatros de Laysan, los charranes árticos, las cigüeñas, las diversas golondrinas y los estorninos vuelven a su casa desde miles de kilómetros de distancia.[6] Tenemos el caso de dos albatros de Laysan que fueron capturados en la isla de Midway,

2. McFarland (1981).
3. Inglis (1986).
4. Burnford (1961).
5. Íd.
6. Carthy (1963); Matthews (1968).

en el Pacífico Central, y soltados a casi 6.000 km de distancia en la costa oeste del Estado de Washington: uno regresó en diez días, el otro en doce. Un tercero regresó desde las Filipinas, a más de 6.500 km, en poco más de un mes.[7] En un experimento efectuado con pardelas pichonetas, éstas fueron llevadas desde sus madrigueras de la isla de Skokholme, frente a la costa de Gales: una hasta Venecia, de donde regresó en dos semanas. La otra volvió a los doce días y medio desde Boston, Estados Unidos, tras cruzar sobre el Atlántico una distancia de unos 5.000 kilómetros.[8]

Es evidente que esas notables facultades de orientarse hacia casa se relacionan muy de cerca con las migraciones efectuadas de una casa a otra. En muchos casos, como el de nuestras emblemáticas golondrinas, la migración constituye un sistema de doble vuelta a casa. Emigran en otoño hacia su cuartel de invierno en la parte oriental de Sudáfrica (donde entonces es primavera) y regresan a su patria natal, al oeste de Europa, en la primavera del hemisferio norte.[9]

Más sorprendente aún es la instintiva facultad de las aves jóvenes de hallar por primera vez la ruta hacia su cuartel de invierno ancestral sin necesitar que las guíen otras aves que las hayan seguido antes. Por ejemplo, los cucos europeos —a los que crían aves de otras especies— no conocen a sus padres. En cualquier caso, los padres respectivos dejan Europa en julio o agosto para ir hasta el sur de África, un mes antes de que la nueva generación esté en condiciones de hacerlo. En el momento debido, los cucos primerizos se congregan y emigran en bandadas hacia su patria africana, donde se reúnen con sus mayores.

Incluso los insectos pueden recorrer migrando distancias enormes hasta llegar a lugares donde no han estado nunca. El caso más famoso es el de la mariposa Monarca, que migra entre los Estados Unidos y México. En otoño, cuando la generación anterior ha muerto ya, la generación nueva vuela hacia el sur. Las Monarca nacidas cerca de los Grandes Lagos, en la parte este de los Estados Unidos, por ejemplo, recorren más de 3.000 km para pasar el invierno por millones en sus «árboles de las mariposas» particulares de las regiones montañosas de México. Mueren tras haberse reproducido en su patria meridional. La generación siguiente emigra hacia el norte en la primavera.[10]

7. Matthews (1968).
8. Carthy (1963).
9. Witherby (1938).
10. Baker (1980).

¿Cómo saben los animales migradores adónde deben ir? En el caso de las aves, la hipótesis más popular es que se orientan por las estrellas y tal vez son además exquisitamente sensibles al campo magnético de la Tierra. Se supone también que poseen un programa innato, completado con su mapa del firmamento y acaso también con un mapa magnético que dirige el proceso migrador. En la bibliografía científica respectiva se menciona un «programa de navegación vectorial espaciotemporal heredado».[11] Pero en realidad se sabe muy poco. Ese término técnico tan altisonante se limita a replantear el problema en vez de resolverlo.

La prueba principal que conocemos del papel de las constelaciones consiste en que, poniendo aves en jaulas dentro de un planetario al comienzo de la estación migratoria, tienden a saltar en la dirección correspondiente a su migración ajustándose al modelo rotatorio de «las estrellas». Pero, aunque es cierto que éstas pueden desempeñar un papel, haciendo de una especie de brújula, las aves migradoras pueden hallar su ruta también de día o cuando el cielo está cubierto.[12] Por ejemplo, en un experimento de seguimiento con radar basado en el condado de Albany, Nueva York, se averiguó que un encapotamiento ininterrumpido del cielo durante varios días no se tradujo en una desorientación de aves migradoras nocturnas de varias especies; no hubo «siquiera cambios sutiles del comportamiento de vuelo».[13]

Los peces son también capaces de cubrir miles de millas marinas migrando, y las estrellas no pueden explicar su orientación. Tienen que tener otras maneras de hallar su camino. El olfato desempeña probablemente un papel importante cuando se hallan cerca de su lugar de destino. En el caso de los salmones hay buenas pruebas de que «huelen» su río natal cuando se acercan al estuario correspondiente.[14] Pero el olor no puede explicar cómo van a parar lo suficientemente cerca del tramo debido del litoral desde miles de millas de distancia. Y surgen problemas similares cuando tratamos de explicarnos las migraciones de las angulas, las tortugas marinas y otros animales migradores submarinos.

Sabemos poquísimo tanto de la orientación hacia casa como de la migración, y cualquier avance en uno de estos campos arrojaría luz sobre el otro. La investigación de las migraciones es difícil;

11. Berthold (1991).
12. Keeton (1981).
13. Able (1982).
14. Hasler, Scholz y Horrall (1978).

es mucho más fácil trabajar en el comportamiento orientativo hacia casa, especialmente en las aves. Las candidatas ejemplares son las palomas mensajeras. Tienen una capacidad de hallar la dirección hacia casa desarrolladísima, y durante muchas generaciones se ha potenciado esta facultad mediante la cría selectiva. La técnica de tenerlas, criarlas y entrenarlas es bien conocida, y relativamente poco costosa.

Se han llevado ya a cabo numerosos experimentos sobre cómo se orientan hacia casa las palomas mensajeras. Sin embargo, después de casi un siglo de una investigación tan entregada como frustrante, nadie sabe cómo hallan las palomas el camino hacia casa, y todos los intentos de explicar sus facultades de navegantes mediante los sentidos y fuerzas físicas conocidos han fracasado hasta la fecha. Los investigadores de este campo admiten palmariamente el problema. «La sorprendente flexibilidad de las aves mensajeras y emigrantes ha constituido un enigma desde hace muchos años. Eliminadas una clave tras otra, esos animales siguen conservando alguna estrategia de reserva para establecer la dirección del vuelo.»[15] «El problema de la navegación permanece básicamente irresuelto.»[16]

Paso ahora a considerar una por una las hipótesis propuestas para explicar la orientación de las palomas y demostrar por qué ninguna de ellas es defendible.

¿REGISTRAN LAS PALOMAS LOS QUIEBROS Y CAMBIOS DE DIRECCIÓN DE SU TRAYECTORIA DE IDA?

¿Cómo pueden saber las palomas llevadas a cientos de kilómetros de distancia hasta un lugar desconocido dónde está su casa? ¿Cómo saben cuál es el camino a seguir?

Charles Darwin fue un colombófilo entusiasta y tenía todo un surtido de razas.[17] En 1873 trató de proponer una hipótesis sobre la orientación de las mensajeras en un artículo publicado en *Nature*: lo harían mediante una especie de «estima del rumbo», registrando todos los quiebros y cambios de dirección del viaje de ida, incluso estando encerradas en una caja.[18] En otro artículo, publicado a continuación en el mismo volumen de la prestigiosa revista

---

15. Gould (1990).
16. Schmidt-Koenig y Ganzhorn (1991).
17. Darwin (1859), capítulo 1; Darwin (1881), capítulo 5.
18. Darwin (1873).

británica, J. J. Murphy presentó una analogía mecánica a base de una bola colgada del techo de un vagón de ferrocarril que reacciona a todas las sacudidas que le transmiten los cambios de dirección y velocidad del vagón:

> Se podría disponer una máquina conectada a un cronómetro que registrase la magnitud y dirección de todas esas sacudidas, con el momento en que se produjese cada una; y partiendo de esos datos, se podría calcular en cualquier momento la posición del vagón, expresada en términos de distancia y dirección... Es posible además concebir un aparato *ad hoc* que integre los respectivos resultados... de manera que se puedan leer directamente sin necesidad de hacer ningún cálculo.[19]

Una analogía tecnológica puesta al día podría consistir en un sistema de navegación inercial con ordenador. Pero a pesar de todas estas comparaciones mecánicas, no nos parece intrínsecamente digerible que unas mensajeras de competición, encerradas en canastas, llevadas a cientos de kilómetros en el interior de trenes, camiones, barcos o aviones, sometidas a muchas sacudidas y cambios de dirección, puedan calcular continuamente su ruta de regreso a casa con la mayor precisión.

En cualquier caso, esta hipótesis ha sido sometida a prueba y rechazada. En 1893, S. Exner demostró que las mensajeras podían volver a casa perfectamente bien tras haber sido transportadas hasta el lugar de suelta bajo una fuerte anestesia. Experimentos más recientes hechos con otras especies, como gaviotas argénteas, han confirmado el descubrimiento de Exner.[20] Y tampoco sirve para hacerlas «extraviarse» el llevarlas hasta el lugar de suelta a través de itinerarios complejos y llenos de desviaciones. Son capaces incluso de volver a casa tras haber sido transportadas dentro de un gran cilindro giratorio a prueba de luz:

> El artilugio era tan inestable que los cambios de velocidad y dirección del vehículo transportante se traducían en una reducción momentánea de la rotación del cilindro. Como consecuencia, el viaje de ida a través del espacio se vio notablemente complicado por la irregular variación de la rotación, unas 1.200 rotaciones en el viaje más largo. Sin embargo, y en todos los casos, el rendimiento de las palomas sometidas a rotación fue exactamente tan bueno como el de las de control.[21]

19. Murphy (1873).
20. Matthews (1968).
21. Íd.

En otra serie de experimentos, efectuada en Alemania, se sometió a palomas en el viaje de ida a una rotación bastante rápida, hasta de noventa revoluciones por minuto, dentro de un campo magnético variable, incapacitadas para ver y aisladas de cualquier olor de los entornos que pasaron. «Sin embargo, la mayoría de esas palomas se portaron tan bien en su orientación inicial y su rendimiento de regreso como las mensajeras de control, que habían sido transportadas en canastas abiertas sobre el techo del vehículo.»[22]

En último término, si las aves tuviesen que sentir e integrar todos los quiebros y cambios de dirección del viaje, el órgano para hacerlo estaría en los canales semicirculares del oído medio, que detecta las aceleraciones y rotaciones. La destrucción total de este órgano impide que las aves vuelen debidamente, pero en unos experimentos que incluyeron la sección quirúrgica de los canales horizontales, las mensajeras siguieron volviendo a casa normalmente tras haber sido llevadas a más de 300 kilómetros de distancia. Insistamos en que lo hicieron exactamente tan bien como las de control.[23] En otros experimentos, «las palomas con una serie de lesiones quirúrgicas de distinto tipo practicadas en los canales semicirculares se orientan con precisión, tanto si se las somete a prueba habiendo sol o con el cielo encapotado».[24] En consecuencia, podemos excluir la hipótesis de la navegación inercial, que ha dejado de interesar en serio a los investigadores de este campo.[25]

¿DEPENDE LA ORIENTACIÓN DE LAS MARCAS DEL ITINERARIO?

Ha habido sugerencias de que la averiguación de la ruta depende de señales familiares del terreno. Esto ocurre probablemente cuando se sueltan las palomas a pocos kilómetros del palomar, y también cuando vuelven a casa repetidamente volando sobre el mismo terreno. En una serie de pruebas, cuando se les dio suelta por cuarta vez en el mismo sitio, dio la impresión de que se orientaban a base de las señales familiares del lugar. «La séptima vez el conocimiento de las marcas locales era tan bueno que las aves fueron capaces, por decirlo así, de volver a casa en una carrera de obstáculos. Actuaron como si se dieran cuenta de que para llegar a casa había que volar hacia la marca A, después hacia la marca B

22. Wallraff (1990).
23. Matthews (1968).
24. Keeton (1974).
25. Por ejemplo, Wallraff (1990).

y así sucesivamente.»[26] Nosotros mismos mostramos una tendencia similar. Cuando tenemos que conocer localidades y rutas nuevas, hallamos también el camino hasta ellas mediante las señales conocidas. Pero no es ése el modo de hallar nuestro camino la primera vez, *antes de* familiarizarnos con las marcas del terreno.

En cualquier caso, las mensajeras pueden volver a casa desde lugares completamente desconocidos, a cientos de kilómetros de cualquier sitio donde hubiesen estado antes. Tras dar vueltas en círculo después de haberlas soltado, o incluso sin darlas, arrancan por lo general en una dirección que apunta hacia su casa.[27] Pueden orientarse también sobre el mar, incluso volando de noche o en la niebla, como ocurrió en las espectaculares proezas de algunas de las mensajeras empleadas por la Royal Air Force en la Segunda Guerra Mundial. Palomas mensajeras experimentadas ya en competiciones, muchas de ellas cedidas voluntariamente por colombófilos aficionados, tomaron parte en vuelos de bombardeo británicos sobre Alemania que cruzaban el mar del Norte. En el caso de derribo de algún avión portador de mensajeras, la tripulación, cuando podía, sujetaba en la pata de una o más palomas un mensaje que especificaba su situación, soltaba a las aves y dejaba el éxito en manos del destino.

El Pigeon Roll of Honour (Lista de honor de las palomas), conocida como la Meritorious Performance List (Lista de actuaciones meritorias), registra oficialmente con detalle los cientos de proezas extraordinarias de estas aves, algunas de las cuales recibieron de hecho condecoraciones por servicios esforzados (fig. 2). Sigue el informe oficial sobre una hembra ganadora de medalla llamada White Vision (Visión Blanca), criada en Motherwell, Escocia, y procedente en este caso de la base de la RAF de Sollum Voe, en las islas Shetland:

> Esta paloma iba a bordo de un hidroavión Catalina que, debido a un fallo de los motores, tuvo que amerizar con mar gruesa en las aguas del mar del Norte aproximadamente a las 08:20 horas del 11 de octubre de 1943. Debido a un fallo de la radio no se recibió ningún SOS del avión ni se obtuvo dato alguno de su posición... A las 17:00 llegó «White Vision» con un mensaje que daba la posición y más información referente al hidroavión y su dotación. Como consecuencia, se continuó la búsqueda sobre el mar en la dirección indicada y a las 00:05 horas de la madrugada siguiente fue avistado el hidroavión y rescatada su tripulación. Hubo que

---

26. Matthews (1968), pág. 86.
27. Íd., pág. 87.

FIGURA 2. «Winkie» y sus trofeos. El informe respectivo de la Lista de actuaciones meritorias reza como sigue: «El 23 de febrero de 1942, un bimotor Beaufort averiado tuvo que amerizar de pronto al regresar de un ataque frente a la costa de Noruega y se rompió parcialmente por el fuerte impacto en el agua a 195 m de la costa escocesa. Esta paloma escapó de su caja accidentalmente por efecto del capotazo y cayó al aceitoso mar antes de poder emprender el vuelo. Distancia a la base, 207,5 km, tierra más cercana a 193 km, le quedaban 1½ horas de luz de día. Llegó al palomar poco después de amanecer al día siguiente, exhausta, mojada y pringada de aceite. La búsqueda de la tripulación había sido infructuosa hasta entonces debido a la escasa precisión de la radio. El sargento Davidson, del Servicio de mensajeras de la RFA, dedujo de la llegada de la paloma, su estado y otras circunstancias, que la zona de búsqueda no era correcta. Se corrigió la misma de acuerdo con su consejo y 15 minutos después se localizó la tripulación e inició la acción de rescate. La tripulación rescatada dio una cena en honor de la paloma y su entrenador». (Tomado de Osman y Osman, 1976.)

abandonar el aparato, que se hundió. Condiciones meteorológicas: visibilidad en el lugar de suelta de la mensajera, 95 metros. Visibilidad en la base cuando llegó la paloma, 285 metros. Viento de frente para la paloma, 40 kilómetros hora. Mar muy gruesa, nubes muy bajas, distancia unos 100 kilómetros. Número de vidas salvadas: 11.[28]

Es muy improbable que el empleo de marcas del terreno o incluso de cualquier otra clave visual desempeñe algún papel en proezas de orientación como ésta. Sin embargo, hasta los años 70 la mayoría de los intentos de explicar la orientación de las mensajeras se enfocó en la visión como sentido básico, no ya por la identificación de las marcas del terreno como por la navegación por el Sol o incluso por las estrellas. Todas estas hipótesis visuales fueron eliminadas mediante algunos notables experimentos efectuados en la Duke University de Carolina del Norte, Estados Unidos, y en

28. Osman y Osman (1976), pág. 83.

la Universidad de Gotinga, en Alemania, en los que se dotó a las palomas de lentes de contacto de vidrio deslustrado. Les dificultaban la visión de tal manera que no podían reconocer objetos familiares a 6 metros de distancia. Las mensajeras fueron dotadas de lentes de contacto limpios.

Al dar suelta a las aves de los lentes esmerilados «muchas se negaron a volar, se cernieron inmóviles en el aire o tuvieron «aterrizajes forzosos» cerca; otras chocaron con cables, árboles u otros obstáculos. Cierta proporción de ellas se remontaron en el cielo y desaparecieron en el horizonte a una altura inusual. Volaban de un modo peculiar, con el cuerpo inclinado hacia arriba. Aquella expresión de «incertidumbre» fue reconocida por los halcones, que hicieron fácil presa en algunas de ellas.[29] Hubo otras que cubrieron parte de la ruta hacia casa, para posarse después en algún sitio donde descansaron durante períodos de mayor o menor duración.[30] Pero algunas hallaron el camino hasta su casa desde distancias superiores a 130 kilómetros. «Las aves del experimento llegaron al palomar normalmente volando a bastante altura, cerniéndose entonces cautelosamente, para posarse algunas en el palomar, mientras la mayoría no daban con él. Se las pudo coger fácilmente con la mano.[31] Las palomas tuvieron dificultad para dar exactamente con el palomar, lo que sugiere que necesitaban el sentido de la visión para la aproximación final al mismo, cosa nada sorprendente. Lo impresionante es que lograran llegar tan cerca de casa con la capacidad visual tan seriamente obstaculizada.

El director del equipo de Gotinga, Klaus Schmidt-Koenig, resume del siguiente modo las conclusiones de una larga serie de experimentos hechos con mensajeras con lentes deslustrados, incluyendo el detallado seguimiento con radio de las aves en vuelo hacia casa:

> En cuanto a la parte navegatoria del vuelo hacia casa, es decir, la determinación de qué dirección es la de casa, las claves visuales evidenciaron no ser esenciales. El sistema de navegación es básicamente no visual y guía a la paloma con sorprendente precisión hasta las cercanías del palomar. Las aves parecen saber también cuándo están en casa y cuándo han errado la llegada al palomar y vuelve a aumentar la distancia a éste.[32]

29. Schmidt-Koenig y Schlichte (1972).
30. Schmidt-Koenig (1979).
31. Schmidt-Koenig y Schlichte (1972).
32. Schmidt-Koenig, pág. 102.

¿NAVEGAN LAS PALOMAS SIGUIENDO EL SOL?

En la década de los 50, la hipótesis dominante sobre la orientación de las mensajeras era la teoría «del arco solar» de G. V. T. Matthews. Sugirió que las aves empleaban una combinación de la elevación del Sol, junto con su arco, extrapolado sobre el firmamento en base a las observaciones de su movimiento, y también de un muy preciso «cronómetro» interno. Una paloma transportada hacia el suroeste, por ejemplo, hallaría una posición solar inusualmente alta y hacia el este (o sea a primeras horas del día), en una proporción correspondiente a su desplazamiento respecto del palomar. Y podría, en principio, «calcular» la posición de su casa.[33]

Existen varios argumentos de peso contra esta hipótesis. Las mensajeras pueden orientarse hacia casa estando el cielo muy nublado; pueden hacerlo con lentes de contacto de vidrio deslustrado; y pueden hacerlo incluso de noche.[34] Aún más, pueden llegar a casa todavía cuando tienen seriamente desorganizado su sentido cronológico, y la hipótesis de Matthews exige un proceso muy preciso de la determinación interna del tiempo.

En una larga serie de experimentos se procedió a alterar el «reloj» interno de las mensajeras, manteniéndolas en la oscuridad durante el día y bajo luces artificiales de noche. Por ejemplo, encendiendo las luces seis horas antes de amanecer y sumergiendo las palomas en la oscuridad seis horas antes del ocaso, al cabo de dos semanas las palomas tenían adelantado el «reloj interno» seis horas. Cuando se daba suelta a esas palomas, arrancaban en una dirección situada unos 90º a la izquierda de la que conducía a su casa. En cambio, las palomas a las que se les había retrasado seis horas el «reloj» arrancaban en una dirección que apuntaba unos 90º a la derecha de la de su casa. Las que habían sufrido una alteración de doce horas se dirigían en un sentido opuesto al de su palomar.[35]

A primera vista, esos resultados parecían confirmar la teoría de Matthews. Pero lo único que indican de hecho es que las palomas pueden utilizar la posición del Sol como una especie de *brújula*. Y una brújula no es suficiente para explicar la orientación hacia casa. Imagínese que lo dejan caer en paracaídas en un sitio extraño con un reloj, pero sin ningún mapa. Por la posición del Sol a dife-

33. Matthews (1968).
34. Keeton (1974); Lipp (1983).
35. Schmidt-Koenig (1979).

rentes horas del día podría situar usted dónde están el norte, el sur, el este y el oeste; pero no podría conocer la dirección hacia su casa.

En su hipótesis, Matthews sostenía que las mensajeras emplea-ban un reloj interno, combinado con la posición del Sol y el arco de su movimiento en el firmamento, no sólo como una brújula, sino como una especie de *mapa* que les permitía averiguar la di-rección y la distancia de su casa a partir del punto de suelta. Del mismo modo que no podía explicar cómo pueden orientarse las mensajeras de noche y bajo cielos muy encapotados, esta hipótesis no lograba explicar tampoco cómo las aves con el reloj «fuera de hora» podían hallar el camino hacia casa pasada la desviación ini-cial ocasionada por la falsa lectura de su «brújula solar».[36] Ocu-rrió también que las palomas con el «reloj fuera de hora» soltadas en días de cielo nublado, no sufrían confusión, sino que arranca-ban en dirección a su casa y llegaban al palomar con tanta rapidez como las palomas de control.[37]

Por lo tanto, en los días soleados, la «brújula solar» de las palo-mas puede desempeñar un papel dentro de su sentido general de la dirección en el momento de la suelta. Pero no puede explicar su facultad de hallar el camino hacia su casa.

¿PUEDE DEPENDER SU ORIENTACIÓN DE LA LUZ POLARIZADA O DEL IN-FRASONIDO?

Cuando estaba en boga la teoría del «arco solar», algunas per-sonas trataron de explicar la facultad de orientarse hacia casa de las palomas en los días nublados partiendo de una hipotética res-puesta al patrón de la luz polarizada del cielo. Sabemos que algu-nos insectos, las abejas muy notablemente, son sensibles a la pola-rización de la luz, y pueden orientarse si ven claros de cielo azul, incluso cuando el Sol está tapado por las nubes.

Diremos sin más que la hipótesis de la luz polarizada presenta dos puntos flacos fatales. Primero, si las palomas pudieran inferir la posición del Sol a partir del patrón de la polarización en claros azules, esto no podría explicar su facultad de hallar el camino ha-cia casa, dado que la posición del Sol y su movimiento en el cielo no pueden explicar su localización del palomar, según acabamos

---

36. Para más detalles sobre rutas de vuelo de aves «con el reloj fuera de hora», véase Papi y *otros* (1991).
37. Keeton (1981).

de ver. Segundo, las palomas, a diferencia de las abejas, no son sensibles a la polarización de la luz.[38]

Otra inusual facultad sensorial invocada a veces como posible explicación de la orientación de las palomas es el infrasonido. Sabemos por los experimentos de laboratorio que las palomas son sumamente sensibles a los sonidos de baja frecuencia. Pero eso no demuestra que puedan oír su casa desde cientos de kilómetros de distancia, ni tampoco a unos cuantos kilómetros. La idea de que podrían orientarse mediante el infrasonido no constituye siquiera una hipótesis, sino una simple sugerencia, vaga e inverosímil. No hay prueba alguna en su favor.

¿PODRÍA DEPENDER ESA ORIENTACIÓN DEL OLFATO?

A menudo se explican o tratan de explicar sofisticadamente facultades misteriosas de los animales a través de un notable sentido del olfato. La orientación de las mensajeras no es aquí una excepción y en los últimos doscientos años se ha sugerido a menudo el olfato como explicación de esa vuelta a casa. Pero un momento de reflexión nos demuestra que esa idea no es verosímil.[39] Consideremos por ejemplo la orientación en el caso de las mensajeras que van desde España hasta el este de Inglaterra. ¿Podrían unas palomas soltadas en Barcelona reconocer dónde estaban a base de captar los olores locales u olfateando su palomar de Suffolk, Inglaterra? ¿Y podrían hallar la dirección de su casa mediante el olfato incluso cuando el viento soplase a favor, hacia su destino y no en contra? Es evidente que no. El hecho de que esas palomas pueden orientarse hacia Inglaterra desde Cataluña volando a favor del viento, mejor que contra él, demuestra que el sentido del olfato no puede explicar su orientación. Esto ocurre muy especialmente en el noreste del Brasil, donde los alisios soplan desde el sureste con escasa variación durante todo el año. Los colombófilos de esa región organizan con regularidad y éxito concursos de mensajeras soltándolas desde el sur.[40]

38. Coemans y Vos (1992).
39. Un análisis del desplazamiento o gran distancia de los aerosoles demuestra también, de un modo más sofisticado, lo inverosímil de esta idea. Sin embargo, en determinadas circunstancias, las condiciones meteorológicas y atmosféricas podrían ser más propicias para una navegación olfatoria sobre distancias bastante cortas y siguiendo ciertas direcciones predilectas, por ejemplo, cuando hay una línea costera recta y un régimen regular de las brisas marinas. Esas condiciones podrían predominar en Italia, donde se han compilado las principales pruebas existentes en favor de la navegación olfatoria. Véase Waldvogen (1987).
40. Schmidt-Koenig (1987).

Una versión ya algo antigua de la hipótesis del olfato pretendió que las palomas tienen un órgano sensorial especial químico en sus sacos aéreos. Pero se descubrió entonces que las palomas cuyos sacos aéreos habían sido perforados mediante punción con una aguja seguían orientándose con normalidad. Se les investigaron a continuación las cavidades nasales y se procedió a llenárselas de cera. Pero seguían regresando al palomar perfectamente. Todo esto había quedado establecido antes de 1915.[41]

La hipótesis del olfato, al igual que la magnética, fue resucitada en los años 70, cuando todo lo demás parecía haber fallado. Floriano Papi y sus colegas propusieron en Italia que las palomas podían confeccionar un mapa olfativo de los alrededores de su casa asociando los olores con la dirección del viento. Si, por ejemplo, hay un bosque de pinos al norte, aprenden a asociar los olores de los bosques de pinos con los vientos del norte. Cuando se las transporta al lugar de suelta, no tienen más que olfatear el aire para saber la dirección de su casa. A fin de explicar la orientación hacia casa desde grandes distancias, donde un mapa olfativo no les serviría de nada, Papi sugirió que registraban los olores en el viaje de ida.

El grupo de Papi confeccionó un cuerpo aparentemente impresionante de pruebas de que las palomas eran influidas a todas luces por olores asociados con la dirección del viento.[42] Criaron, por ejemplo, palomas añadiendo dos olores diferentes al viento: de aceite de oliva al viento del sur y de trementina sintética al del norte. Después las soltaron aplicándoles uno de esos olores en las fosas nasales, y sufrían al principio una desviación del rumbo a casa, como si la dirección de donde se las había soltado correspondiera a la dirección desde donde les llegaba aquel olor hasta el palomar.[43]

La mayoría de los intentos de repetir los experimentos de Papi en Alemania y los Estados Unidos dieron resultados muy diferentes, sin una influencia detectable de los olores.[44] Añadamos que, incluso en Italia, el sentido del olfato no habría explicado por sí mismo el comportamiento orientativo de las palomas. Cuando los científicos italianos, tras haberlas confundido deliberadamente, las soltaban y ellas arrancaban en una dirección incorrecta, tarde o temprano corregían su derrotero y regresaban de todos modos al palomar. Más aún, muchas llegaban casi tan pronto como las aves

41. Matthews (1968).
42. Papi (1986, 1991).
43. Papi y otros (1978). Véanse análisis críticos de los resultados de Papi en Gould (1982) y Schmidt-Koenig (1979).
44. Keeton (1981); Gould (1982); Schmidt-Koenig (1979).

de control. Por otra parte, las palomas que sufrieron obturación nasal, sección de los nervios olfativos, o implantación de tubos en las fosas nasales burlando el epitelio olfativo, lograron también regresar volando al palomar, aunque tendían a hacerlo más lentamente que las palomas de control no mutiladas.

Los italianos alegaron que la mayor lentitud del regreso de las aves mutiladas confirmaba la hipótesis olfativa.[45] Sus escépticos colegas de Alemania y América sugirieron que podía tratarse sencillamente de una consecuencia general del trauma. Para probar esta idea, se procedió en Alemania a anestesiar el epitelio olfativo de algunas mensajeras con xilocaína, un potente anestésico local que les bloqueaba el sentido del olfato de un modo no traumático. Efectivamente, estas palomas despegaron hacia casa en cuanto las soltaron y regresaron a ella tan rápidas como las de control.[46] En otros experimentos la anestesia con xilocaína redujo, aunque no impidió, la facultad de las mensajeras tratadas de orientarse hacia casa.[47]

La conclusión a sacar de esta investigación es que en algunas circunstancias, especialmente en Italia, el sentido del olfato desempeña un papel dentro de la orientación de las palomas, pero no puede explicar por sí solo cómo estas aves hallan la ruta hacia su casa.

¿PODRÍA DEPENDER LA ORIENTACIÓN DEL MAGNETISMO?

En las décadas de los años setenta y ochenta la hipótesis magnética se convirtió en la más popular entre los investigadores profesionales (excepto en Italia, donde predominó la teoría olfativa, y sigue haciéndolo). Según esta idea, las palomas podrían utilizar un mapa magnético para orientarse. Se presuponía la existencia de un sentido magnético exquisitamente sensible en las palomas, que no sólo les permitiría detectar las direcciones de la brújula, sino percibir también los cambios del campo magnético de la Tierra de un sitio a otro.

En teoría, el campo magnético de la Tierra podría dar información direccional de dos maneras. Primero, la *fuerza* de ese campo varía de los polos magnéticos al ecuador, alcanzando su máxi-

---

45. Por ejemplo, Papi (1982).
46. Schmidt-Koenig (1979); Wiltschko, Wiltschko y Jahnel (1987). Véanse también Wiltschko, Wiltschko y Walcott (1987).
47. Kiepenheuer, Neumann y Wallraff (1993).

mo en los polos. Segundo, el *ángulo* de dicho campo varía también de los polos al ecuador. Las agujas de las brújulas apuntan hacia abajo en los polos magnéticos y están horizontales en el ecuador. Entre esos puntos, se inclinan hacia abajo en ángulos relacionados con la latitud: más hacia los polos, menos hacia el ecuador. Por consiguiente, si las palomas pudiesen detectar los cambios de fuerza o del ángulo del campo, podrían percibir cuánto se habían desplazado hacia el norte o el sur magnético.

En el terreno teórico concreto, hay por lo menos tres serios problemas con esta hipótesis. Primero, los cambios existentes en el ángulo y la fuerza medios de ese campo son muy pequeños. En el nordeste de los Estados Unidos, por ejemplo, a lo largo de una distancia de 160 km en dirección norte-sur, la fuerza media del campo cambia en menos del 1 por ciento, y el ángulo del mismo en menos de un grado. Segundo, el campo magnético de la Tierra dista de ser uniforme, y varía de un lugar a otro de acuerdo con las rocas subyacentes. Algunas de tales «anomalías» son pequeñas, duran unos cuantos cientos de metros; otros son grandes, y se extienden sobre cientos de kilómetros. En casos extremos, el campo magnético existente dentro de una anomalía de ésas puede superar hasta ocho veces la fuerza del campo magnético de la Tierra. Por otra parte, ese campo varía entre un momento y otro, tanto por fluctuaciones diarias como por cambios más grandes durante las tormentas magnéticas debidas a las manchas solares. Esas fluctuaciones podrían causar errores de decenas a cientos de kilómetros en el ajuste de las situaciones en sentido norte-sur sobre un mapa magnético.[48]

Por último, aun en el caso de que las palomas fuesen lo suficientemente sensibles a los campos magnéticos para detectar hasta qué punto se habían desplazado hacia el norte o el sur, e incluso si pudieran corregir de algún modo las anomalías magnéticas y las fluctuaciones del campo existentes en cada momento, el campo magnético de la Tierra no les daría información tocante a desplazamientos efectuados en dirección este-oeste. Cuando se traslada a una paloma hacia el este o el oeste de su casa, el ángulo medio y la fuerza del campo siguen siendo los mismos que en casa y por lo mismo no le proporcionarían información tocante a la dirección del palomar. Y tenemos sin embargo que las palomas pueden orientarse hacia casa perfectamente bien tras haber sido llevadas hacia el este o el oeste, lo mismo que hacia cualquier punto de la brújula. Por lo tanto, aún en el caso de que las palomas utilizasen la fuerza o

48. Walcott (1991).

el ángulo del campo magnético de la Tierra para obtener información referente a los desplazamientos hacia el norte o el sur, tendría que haber algún otro sistema que les diese información tocante a los efectuados hacia el este o el oeste. El magnetismo nunca podría proporcionar otra cosa que una explicación parcial de la orientación hacia casa, incluso en principio.

¿Pero qué ocurriría si las aves tuviesen sencillamente una especie de brújula magnética y no un «mapa» magnético? Igual que en el caso de la «brújula solar», eso no les serviría de mucho. Una brújula no puede por sí misma dar información alguna en cuanto a la dirección del palomar.

Pese a esas abrumadoras dificultades teóricas, la idea de que el campo magnético de la Tierra podría explicar de algún modo la navegación de las aves fue sugerida ya nada menos que en 1855, y ha vuelto a aflorar repetidamente desde entonces.[49] Hasta la década de los 70 esa hipótesis encontró un escepticismo intenso dentro de la comunidad científica, sin ir más lejos porque muchos especialistas dudaban que los seres vivos pudiesen detectar un campo magnético tan débil como el de la Tierra. Sin embargo, cuidadosos experimentos efectuados en los años 60 en Alemania revelaron de modo convincente que las aves podían ser afectadas por los campos magnéticos. Se mantuvo en jaulas situadas dentro de edificios a aves migradoras en el momento en que normalmente estarían emigrando. Esas aves —y no es sorprendente— revelaron lo que los investigadores denominan «desasosiego migrador», y saltaban dentro de la jaula, tratando de moverse en la dirección general en la que habrían migrado normalmente. Cuando se invertía el campo magnético existente en torno a esas aves, saltaban en el sentido opuesto; si se las hacía girar 90°, su dirección de salto cambiaba también en 90°.[50] Ya en los años setenta había varios grupos de investigadores entusiastas de la orientación magnética. Se halló que incluso la dirección de los seres humanos era influida por campos magnéticos débiles.[51]

El magnetismo, desechado anteriormente como una idea descabellada, recibió entonces una amplia enhorabuena como una explicación científica de la navegación de las aves que excluía la necesidad de ideas aún más descabelladas. Y el magnetismo sigue disfrutando del favor general, como puede comprobar el lector.

49. Matthews (1968).
50. Por ejemplo, Wiltschko y Wiltschko (1976, 1991) y Wiltschko (1993).
51. Baker (1989).

Suscite el tema de la migración de las aves o de la orientación de las palomas mensajeras en una conversación general. Le aseguro que muchas personas científicamente informadas dirán que ese tema está explicado por entero a través del magnetismo, pero no van a «recordar los detalles».

Helos aquí: hay tres tipos de prueba empírica de la influencia del magnetismo en el sentido de la dirección de las palomas, pero no hay ninguna de que el magnetismo explique la orientación hacia su casa. Para empezar, las mensajeras se desorientan a veces cuando se las suelta en lugares donde existen anomalías del campo magnético terrestre, siendo uno de ellos Iron Mine Hill (el cerro de la Mina de Hierro), Rhode Island, EE.UU.[52] Pero es también cierto que terminaron orientándose hacia casa a pesar de esa desorientación inicial. Por otra parte, sólo algunas palomas sufren confusión por efecto de las anomalías magnéticas. Por ejemplo, en el Iron Mine Hill muestran una perturbación inicial de la orientación las palomas procedentes de un palomar de Lincoln, Massachusetts, pero las de otro situado en Ithaca, Nueva York, impertérritas, arrancan inmediatamente rumbo a casa.[53]

En segundo lugar, las palomas se afectan al parecer por efecto de las tormentas magnéticas debidas a las manchas solares. La velocidad del vuelo hacia casa en los concursos de mensajeras tiende a reducirse en los períodos de gran actividad de las manchas solares.[54] Esas tormentas magnéticas pueden afectar la dirección de despegue de las aves; pero el cambio medio respecto de la dirección normal hacia casa es pequeña, sólo de algunos grados. Y a pesar de esas desviaciones iniciales, las palomas pueden hallar a fin de cuentas el camino hacia casa.[55]

En tercer lugar, se las ha expuesto deliberadamente a la influencia de campos magnéticos a ver si las confundían. Un amplio abanico de experimentos hechos con palomas y con aves migradoras a partir de los años veinte no ha arrojado ningún efecto significativo. Entre los primeros resultados positivos con palomas están los obtenidos en 1969 por William Keeton, de la Universidad de Cornell, en Ithaca, Nueva York. Él y sus colegas les fijaron imanes pequeños en forma de barra en la cabeza o el dorso. A las de control se les fijaron en cambio unas barritas de latón. Los imanes no ejer-

52. Gould (1982).
53. Schmidt-Koenig y Ganzhorn (1991); para más ejemplos, véase Walcott (1989).
54. Schietecat (1990); Walcott (1991).
55. Wiltschko y Wiltschko (1988); Schmidt-Koenig y Ganzhorn (1991).

cieron efectos significativos en la orientación hacia casa de las palomas en los días soleados. En cambio, en los días de cielo nublado, en experimentos hechos entre 1969 y 1970, los imanes daban la impresión de confundir a las aves en el momento de la suelta, aunque llegaron siempre al palomar. En experimentos posteriores efectuados a comienzos de los años setenta por otros investigadores, se les colocó a las palomas unas bobinas de Helmholtz en la cabeza o el cuello; en las palomas de prueba se generaba un campo magnético al pasar una corriente eléctrica por los alambres de la bobina. En los días de sol, los imanes no produjeron efectos significativos. En los días nublados, igual que en el caso de Keeton, se produjo alguna desorientación al principio, pero las palomas pudieron llegar al palomar.[56]

Sin embargo, esos efectos producidos por los imanes en los días nublados no fueron repetibles, tampoco en el caso de Keeton.[57] En relación con sus primeros experimentos, comentó él mismo «la desconcertante variabilidad hallada en los resultados».[58] Desde 1971 hasta 1979 trató en vano de repetir sus resultados iniciales. Los negativos hallazgos de esa investigación estaban aún sin publicar cuando falleció en 1980. Bruce Moore publicó en 1988 un análisis póstumo de todos sus datos, procedentes de treinta y cinco experimentos diferentes hechos en días nublados. Los efectos de la desorientación inicial hallada en 1969-1970 no aparecieron en los experimentos posteriores. Incluso en los primeros, los imanes no produjeron un efecto significativo en la capacidad de las aves para llegar a casa:

> Las aves dotadas de imanes tardaron algo más en perderse de vista que las que llevaban latón en 1969-1970, pero fueron ligeramente más rápidas entre 1971-1979. Los efectos fueron iguales, aunque opuestos, y en ninguno de ambos casos se acercaron a lo significativo. Las velocidades de regreso al palomar fueron insignificantemente mayores con los imanes en ambos conjuntos de datos; pero tampoco ninguno de los efectos se acercó a lo significativo. Tres cuartas partes de las palomas, tanto experimentales como de control, llegaron a casa el día mismo de la suelta... Por último, los índices totales de pérdidas fueron idénticos —26 palomas o sea el 9%— en las mensajeras que volaron con imanes de barra o sin ellos.[59]

56. Walcott y Green (1974).
57. Moore (1988).
58. Keeton (1972).
59. Moore (1988).

La sensibilidad magnética de las palomas ha sido probada también en experimentos de laboratorio. La mayoría de los resultados publicados no mostraron efecto significativo alguno por los campos magnéticos, siendo de señalar que otros muchos estudios negativos se han quedado sin publicar.[60] Uno de los principales investigadores en este campo, Charles Walcott, ha llegado a la conclusión de que: «Dado el peso de todas estas pruebas negativas, unido a la naturaleza circunstancial de las pruebas positivas, se hace muy difícil creer que la paloma haga uso de claves magnéticas en su "mapa"».[61]

La hipótesis magnética constituyó el último intento aparentemente viable de hallar el mecanismo de la orientación hacia casa. Muchos se han aferrado a ella con la tenacidad de quien a punto de ahogarse se agarra a un clavo ardiendo. Pero ahora esta hipótesis se ha hundido también.

Entre los investigadores profesionales, la impresión convencional actual es que la orientación de las palomas depende de una compleja serie de sistemas «retroalimentados»; o bien que es «multifactorial», implicando sutiles combinaciones de mecanismos como la brújula solar, el olor y el magnetismo; o bien que las palomas utilizan un tipo único (no especificado) de información, aunque la «rastrean con varios sistemas sensoriales».[62] Pero todas esas frases de tanta resonancia científica se limitan a encubrir una ignorancia profunda. El paradigma ortodoxo se ha derrumbado.

¿EXISTE ACASO UN SENTIDO DE LA DIRECCIÓN DESCONOCIDO?

Se ha evidenciado desde hace muchos años la dificultad de explicar la navegación de las aves en términos científicos convencionales, y hoy en día es más retadora que nunca. Desde hace décadas ha existido una contracorriente especulativa sobre la posibilidad de un «sentido de la dirección», una «facultad de orientación», «un sentido de la localización, un «sexto sentido» e incluso una «percepción extrasensorial» o ESP desconocidos. A comienzos de los años cincuenta propugnaron el caso de la ESP varios parapsicólogos, especialmente J. B. Rhine[63] y J. G. Pratt,[64] del laboratorio de

60. Moore, Stanhope y Wilcox (1987). Véanse también Papi, Luschi y Limonta (1992).
61. Walcott (1991), pág. 49.
62. Schmidt-Koenig y Ganzhorn (1991).
63. Rhine (1951).
64. Pratt (1953, 1956).

parapsicología de la Duke University, Carolina del Norte. Pero los defensores de la ortodoxia han descartado semejantes ideas, asegurando confiadamente que estaba casi a la vista una explicación de acuerdo con los principios científicos normales. En los 50 parecía ser la más prometedora la hoy desacreditada hipótesis del arco solar. Su principal defensor, G. V. T. Matthews, adoptaba un tono doctoral y anatematizador:

> En la bibliografía popular afloran con frecuencia extrañas teorías que postulan «radiaciones» de naturaleza no especificada procedentes del entorno de la casa... Rhine (1951) y Pratt (1953, 1956) han sugerido que algún medio de orientación extrasensorial es la base de la vuelta a casa. Pero se da el caso... de que los parapsicólogos no ofrecen sugerencia alguna tocante al modo de operación implicado, pues en realidad se han interesado por la navegación de las aves debido únicamente a que los hechos conocidos no habían recibido una explicación adecuada a la luz de la fisiología sensorial. Ese interés ha sido refutado por Matthews (1956) y al parecer existe poca actividad en este campo hoy en día. Queremos mencionar también aquí, y rechazar, ciertas vagas teorías sobre un especial «sentido del espacio» que no nos dicen nada y explican aún menos.[65]

Los conservadores ortodoxos siguen aferrados a la fe en que tarde o temprano se hallará una explicación ortodoxa. Hemos de decir, sin embargo, que la existencia de influencias de un tipo desconocido hasta ahora para la ciencia no sólo parece posible, sino probable.

UN NEXO DIRECTO ENTRE LAS PALOMAS Y SUS CASAS

Propongo que el sentido de la dirección de las palomas mensajeras depende de algo parecido a una cinta elástica invisible que las conecta con su casa y las atrae de regreso a ella. Cuando se las lleva lejos, esa cinta se estira. Cuando en su regreso dejan atrás volando su casa, como ocurrió con algunas de las palomas que volaban con lentes de contacto esmerilados, esa conexión sirve para «tirar de ellas en sentido de regreso».

No sé en este momento cómo podría funcionar esa interconexión. Podría relacionarse con las conexiones no locales implicadas en la física cuántica moderna, indicadas por vez primera en la paradoja de Einstein-Podolsky-Rosen. Einstein consideraba absurdas las implicaciones no locales de la teoría cuántica; rechazó la no-

---

65. Matthews (1968), págs. 95-96.

ción de un enlace instantáneo entre dos sistemas cuánticos separados que habían estado antes juntos. Pero, en forma del teorema de Bell, Alain Aspect sometió a prueba experimental en 1982 la no localidad cuántica, y Einstein resultó estar equivocado.

> Suponiendo que excluyamos toda señalización más rápida que la luz, [tal resultado] implica que una vez que dos partículas han interactuado entre sí, permanecen vinculadas de algún modo, y constituyen de hecho partes de un mismo sistema invisible. Esa propiedad de la «no localidad» tiene implicaciones profundas. Podemos concebir el Universo como una vasta red de partículas interactuantes, donde cada vinculación enlazaría las partículas participantes haciendo de ellas un solo sistema cuántico... Aunque la complejidad del cosmos es demasiado grande en la práctica para que podamos notar esa sutil conectividad excepto en experimentos especiales como los ideados por Aspect, existe sin embargo un fuerte aroma holístico en la descripción cuántica del Universo.[66]

Tal vez el vínculo existente entre la paloma y su casa descansa en tales fenómenos cuánticos no locales. O tal vez no sea así, sino que dependería más bien de algún otro tipo de campo o de interconexión no reconocido hasta ahora por la física. Me limito sencillamente a dejar abierta esta cuestión.

Otro modo de formular esta idea de la existencia de un nexo entre una paloma y su palomar reside en los conceptos de la dinámica moderna. En los modelos matemáticos de los sistemas dinámicos, éstos se mueven dentro de un espacio de campos hacia los *atractores*.[67] Con ese enfoque se podría hacer el modelo de una paloma volviendo a su casa como un cuerpo que se mueve dentro de un campo de vectores hacia el atractor, que representaría su casa u objetivo.

Por amor a la simplicidad, adoptaré la formulación más cruda de esta idea, el símil de una cinta elástica invisible entre la paloma y su casa. Esa conexión les da a las palomas un sentido de la dirección que les permite hallar el camino de regreso incluso cuando no pueden recordar el viaje de ida, ni ver las marcas del paisaje, ni utilizar una brújula solar, ni el olfato, ni detectar el campo magnético de la Tierra. Les permite sobreponerse a las endiabladas confusiones que les imponen los experimentadores, incluyendo el soltarlas con un cielo muy encapotado o de noche, el alterarles el sentido del tiempo, la obturación de las fosas nasales, el confun-

---

66. Davies y Gribbin (1991), págs. 217-218.
67. Thom (1975, 1983); Abraham y Shaw (1984).

dirlas a base de olores, el sujetarles imanes, el someterlas a rotación o a anestesia, el cegarlas mediante lentes de contacto deslustrados y el seccionarles nervios.

La cinta mencionada se estira al ser llevadas las palomas lejos de su casa. Pero también debe estirarse en el caso contrario: al ser llevado el palomar lejos de las palomas. Ésta es la base del experimento que propongo. En vez de llevar a las palomas lejos del palomar, alejaremos el palomar de las palomas. ¿Son capaces las palomas de hallar la casa que les falta?

El experimento que propongo implica un palomar móvil. Se sabe que las mensajeras son capaces de regresar a palomares móviles, y esos palomares se han utilizado en gran escala en este siglo con fines militares.

EMPLEO DE PALOMARES MÓVILES POR LOS MILITARES

Al estallar la Primera Guerra Mundial en 1914, los ejércitos belga, francés, italiano y alemán estaban bien dotados de servicios militares de mensajeras, incluyendo palomares móviles susceptibles de utilización al avanzar o retroceder el ejército. Los ingleses no contaban con ningún tipo de preparación, pero tras el inicio de las hostilidades, fue organizado enseguida un Servicio de Palomas portadoras de mensajes con la ayuda entusiasta de los colombófilos aficionados, organizados por el coronel A. H. Osman, jefe militar encargado de las mensajeras. Antes y después de la guerra, Osman fue el editor de *The Racing Pigeon*, revista de los colombófilos, que sigue siendo la principal publicación británica en ese campo. Su libro *Pigeons in the Great War* (Las palomas en la Gran Guerra)[68] nos brinda el informe definitivo sobre ese notable empeño bélico. Cuenta cómo el Servicio Naval de Mensajeras embarcaba palomas en los barcos rastreadores encargados de dragar minas; las palomas llevaban los informes a los palomares de sus dueños, que los pasaban inmediatamente al Almirantazgo. Los primeros informes de un ataque de un dirigible alemán sobre la flota de dragaminas llegaron por mensajeras. Entretanto, el British Intelligence Corps (Cuerpo británico de espionaje) envió mensajeras sobre la parte de Bélgica ocupada por los alemanes en globos equipados con artilugios de relojería que soltaban a intervalos cestas pequeñas con palomas. Aquellas cestas descendían colgadas de pequeños paracaídas

68. Reproducido en Osman y Osman (1976).

con encargos de que los belgas enviasen información de importancia militar. Muchos lo hicieron así, arriesgándose a la pena de muerte impuesta por las autoridades alemanas. El Servicio Británico de Inteligencia lanzó también espías con paracaídas tras las líneas enemigas equipados con jaulas-cestas atadas a la espalda, que contenían palomas mensajeras expertas, envueltas en paja, para enviar informes.

Pronto se establecieron los palomares móviles, y hacia el final de la guerra, en 1918, los británicos tenían más de 150. El Servicio de Mensajeras del Ejército Estadounidense tenía cincuenta. Algunos de ellos tenían tracción equina, otros estaban motorizados (fig. 3). Las mensajeras eran llevadas en canastas por correos motociclistas o a caballo hasta la tropa que estaba en las trincheras, que las utilizaba para enviar mensajes cuando estaban imposibilitados la radio y otros medios de comunicación. Las mensajeras volaban hasta sus palomares móviles incluso a través de un denso fuego de artillería, siendo citadas muchas por su arrojo. A una mensajera británica le fue concedida la Cruz de la Victoria y a otra francesa la Legión de Honor. La heroína «americana» fue una hembra ajedrezada:

> Su último vuelo fue un caso desesperado en la Argona, pero ella se abrió camino valientemente y entregó el mensaje, aunque llevaba una pata colgando desde el muslo y sangraba profusamente. El mensaje era vital para un pelotón que se hallaba en dificultades. Unos refuerzos salvaron la situación y los hombres de ese pelotón tienen motivos para agradecerle su valiente hazaña.[69]

En la Segunda Guerra Mundial utilizaron palomares móviles los británicos en el norte de África, y el Servicio de Mensajeras del Ejército Indio en Birmania.[70] El Servicio de Mensajeras indio desarrolló también un sistema de vuelo en «bumerang», que preparaba a las mensajeras para que hallasen cada día un palomar cebador móvil, volviendo siempre a dormir al palomar fijo de residencia. Como resultado esas mismas aves podían ser utilizadas así para llevar mensajes en ambos sentidos.[71] Empleó con éxito un sistema similar el Servicio de Mensajeras del Ejército Británico en Argelia y Túnez.[72] Y se están desarrollando en Suiza hoy en día sistemas de mensajes de ida y vuelta que utilizan palomares móvi-

69. Íd., pág. 50.
70. Íd.
71. Hill (1985).
72. Hutton (1978).

Figura 3. 1) Palomares
móviles utilizados en la
Primera Guerra Mundial.
(De Osman y Osman, 1976.)

Palomar móvil motorizado.

Palomar alemán, capturado
y expuesto en un zoo de
Londres.

Un palomar móvil,
camuflado, en alguna parte
de Francia.

les, con aves del Servicio de Mensajeras del Ejército Helvético[73] —es uno de los últimos servicios de palomas mensajeras militares que sobreviven hoy, el otro está en China.

En las condiciones impuestas por la guerra las mensajeras se adaptaron bien a los movimientos de sus palomares. El coronel Osman informa de que en la Primera Guerra Mundial «las aves hallaban su casa dondequiera que estuviese». Sin embargo, me ha sido imposible averiguar exactamente cómo se utilizaban los palomares móviles. Presumiblemente, en la mayoría de los casos, el palomar se desplazaba con las aves dentro. Probablemente se les daba una oportunidad, de ser posible, de acostumbrarse al nuevo entorno antes de utilizarlas para el envío de mensajes. En este caso no sería demasiado sorprendente que acertasen con el palomar móvil.

Se emplearon también los palomares móviles en barcos en alta mar. En la Primera Guerra Mundial, la marina italiana los empleó para enviar mensajes de un barco a otro estando en movimiento ambas naves. «Desde distancias de más de 100 km las aves hallaban sus propios palomares situados en barcos que se hallaban todo el tiempo en continuo movimiento y no permanecían nunca en un mismo sitio. Incluso entre buques muy similares hallaban su propio barco.»[74] Se trata de algo realmente sorprendente, y desearía de veras poder disponer de más detalles.

Un experimento con palomares móviles

El experimento que propongo implica un palomar móvil, montado encima de un viejo remolque agrícola. Al principio se entrena a las mensajeras para que regresen a casa del modo usual, igual que a las mensajeras corrientes. Después se las enseña a que se orienten hasta alcanzar el palomar móvil. El método básico consiste en sacar algunas de las palomas del palomar y meterlas en un canasto de palomas mensajeras. Entonces se remolca el palomar, donde quedan todavía algunas palomas, incluyendo las compañeras y las hijas de las que se han sacado. Entonces se da suelta a las palomas del canasto en el lugar donde solía estar el palomar. Se dan cuenta inmediatamente de que su casa se ha esfumado. ¿Serán capaces de hallarla?

73. Comunicación personal, doctor Hans-Peter Lipp, de la Universidad de Zurich-Irchel, oficial encargado de las palomas mensajeras del ejército suizo.
74. Spruyt (1950). (Original en holandés; el autor agradece a Louis van Gasteren el haberle llamado la atención sobre esa información y la traducción del importante material.)

Si las palomas pueden hallar el palomar móvil repetidas veces y con rapidez, a distancias grandes, en direcciones arbitrarias y cuando se ha movido el palomar a favor del viento (eliminando así cualquier posibilidad de oler su dirección), ello demostraría que existe una conexión directa entre las palomas y su casa. Si, en cambio, las palomas no pueden localizar el palomar móvil, incluso estando en él las demás palomas, el resultado, por desgracia, sería inconcluyente. Podría dar a entender que no existe un nexo invisible entre las palomas y su casa. O podría entenderse que existe una conexión con el palomar, pero desplazar el palomar solo no es prueba suficiente. Habría que transportar más elementos del entorno hogareño, por ejemplo, montando el palomar en una embarcación.

Tiene importancia en este contexto un informe que he recibido de un corresponsal holandés, el señor Egbert Gieskes, sobre un palomar móvil en el Rin:

> Un patrón de barco holandés, dueño de una barcaza de transporte fluvial, llevaba mercancía en su embarcación desde los buques de transporte marítimo atracados en Rotterdam hasta Alemania o Suiza. Sus palomas volaban cada día en torno a su barco en sus singladuras río arriba o abajo por el Rin. Un día le entregó a un amigo de Rotterdam una jaula-cesta con tres palomas y le dijo: «Suéltalas dentro de cinco días, fíjate en lo que hacen y anota la hora». Medio día después las palomas llegaron a su palomar en Basilea, en medio de muchísimas otras gabarras.

Este caso no es tan sorprendente como el del empleo de palomares en barcos de la marina italiana hechos a la mar, dado que las palomas estaban familiarizadas con el Rin y pudieron sencillamente volar río arriba hasta que hallaron su gabarra. Pero nos sugiere un experimento potencialmente sencillo que se podría hacer con la ayuda de este gabarrero o cualquier otro de los que tienen palomas en el Rin. En vez de soltarlas en Rotterdam, en la desembocadura del río, desde donde hay una sola dirección de vuelo a lo largo del mismo, se las podría soltar hacia la mitad del curso del Rin, digamos, en Coblenza, Alemania. Ni las palomas ni la persona que las soltase sabrían qué ruta seguía la gabarra, hacia Rotterdam o hacia Basilea. Si en una serie de experimentos las palomas vuelan una vez tras otra en el sentido adecuado y se van inmediatamente derechas hacia el palomar en vez de volar al azar río arriba o abajo, eso indicaría la existencia de un nexo invisible entre ellas y el palomar.

De no dar la coincidencia de conocer uno a un capitán de barco abierto a la idea, es más fácil iniciar esta línea de investigación en tierra con palomares móviles común y corrientes. Y el primer paso consiste en entrenar a las mensajeras para que localicen el palomar móvil desde distancias pequeñas. Las palomas, igual que las personas, no esperan normalmente que su casa se mueva. La primera vez que ocurre se sienten muy desconcertadas, igual que le ocurriría a la mayoría de la gente si al volver a casa se hallasen con un hueco justo en el sitio donde solía estar; aun en el caso de que pudieran ver perfectamente esa casa a alguna distancia calle abajo, no es probable que se fuesen directamente hacia ella como si no hubiese ocurrido nada. Pero si esto les siguiera ocurriendo, llegarían a acostumbrarse del mismo modo, y eso hacen las palomas.

Entrenamiento de las palomas para que se dirijan hacia los palomares móviles

He entrenado palomas para que localicen palomares móviles tanto en Irlanda como en Inglaterra y he hallado que se acostumbran pronto a que el palomar vaya de un sitio a otro.

Tuve la primera oportunidad de trabajar con un palomar móvil en 1973 cuando el marqués y la marquesa de Dufferin y Ava tuvieron la amabilidad de brindarme su finca de Clandeboye, en el condado de Down, Irlanda del Norte, para hacer experimentos. Los hice con la ayuda de su administrador, Donald Hoy y su jefe de guardabosques, Bob Garvin, quienes estuvieron pendientes de las aves día a día.

Compramos un palomar de madera común y corriente de dos compartimientos, y lo montamos en un remolque agrícola para que pudiese cambiarlo de sitio un tractor o un Land Rover. Alojamos en el verano doce aves adultas y les enseñamos a volver al palomar de la manera usual. Por desgracia, perdimos la mayoría, abatidas por cazadores o por los gavilanes. Conseguimos entonces otras diez, jóvenes, y las pusimos en el otro compartimiento del palomar.

No fue posible iniciar el estudio experimental hasta noviembre, que es cuando no están criando y tienen el mínimo de apego a los palomares. Para entonces sólo nos quedaban tres de las doce aves originales y cinco de las nuevas. Era un momento nada ideal para hacer un experimento, pero como iba a marchar a la India en Año Nuevo, decidimos hacer un intento de entrenar a las palomas más viejas y ver qué ocurría.

La primera vez que movimos el palomar, lo desplazamos sólo unos 135 metros, dejándolo en el prado donde estaba. Las palomas estuvieron encerradas en él y soltamos las tres más viejas dos días después. Durante media hora volaron en torno a la posición anterior del palomar antes de iniciar su aproximación hacia el mismo en su nueva ubicación. Y tardaron todavía otra media hora antes de posarse en el techo, aunque volvían a irse de él enseguida. Por último, transcurrida hora y media desde la suelta, dos de ellas entraron, y se les dio de comer. La otra fue más huraña y pasó la noche en un árbol cercano antes de entrar por último en el palomar por la mañana.

Al día siguiente movimos el palomar unos 45 metros hacia otra posición distinta, dentro del mismo prado, y soltamos las palomas viejas. Dieron vueltas sobre la posición anterior, pero se posaron enseguida en el palomar en su nueva ubicación y entraron en él después de 15 minutos. Al día siguiente trasladamos el palomar a otro campo, situado a una distancia de 270 m, y soltamos las mismas palomas. En esta ocasión volaron brevemente en torno a la ubicación anterior y entraron en el palomar al cabo de 10 minutos. Era evidente que se habían acostumbrado al hecho de que su casa podía cambiar de sitio.

Tras aquel breve período de entrenamiento, emprendimos el experimento propiamente dicho. De mañana pusimos las palomas viejas en una caja bien ventilada. Remolcamos el palomar, con las cinco palomas jóvenes dentro hasta un campo cercano a Downpatrick, 32 km hacia el sur. Soltamos entonces las palomas de la prueba abriéndoles la puerta de la caja en el sitio exacto donde había estado últimamente el palomar.

Las contemplé con el mayor interés. Dieron vueltas sobre los cuatro sitios donde había estado el palomar; se posaron en el suelo en esos sitios; y en árboles situados cerca, y en varias ocasiones se perdieron de vista por espacio de 10 minutos o algo así, para regresar después. Pasadas varias horas en esa actividad infructuosa, empezaron a dar vueltas en torno mío, posándose junto a mis pies, picando patéticamente las hojas de la hierba. Su mensaje era inconfundible: tenían hambre. Durmieron aquella noche posadas en un árbol y a la mañana siguiente seguían en los prados donde había estado el palomar. Y volvieron a dar vueltas alrededor de mí. Lo hicieron durante todo el día, y volvieron a dormir en un árbol la noche siguiente. A la mañana siguiente, me rendí. Volvimos a traer el palomar, y cuando llegamos, hallamos que las palomas estaban posadas en el suelo en el sitio donde pensábamos ponerlo. Entraron en el palomar a los pocos minutos y comieron vorazmente.

Es obvio que ese experimento preliminar falló en cuanto a revelar poderes navegantes misteriosos. Pero no me sentí tampoco demasiado desalentado. En esa época del año la motivación hacia casa es débil; el período de entrenamiento había sido muy breve, y las cinco palomas jóvenes encerradas en el palomar no estaban emparentadas con las sometidas a prueba y habían vivido separadas de ellas.

Pensé en volver a hacer el experimento durante la estación de cría en la que la motivación hacia casa es fuerte. Pero, qué fatalidad, cuando volví de la India con permiso, año y medio después, a pesar de haber vuelto a llenar el palomar de aves, los gavilanes del lugar habían reducido su población a sólo dos palomas, y hubo que abandonar aquel experimento.

Surgió otra oportunidad de organizar un palomar móvil en 1986, gracias a David Hart, en cuya finca, Coldham Hall, situada en Suffolk, Inglaterra, montamos el palomar. Cuidó de las palomas Robbie Robson de Bury St Edmunds, presidente de la asociación colombófila de esta localidad, entrenador de mensajeras con muchos años de experiencia. Debo agradecerle mucho la desinteresada ayuda que me prestó.

Igual que en Clandeboye, preparamos el palomar móvil armando un palomar estándar de dos compartimientos a partir de un equipo convencional y montándolo sobre un remolque agrícola (fig. 4). Le pintamos unas anchas rayas amarillas en el techo para hacerlo fácilmente reconocible desde el aire. El costo total fue de menos de 400 libras (unas 80.000 ptas.). Ocupamos el palomar con aves jóvenes, donadas amablemente por los aficionados de la localidad.

Para empezar, situamos el palomar en un gran patio de cuadra situado detrás de Coldham Hall. Las palomas se habían acostumbrado a la zona circundante, tenían ya la experiencia de haber regresado desde distancias hasta de 80 kilómetros y estaban criando en el artefacto. La primera vez que lo movimos, en julio de 1987, sacamos de él las ocho palomas adultas, manteniéndolas en una canasta portapalomas de mimbre mientras remolcábamos el palomar hasta el otro lado del patio. Quedaban en él ocho pichones volantones junto con algunos de pocas semanas. En esa prueba y las que siguieron, se daba suelta a las palomas adultas exactamente en el mismo sitio donde había estado antes el palomar.

Como en Irlanda, las palomas se desconcertaron al principio cuando se movía de repente su casa, antes fija, aunque estaba sólo a escasos 90 metros de distancia y era totalmente visible. Volaban en círculo repetidas veces alrededor del sitio donde había estado el palomar y se posaban de vez en cuando en el suelo de aquel sitio. Pero al cabo de un cuarto de hora, una de ellas, un palomo

FIGURA 4. El autor y Robbie Robson (dcha.), cerca del palomar móvil, aguardan a que las mensajeras lo localicen.

rojo no emparejado, voló sobre el palomar en su nueva ubicación. Pasado otro cuarto de hora volvió a hacerlo, y lo siguieron entonces las otras. Volaron todas ellas sobre el palomar varias veces en la media hora siguiente, como elaborando una ruta de vuelo, y a continuación el palomo rojo se posó fugazmente sobre el techo. Diez minutos después (80 minutos después de la suelta), entró en el palomar y se le dio de comer. Pasados unos 10 minutos echó a volar y se reunió con las otras, y voló con ellas sobre el palomar, posándose en él algunas veces. Pero pasaron 4 horas y media más antes de que otras cinco entrasen en él, 6 horas tras haber sido soltadas. Las dos restantes no lo hicieron hasta el día siguiente, tras pasar la noche posadas en un roble cercano.

La tarde siguiente alejamos el palomar otros 90 metros tras retirar de él todas las palomas adultas excepto una. A los 2 minutos de la suelta, las aves empezaron a volar sobre el palomar y entraron todas en él al cabo de una hora y cuarto.

Seguimos entrenando a las aves mediante varios movimientos más en el verano de 1987, y comenzamos de nuevo en la primavera de 1988. Comprobamos que cuando se trasladaba el palomar tras haber sido dejado en un sitio particular durante algunas semanas o meses, especialmente si se trasladaba a un lugar completamente nuevo, las palomas lo hallaban enseguida, pero se resistían a posarse o a entrar en él, y tendían a posarse en las ramas de algún árbol cercano. En cambio, cuando se acostumbraron por completo a sus desplazamientos, su temor disminuía. Para el verano de 1988 alcanzamos el punto en el que podíamos sacar las palomas del palomar, remolcarlo hasta una nueva ubicación distante dos o tres kilómetros, volver al lugar que había ocupado justo antes el palomar para soltar las aves, regresar en coche acto seguido hasta el palomar en su nueva ubicación, para encontrarnos a las palomas muy posadas en el techo, aguardándonos ya para que las cebásemos.

Todo siguió bien hasta que pusimos el palomar cerca del granero de una granja distante como kilómetro y medio. Las palomas hallaron el palomar, pero se negaron a entrar en él, y esperaron una semana hasta que lo retiramos de junto al granero llevándolo a un campo cercano.

En retrospectiva, deberíamos habernos dado cuenta de que a las palomas las asustaba el granero, o más bien las personas extrañas que trabajaban allí y el movimiento de la maquinaria agrícola. Una vez que el programa de entrenamiento se hubo reanudado, movimos el palomar otros tres kilómetros, y lo colocamos junto a otro granero en las tierras de un campesino de la cercanía. Aquello fue un error garrafal. La granja tenía mucho movimiento, con personas más extrañas y maquinaria más ruidosa. Aunque las palomas hallaron el palomar enseguida, no quisieron posarse en él, y empezaron a vivir en los campos cercanos, donde había alimento en cantidad, y adoptaron un régimen de vida silvestre.

Trasladamos el palomar a uno de aquellos campos, pero pasaron tres semanas antes de que lográramos engatusarlas para que volvieran a entrar. Aquel retraso, y la necesidad de readaptarlas al palomar impidieron que hiciésemos más experimentos en aquella temporada. En 1989 creímos, partiendo de lo aprendido con nuestros errores, que podríamos practicar un programa de entrenamiento rápido, y hacer a continuación el gran experimento, desplazando el palomar un mínimo de 30 kilómetros.

¡Que si quieres! No iba a ser así. Aquel invierno Robbie contrajo la enfermedad conocida como «pulmón de los criadores de palomas». Además de los síntomas debilitadores, aquello implicaba que no podría volver a trabajar con palomas nunca más, dado que esa enfermedad se exacerba con el polvo de sus plumas. Sin Robbie para atenderlas a diario, las palomas volvieron a asilvestrarse.

Cómo empezar

Me he limitado a resumir el estado de cosas existente en la investigación con palomares móviles. El campo está abierto de par en par.

Recomendaría encarecidamente a las personas que deseasen emprender este experimento que busquen y hallen un colombófilo experimentado que les asesore y ayude, de no ser que tengan ya experiencia en el manejo de las palomas. El éxito del trabajo con las palomas depende de la pericia fundamental tocante a su manejo, entrenamiento y cuidado y del establecimiento de una buena relación con ellas.

En la sección de detalles prácticos situada al final del libro, incluyo una lista de direcciones de revistas y organizaciones sobre palomas donde se puede hallar información referente a grupos locales de aficionados, equipos de palomar, la comida para palomas disponible en el mercado y otros asuntos de índole práctica. Las palomas jóvenes se pueden adquirir de los aficionados locales, que incluso pueden donarlas. Según mi experiencia, la mayoría de los colombófilos están muy al tanto de la inexplicable naturaleza del instinto localizador de la casa, muestran un amable interés por la investigación práctica del tema y en cualquier caso son de mucha ayuda para las personas que organizan palomares nuevos.

Una vez que el palomar está establecido, a las palomas bien adaptadas y acostumbradas a hallarlo del modo usual se las debe entrenar para que den con el palomar en movimiento, empezando con desplazamientos muy pequeños. Una vez que las palomas están acostumbradas a acudir al palomar en movimiento, se puede desplazar éste cada vez más lejos. Cuanto más lejos se le traslade, más interesantes van a ser los resultados.

Es esencial desde luego llevar un detallado registro escrito de la colocación del palomar y de los vuelos de entrenamiento, y en los experimentos, tomar nota cuidadosamente de las condiciones meteorológicas, la dirección del viento, la hora exacta de la suelta de las aves y del momento en que aparecen por primera vez cerca del palomar móvil.

Si las palomas son realmente capaces de hallar su casa incluso cuando se la ha desplazado bastante lejos, digamos 80 kilómetros, será crucial registrar el tiempo que les lleva hacerlo. Si tardan semanas en hallarla, eso sería el resultado de una búsqueda al azar, y por lo mismo no proporcionaría pruebas de la existencia de un nexo directo entre las palomas y su casa. Pero si llegan al palomar en una hora o dos, será evidente que han volado hacia él de un modo más o menos directo. Y si ese efecto fuere repetible en una serie de ubicaciones diferentes, no estando el palomar situado del lado del viento ello probaría la existencia de un nexo directo entre las aves y su palomar.

Se pueden plantear muchas más preguntas. Por ejemplo: ¿Ese nexo se refiere más a las demás palomas o al palomar en sí? Para indagar esto se podrían sacar las demás palomas del palomar y mantenerlas en un lugar distante mientras se desplaza hacia otro sitio el palomar en cuestión. Las palomas del experimento, ¿ponen rumbo hacia los demás miembros de su bandada o hacia el palomar vacío? Y se abriría así un nuevo campo de investigación.

ANIMALES DE COMPAÑÍA QUE HALLAN A SUS DUEÑOS

Si se comprueba que las palomas son capaces de hallar su casa y a sus compañeras cuando se ha alejado mucho de su sitio el palomar, habrá que ver desde una nueva perspectiva toda una serie de extrañas aunque persistentes historias sobre los animales de compañía. Como ya hemos visto, hay muchos casos referentes a animales dejados en una casa, que han localizado a sus dueños tras haberse mudado éstos. Historias de ésas datan ya de hace siglos. Se dice por ejemplo, que en el siglo XVI un lebrel llamado César siguió a su dueño desde Suiza hasta París tras haber emprendido la marcha tres días después de haberse ido su dueño en diligencia. Aquel perro halló de un modo u otro a su dueño en la corte del rey Enrique III. En un caso aún más heroico de devoción canina nos cuentan que durante la Primera Guerra Mundial un perro inglés llamado Prince halló su camino atravesando el Canal de la Mancha hasta llegar al lado de su dueño que estaba en el frente de combate en Francia.[75]

La mayoría de los casos actuales salen a la luz a través de relatos aparecidos en la prensa local. Tenemos el de Sugar, un gato persa que vivía en casa de una familia en California. Al irse ésta de allí para vivir en Oklahoma, Sugar saltó del coche, permaneció unos días con unos vecinos y de pronto desapareció. Y se presentó un año después en la nueva residencia de la familia, en Oklahoma, tras haber recorrido unos 2.000 kilómetros a través de un territorio desconocido.[76] O también, cuando la familia Doolen tuvo que trasladarse desde Aurora, Illinois, hasta la localidad de East Lansing, Michigan, situada a más de 300 kilómetros al nordeste dando la vuelta al extremo sur del lago Michigan, dejaron atrás a Tony, un perro corriente de su pertenencia:

> Al marcharse los Doolen de Aurora abandonaron a Tony, pero seis semanas después apareció en Lansing, se acercó muy excitado al señor Doolen que estaba en la calle, y lo reconoció. La identidad fue confirmada por un collar que le había comprado el señor Doolen en Aurora, habiéndolo cortado a la medida de Tony. Y le había practicado un agujero de más de corte cuadrado. Tanto la familia Doolen (de cuatro miembros) como la familia de Aurora que les había regalado a Tony siendo cachorro reconocieron al perro, y el comportamiento de Tony confirmó también su identidad.[77]

Tenemos incluso el caso de una paloma mascota que halló a su dueño, un niño de 12 años, hijo del sheriff del condado de Summersville, West Virginia. Era una paloma mensajera, de número 167, que se había posado agotada en el patio trasero; el muchacho le dio de comer, y se convirtió en su mascota:

75. Rhine y Feather (1962).
76. Íd.
77. Rhine (1951), pág. 241.

Algo después, llevaron al muchacho al hospital Myers Memorial, situado en Phillipi, a 168 km de distancia (unos 112 en línea recta) para operarlo, y la paloma se quedó en casa, en Summersville. Una oscura noche en que nevaba, una semana después, el muchacho percibió el ruido de un aleteo en la ventana de su habitación del hospital. Llamó a la enfermera y le pidió que alzara la ventana porque una paloma estaba al lado de afuera, y sólo por darle gusto, lo hizo así la enfermera. La paloma entró. El muchacho reconoció a su mascota y le pidió a la enfermera que mirase si tenía el número 167 en su pata. Al hacerlo la joven, encontró el número en cuestión.[78]

Los relatos de ese tipo suscitan mucho interés, como es natural, y se hacen amplio eco de ellos los periódicos y las revistas populares. Los escépticos de profesión los rechazan inevitablemente como meras anécdotas, del mismo modo que solían desechar las historias referentes al regreso a casa de los animales domésticos. La investigación experimental ha confirmado ya la realidad del comportamiento orientativo en muchas especies de animales, aunque permanezca sin explicar. Igualmente, si se puede demostrar experimentalmente que las palomas son capaces de localizar casas que se han movido, habrá que tomar más en serio los relatos referentes a animales que hallan a sus dueños.

El contexto biológico de esta manifiesta facultad puede residir en el modo con que los animales sociales hallan a otros miembros de su grupo cuando se separan de ellos. Nos parecen relevantes en este sentido algunas observaciones hechas sobre los lobos por el naturalista William Long:

Durante el invierno, época en la que los lobos de terreno boscoso suelen vagar en manadas pequeñas, un lobo que anda solo o separado parece saber siempre dónde están sus compañeros, cazando o errando perezosamente o descansando en su guarida diurna. La manada está compuesta por parientes suyos, más viejos o jóvenes, hijos todos de la misma loba; y mediante algún vínculo o atracción o silenciosa comunicación existente puede encaminarse derecho hacia ellos en cualquier momento del día o de la noche, aunque pueda no haberlos visto durante una semana, y ellos hayan recorrido entretanto un sinfín de kilómetros de terreno salvaje.[79]

Tras largos períodos de observación y seguimiento Long ha sacado en conclusión que esa facultad no se puede explicar sin más

78. Rhine y Feather (1962), pág. 17.
79. Long (1919), pág. 95.

en base al seguimiento de senderos habituales o de pistas olfatorias, o a la escucha de aullidos u otros sonidos. Long encontró, por ejemplo, en una ocasión a un lobo herido que se había separado de la manada, y se había quedado reponiéndose en una guarida abrigada durante varios días mientras los demás andaban errantes lejos. Long halló el rastro de la manada, que se dedicaba a cazar, lo siguió por la nieve, y estaba cerca de ellos cuando mataron un ciervo.

> Lo siguieron, mataron y devoraron en silencio, como suelen hacer ellos, pues los aullidos no tienen nada que ver con la caza. El lobo herido se encontraba entonces muy lejos, separado de la manada por kilómetros de montes y valles densamente poblados de árboles... Cuando regresé adonde estaba el ciervo, para averiguar cómo habían sorprendido y matado los lobos a su presa, percibí las huellas frescas de un lobo solitario que discurría perpendicular a las de la manada cazadora. Era otra vez el lobo cojo... Seguí aquel rastro en sentido inverso, y me llevó directamente hasta la guarida, de la que él había venido tan derecho como si supiera exactamente hacia dónde se encaminaba. Su rastro venía del este, y el escaso viento que hacía, provenía del sur; o sea que es imposible que la nariz lo guiase hasta la carne aun en el caso de que hubiera estado a distancia de olfatearla, circunstancia excluida desde luego. La señal impresa en la nieve era tan clara como la que más, y a partir de ella podríamos sacar en conclusión lógicamente que o bien los lobos pueden emitir una llamada a rancho silenciosa, o bien que un lobo que anda solo puede mantener con sus compañeros de manada un contacto que le permite saber no sólo dónde están, sino también, en un sentido general, qué están haciendo.[80]

Esas conexiones podrían constituir un rasgo normal de las sociedades de animales, aunque apenas hayamos empezado a entender cómo funcionan. En el capítulo siguiente voy a considerar un ejemplo muy distinto, el de las colonias de termitas, en las que los insectos individuales parecen saber también dónde están los demás y qué están haciendo. Como en el caso de los lobos, y de los animales de compañía que hallan a sus dueños, y de las palomas que hallan sus palomares, y del comportamiento orientativo en general, y de la migración, las explicaciones idóneas podrían estar más allá de los límites actuales de la ciencia.

80. Íd., págs. 97-99.

CAPÍTULO
3

La organización de las termitas

El oráculo de las termitas

Los insectos sociales —las hormigas, avispas, abejas y termitas— han constituido un filón de maravillas para la gente desde hace un sinfín de generaciones. Los encontramos en numerosos mitos, leyendas y fábulas. En Europa hubo sobre todo fascinación por la abejas, y simbolizaron la muerte, la adivinación y la regeneración. Algunas de las imágenes de diosas más antiguas que aparecen en Europa son las de la reina de las abejas:

> La abeja reina, a la que sirven todas las demás durante sus cortas vidas, fue, en el Neolítico, una manifestación de la deidad femenina misma... En la Greta minoica, 4.000 años después, aparecen la diosa y sus sacerdotisas, vestidas como abejas, danzando juntas en un sello de oro hallado enterrado con los muertos. La colmena era su matriz —acaso también una imagen del mundo subterráneo— y vuelve a aparecer después en las tumbas en forma de colmena de Micenas... Se oía de hecho en el zumbido de la abeja la «voz» de la diosa, el «sonido» de la creación... En el «Himno a Hermes» homérico, escrito en griego en el siglo VIII a.C., el dios Apolo habla de tres videntes femeninas como de tres abejas o doncellas abejas que, igual que él, practicaban la adivinación.[1]

1. Baring y Cashford (1991), pág. 73.

En Europa, las avispas y avispones se prestaron mucho menos para suscitar imaginaciones míticas, y tenían además una imagen negativa; se las recordaba más por sus aguijones y picaduras y ya sabemos lo que es un «avispero».

Las hormigas, en cambio, suscitaron mucho interés. En la mitología griega clásica eran un atributo de la diosa Démeter. En los países celtas se las consideraba como hadas en la última fase de su existencia. Se utilizaron los hormigueros en la adivinación y la predicción meteorológica, y en muchas leyendas tradicionales, como las fábulas de Esopo, descollaban las hormigas por su dura laboriosidad, su prudencia, sentido del orden, cortesía, humildad, modestia y misteriosos poderes de comunicación.

La mayor parte de Europa es demasiado fría para las termitas y, en palabras del gran biólogo Karl von Frisch, «las únicas personas que lamentan que los hogares de estas interesantes criaturas estén tan lejos son los biólogos europeos».[2] En muchas regiones tropicales pueden ser extraordinariamente destructoras, haciendo que las casas y otras estructuras de madera se derrumben de pronto convirtiéndose en montones de polvo, tras haberlas devorado ellas por dentro. Pero a las termitas no sólo se las trata como una plaga: se les rinde también un temor reverencial. Entre los dogon del Sudán, el termitero primigenio desempeña un papel central en la historia de la creación, cuando el dios Amma empieza por crear el cuerpo de la Tierra de un terrón de arcilla:

> Este cuerpo, tumbado, cara arriba, en una línea que va de norte a sur, es femenino. Su órgano sexual es un hormiguero, y su clítoris, un termitero. Amma, estando solo y deseoso de coito con su criatura, se le acercó. Ésa fue la ocasión de la primera infracción del orden del Universo... Al acercarse el Dios, el termitero se alzó, cerrándole el paso y exhibiendo su masculinidad. Era tan fuerte como el órgano del ser extraño, y no llegó a producirse el acto sexual. Pero Dios es todopoderoso. Cortó en dos el termitero y practicó el coito con la tierra escindida. Pero el incidente original estaba destinado a afectar el curso de las cosas para siempre; de aquella unión anormal nació, en vez de los gemelos pretendidos, un único ser, el chacal, símbolo de las dificultades de Dios.[3]

Existe en muchas partes de África y Australia la creencia tradicional de que las termitas tienen unos poderes notables de comunicación, en particular el don del conocimiento a distancia. Y las

2. Von Frisch (1975), pág. 123.
3. Griaule (1965), pág. 17.

utilizan como oráculos. Por ejemplo, entre los azande de África Occidental:

> Le tienen mucha confianza a su oráculo. Los azande dicen que las termitas no escuchan todas las conversaciones que hay dentro de las casas y que sólo oyen las preguntas que se les hacen. Entre las termitas más consultadas se tienen en más estima las llamadas *akedo* y *angbatimongo* que las llamadas *abio*, que se dice que mienten a menudo.[4]

El experimento que proponemos en este capítulo trata también a las termitas como un oráculo, para preguntarles sobre ellas mismas. Nadie sabe cómo están coordinadas sus sociedades. Su prodigiosa organización demuestra que tiene que haber un sofisticado sistema de comunicación dentro de su sociedad. ¿Se puede explicar esto sencillamente en forma de mensajes transmitidos a través del olor y otros canales sensoriales o está organizada su sociedad mediante algún tipo de campo no reconocido todavía por la ciencia?

Antes de someter a análisis cómo se puede plantear esta pregunta en el plano experimental, necesito pasar revista al fundamento biológico y a las distintas teorías propuestas para explicar la organización de las sociedades de insectos.

FUNDAMENTO BIOLÓGICO

Se ha llamado a las termitas hormigas blancas, pero se trata de un término equívoco. Se trata de arquípteros sociales —no de himenópteros— y se originaron probablemente hace más de 200 millones de años, antes que los demás insectos sociales: las abejas, las avispas y las hormigas.[5] Su dieta se compone principalmente de celulosa, que digieren con la ayuda de microorganismos simbióticos y hongos. Las especies más «primitivas» se alimentan directamente de la madera donde anidan. Las más «avanzadas» viven en la tierra y buscan madera muerta, hierba, semillas y otras fuentes de celulosa. La mayoría de las especies son blancas y de piel blanda, huyen de la luz y viven en la oscuridad en cámaras y túneles dentro de la madera descompuesta. Son ciegas, exceptuando las formas sexuales aladas.

Al igual que las hormigas, las sociedades de termitas tienen dis-

4. Evans-Pritchard (1937), pág. 353.
5. Wilson (1971).

tintas castas, incluyendo soldados especializados en la defensa de la colonia y obreras muy versátiles. Pero, a diferencia de las hormigas, abejas y avispas, donde predominan las hembras, las termitas constituyen sociedades paritarias en las que hay obreras y soldados tanto machos como hembras. Y la reina está acompañada de un rey, que puede vivir con ella años enteros en el corazón mismo del termitero.

Una o dos veces al año, aparecen formas sexuales jóvenes que, al igual que las hormigas con alas, enjambran en enorme número. Constituyen una verdadera exquisitez para muchos animales y seres humanos. Las comen por lo general vivas, sin las alas, pero dicen que asadas constituyen una auténtica delicia.

Tras el vuelo nupcial, las supervivientes pierden las alas y forman parejas de las que muy pocas consiguen su objetivo: la construcción de una cámara escondida que será el núcleo de una nueva colonia. Sólo entonces alcanzan la madurez sexual e inician su consorcio vitalicio. Al principio atienden ellas mismas a la progenie; posteriormente es la progenie quien cuida de ellas, mientras la pareja se dedica a la tarea de la reproducción.

Las larvas de las hormigas, abejas y avispas salen de los huevos en forma de desvalidas crías que no pueden iniciar una vida activa dentro de la comunidad mientras no se hayan pupado y metamorfoseado. El desarrollo de las termitas es muy diferente. Al igual que las cucarachas y los saltamontes, nunca pasan por una fase pupal, sino que van creciendo gradualmente, entre una muda y otra, acercándose cada vez más a la forma madura. Y las termitas trabajan ya cuando aún son larvas.

Los habitáculos de las especies más «primitivas» están muy escondidos y se componen de un sistema de pasadizos y cámaras, aparentemente irregular, dentro de la madera o la tierra. La reina puede ser relativamente pequeña y moverse de un sitio a otro. Pero en las especies más «avanzadas», los habitáculos son mucho más elaborados, pudiendo ser enormes, hasta de seis metros de altura (fig. 5). La reina se halla confinada en una celda real, se hipertrofia y pone un número de huevos increíble; la de la especie africana *Macrotermes bellicosus*, puede medir más de 12 cm de largo, poner 30.000 huevos diarios y vivir muchos años. Las colonias pueden contar varios millones de insectos. Hay termiteros que duran siglos enteros y los reyes y reinas son sustituidos cuando mueren.[6]

Las cámaras de los termiteros pueden profundizar mucho den-

6. Noirot (1970); von Frisch (1975).

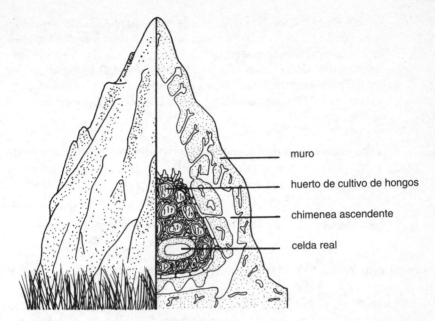

muro

huerto de cultivo de hongos

chimenea ascendente

celda real

FIGURA 5. Termitero de la especie africana *Bellicosotermes natalensis*. Tiene más de 2,40 m de alto. En torno a la parte central que contiene la celda real y los huertos de cultivo de hongos hay un elaborado sistema de conductos de aire que actúan como un sistema de ventilación y enfriamiento. (Según Dröscher, 1964, y Noirot, 1970.)

tro del suelo, con laberintos de pasadizos subterráneos y tubos tendidos sobre el suelo que conducen hacia los alrededores, donde los obreros recogen el alimento. Algunas termitas del desierto practican perforaciones hasta profundidades de 50 y más metros para alcanzar el agua. En muchas especies, la gruesa y dura pared exterior del montículo contiene espacios aéreos y chimeneas de ventilación. El termitero propiamente dicho, rodeado por un espacio aéreo, contiene la celda o cámara real, además de muchas cámaras y pasadizos, y los huertos de cultivo de hongos en los que las termitas cultivan hongos sobre madera muy masticada.

Las obreras construyen esas estructuras a base de bolitas de tierra, humedecidas primero con excremento o saliva y después endurecidas mediante secado. ¿Pero, cómo saben las obreras dónde deben poner esas bolitas?

Es prácticamente imposible imaginar cómo un miembro de la colonia podría «ver» más allá de una fracción minúscula de la obra o captar en su conjunto el plano de un producto de tal acabado. La terminación de algunos de esos termiteros puede requerir la duración de la vida de muchas generaciones de obreras, y cada nueva ampliación tiene que concordar debidamente con las partes ya hechas. La existencia de esos termiteros nos lleva inevitablemente a la conclusión de que las obreras interactúan de un modo sumamente ordenado y predecible. Pero ¿cómo pueden las obreras comunicarse tan eficazmente durante unos períodos de tiempo tan largos? Digamos también, ¿quién tiene el anteproyecto del habitáculo entero?[7]

Las termitas suscitan en una forma extrema una pregunta planteada por todas las sociedades animales: ¿Cómo está coordinada la actividad de los miembros individuales para que esa sociedad funcione en su conjunto? Ese conjunto parece ser algo más que la suma de sus partes; pero ¿en qué consiste esa conjuntación?

NATURALEZA DE LAS SOCIEDADES DE INSECTOS: PROGRAMAS Y CAMPOS

Dentro de la biología, las sociedades de insectos fueron consideradas tradicionalmente como algo dotado de una naturaleza orgánica. Se veía la sociedad entera como un organismo, o más bien como un superorganismo. Edward O. Wilson, que trabajó sobre los insectos sociales antes de convertirse en el principal propugnador de la sociobiología, describe la decadencia del concepto de superorganismo como sigue:

> Durante unos cuarenta años, de 1911 hasta cerca de 1950, ese concepto fue un tema dominante dentro de la bibliografía de los insectos sociales. Después, en el aparente apogeo de su madurez, palideció, y hoy en día rara vez es objeto de una discusión explícita. Su decadencia personifica el modo con que a menudo unas ideas holísticas, muy inspiradoras en materia biológica dan ocasión a enfoques reduccionistas, experimentales, que las suplantan. Para la generación actual, tan devota de la filosofía reduccionista, el concepto del superorganismo proporcionó un espejismo sumamente atractivo, nos condujo hacia un punto del horizonte. Pero, cuando lo estudiamos más de cerca, el espejismo se esfumó —al menos, de momento—, dejándonos en el centro mismo de un terreno desconocido, cuya exploración llegó a reclamar de nosotros una atención exclusiva... Existe entre los experimentalistas una fe compartida, característica del espíritu reduccionista en la biología, de que con el tiempo, el conjunto de unos análisis desperdigados va a permitir la reconstrucción del sistema entero *in vitro*.[8]

7. Wilson (1971), pág. 228.
8. Íd., págs. 317-319.

Sin embargo, según admitió enseguida Wilson: «No se ha llevado a cabo la simulación total de la construcción de habitáculos complejos a partir del conocimiento de la suma de los comportamientos de los insectos individuales, y se alza como un reto tanto para los biólogos como para los matemáticos».[9]

El continuo fracaso del enfoque reduccionista ha producido el reciente resurgimiento del concepto superorgánico.[10] No basta con el análisis del comportamiento de los insectos individuales: había que admitir las propiedades holísticas de la colonia. Pero ¿cómo se deberán investigar éstas?

El enfoque más popular hoy en día reside en tratar de modelar esas propiedades holísticas en ordenadores, tomando prestada la técnica de aquellos investigadores que tratan de modelar la actividad del cerebro. Entonces se da por supuesto que las propiedades holísticas de la colonia «emergen» de las interacciones existentes entre los insectos individuales, del mismo modo que se supone que las propiedades holísticas del cerebro emergen de la actividad de las neuronas individuales.[11] Siguiendo esta analogía, los modelos de ordenador de las sociedades de insectos se basan en modelos de ordenador de cerebros, y utilizan técnicas de «redes neuronales», «procesamiento distribuido en paralelo» y «autómatas celulares».[12] Se programa a los «insectos» individuales mediante una serie de respuestas simples, y entonces se les pone a interactuar con sus vecinos de acuerdo con programas de alto nivel, de tal manera que llega a «emerger» el comportamiento social.

> Igual que en los sistemas neuronales, los procesos del comportamiento se definirán, hasta cierto punto, por el tipo de conectividad existente entre sus partes microscópicas (hormigas o neuronas). Como resultado del acoplamiento local se observará algún tipo de comportamiento emergente colectivo... En las sociedades de hormigas este tipo de propiedades nuevas son, por ejemplo, la construcción de hormigueros, la formación de filas o el comportamiento recolector.[13]

Este modelamiento de ordenador es interesante hasta donde llega, pero deja sin respuesta la mayoría de las preguntas fundamentales. ¿Qué hay en la realidad física que se corresponda con los pro-

9. Íd., pág. 231.
10. Por ejemplo, Wilson y Sober (1989); Seeley (1989); Moritz y Southwick (1992); Robinson (1993).
11. Un temprano propugnador de esta analogía fue Hofstadter (1979).
12. Por ejemplo, Seeley y Levien (1987); Gordon, Goodwin y Trainor (1992).
13. Sole, Miramontes y Goodwin (1993).

gramas de conjunto del ordenador que coordinan y recuerdan la actividad de los «insectos» individuales? Esos programas se centran en objetivos y son antropomorfos, cosa que no debe extrañarnos dado que son el producto de mentes humanas con la intención de alcanzar objetivos particulares. Los programas de colonias de insectos para modelos de ordenador desempeñan el mismo papel que el «alma de la colonia» o las «mentes de grupo» postuladas hace ya mucho tiempo por los vitalistas, aunque rechazadas por los mecanicistas como «místicas». Los modelos de ordenador no demuestran que las actividades de tipo mental de alto nivel «emerjan» de interacciones mecanicistas de las neuronas o los insectos; lo dan por supuesto para comenzar.

Los modelos de ordenador nos dicen además muy poco sobre la base física de la comunicación existente dentro de la colonia. En tanto que asumen que las interacciones existentes entre los insectos dependen únicamente de sentidos físicos conocidos, como el tacto y el olfato, pueden estar equivocados.

Creo que el enfoque más prometedor reside en concebir la organización holística de las colonias de termitas como *campos*. Los insectos individuales estarían coordinados por unos campos sociales, que contienen los anteproyectos de la construcción de la colonia. Del mismo modo que la organización espacial de las limaduras de hierro alrededor de un imán depende del campo magnético, la organización de las termitas dentro de su colonia podría depender de un campo de colonia. Hacer modelos sin tener en cuenta ese tipo de campos es algo así como tratar de explicar el comportamiento de las limaduras de hierro alrededor de un imán ignorando su campo, como si ese diseño «emergiese» de programas existentes dentro de las partículas individuales de hierro.

El término de «campo» fue introducido por primera vez en la ciencia por Michael Faraday alrededor de 1840, en relación con la electricidad y el magnetismo. Su percepción más neurálgica fue que había que enfocar la atención en el espacio que circunda una fuente de energía en vez de hacerlo en la fuente misma. Durante el siglo XIX el concepto de campo se confinó al electromagnetismo y la luz. Einstein lo extendió a la gravitación en su teoría general de la relatividad en los años veinte. Según Einstein, el Universo entero está contenido dentro del campo gravitatorio universal, curvado en la cercanía de la materia. Además, debido al desarrollo de la física cuántica, se cree actualmente que hay campos subyacentes a todas las estructuras atómicas y subatómicas. Se concibe a cada tipo de «partícula» como un cuanto de energía vibratoria dentro de un campo: los electrones son vibraciones dentro de campos electrónicos, los protones, vibraciones dentro de campos protónicos, y así sucesivamente. Los campos cuánticos de la materia, los campos electromagnéticos y los campos gravitatorios son de tipo diferente, pero comparten todos ellos las características comunes de los campos como regiones de influencia, con diseños espaciales característicos.

Los campos son inherentemente holísticos. No se les puede escindir en partes, ni reducir a ningún tipo de unidad atomística; hoy más bien creemos que las partículas fundamentales surgen («emergen») de campos. La física ha sufrido ya una transformación debido a la extensión de los conceptos de campo, pero esta revolución está todavía en pañales en la biología. Empezó en los años veinte, cuando varios embriólogos y biólogos evolucionistas postularon por vez primera los *campos morfogenéticos* para ayudarse a explicar cómo se desarrollan las plantas y los animales. Fueron concebidos los campos como unos anteproyectos o planos invisibles que daban forma a los organismos en desarrollo.[14]

Los biólogos evolucionistas han asumido mucho hoy en día el concepto de los campos morfogenéticos, que utilizan para ayudarse a explicar, por ejemplo, cómo los brazos y piernas de uno tienen diferente forma a pesar del hecho de que contienen los mismos genes y proteínas. Se diferencian debido a que los brazos de uno se han desarrollado bajo la influencia de campos morfogenéticos *braquiales* (de los brazos) y las piernas lo han hecho bajo la influencia de campos *crurales* (de las piernas). Los campos desempeñan un papel formativo de un modo similar al de los planos de los arquitectos. Partiendo de unos mismos materiales de construcción, se pueden construir casas de distintas formas ateniéndose a planos diferentes. El plano no es un material constitutivo de la casa; se limita a dar forma al modo de combinar los materiales. Al igual que los planos de los arquitectos, los campos morfogenéticos no son reducibles a los componentes materiales de un organismo, como tampoco a las interacciones que se dan entre esos componentes. La forma de una casa no «emerge» de las interacciones dadas entre sus componentes materiales; los componentes interactúan de la manera en que lo hacen debido a que se les ha puesto juntos de acuerdo con un plano determinado, que existía incluso antes de construir la casa.

14. Véase una relación histórica del concepto de los campos morfológicos en Sheldrake (1988), capítulo 6.

El problema reside hoy en que nadie sabe qué son los campos morfogenéticos ni cómo funcionan. La mayoría de los biólogos asumen que, tarde o temprano, se les conocerá a través de los términos de la física y la química convencionales; pero yo creo que se trata de unos campos de tipo diferente para los que he propuesto el término de *campos mórficos.* En la hipótesis de la causación formativa, sugiero que las propiedades holísticas, autoorganizativas de sistemas existentes a todos los niveles de complejidad, desde las moléculas a las sociedades, dependen de esos campos. Los campos mórficos no son fijos, sino que evolucionan. Tienen una especie de memoria incorporada. Esa memoria depende del progreso de la resonancia mórfica, la influencia de lo igual sobre lo igual a través del espacio y el tiempo.[15]

Sin embargo, el objetivo de los experimentos descritos a continuación no es someter a prueba mi versión particular propia de la teoría de los campos biológicos, sino de hacerlo con el enfoque de los campos en general. ¿Están organizadas las sociedades de termitas mediante campos de un tipo no reconocido hasta ahora por la física? De momento se puede dejar pendiente la cuestión de si esos campos son mórficos, cuánticos no locales, o de otro tipo.

CAMPOS DE LAS COLONIAS DE TERMITAS

Sugerir que las colonias de termitas están organizadas por campos no equivale a negar la importancia de la comunicación sensorial normal. Al igual que las hormigas, sabemos que las termitas se comunican por una serie de maneras: mediante el sonido, tocándose unas a otras,[16] compartiendo el alimento y mediante el olfato, utilizando unas señales químicas específicas denominadas feromonas.[17] En el caso de las hormigas, las feromonas constituyen al parecer el medio más importante de comunicación sensorial. «En general, la colonia típica de hormigas funciona al parecer mediante algo así como 10 a 20 tipos de señales, en su mayoría de naturaleza química.»[18] Las más estudiadas de esas feromonas son las sustancias químicas «de alarma», que dependen de su difusión a través del aire y actúan típicamente en un radio de 5 a 8 cm,[19] y las que

15. Sheldrake (1981, 1988).
16. Stuart (1963).
17. Stuart (1969).
18. Hölldobler y Wilson (1990), pág. 227.
19. Dunpert (1981).

utilizan estos insectos para señalar unos itinerarios, que siguen entonces los demás.[20]

En cambio, en lo tocante a la construcción o reparación de sus habitáculos, las obreras no responden simplemente unas a otras, sino también a las estructuras físicas ya existentes. Por ejemplo, en la construcción de arcos en los termiteros, las obreras empiezan haciendo columnas, que tuercen a continuación en sentido convergente hasta que se encuentran los crecientes extremos (fig. 6). ¿Cómo se las arreglan para conseguirlo? Las obreras de una columna no pueden ver a las otras; son ciegas. No hay pruebas de que vayan y vengan junto a la base de las columnas para medir la distancia que media entre ellas. Por otra parte, «no es probable que en medio de todo el barullo y correteo de la vecindad puedan reconocer sonidos claros procedentes de la columna y conducidos a través del sustrato».[21] El sentido del olfato podría desempeñar algún papel, como lo hace en la comunicación de las hormigas y otros insectos sociales, por ejemplo, a través de huellas aromáticas, sustancias de alarma y el intercambio de alimento líquido. Pero el olfato difícilmente podría explicar el plano de conjunto del termitero o la relación de los insectos individuales con él. Porque dan la impresión de «saber» qué tipo de estructura hace falta; es como si respondiesen a una especie de plano invisible. Ante la pregunta, formulada por E. O. Wilson, «¿quién tiene el plano general del habitáculo?», sugiero que ese plano está incorporado en el campo organizador de la colonia. Ese campo no está dentro de los insectos como individuos; diremos más bien que ellos están dentro del campo colectivo.

Un campo así tiene que abarcar a la colonia entera, probablemente mediante subcampos dedicados a estructuras particulares como los túneles, arcos, torres y huertos de hongos. Para que esos campos puedan desempeñar un papel organizador, tienen que ser capaces de permear las estructuras materiales de la colonia, pasando a través de las paredes y cámaras. Del mismo modo que un campo magnético puede pasar a través de las estructuras metálicas, puede hacerlo también el campo de la colonia. Esa facultad de atravesar las barreras materiales le permitiría al campo organizar grupos separados de termitas incluso en ausencia de comunicación sensorial normal entre ellos.

O sea que la pregunta es ésta: ¿Las actividades constructoras del

20. Stuart (1969); Franks (1989); Hölldobler y Wilson (1990).
21. Wilson (1971), pág. 229.

FIGURA 6.   Construcción de un arco por termitas obreras de la especie *Macrotermes natalensis*. Las columnas están formadas por pellas de cieno y excrementos, que transportan las obreras en la boca. (Según von Frisch, 1975.)

habitáculo de las termitas siguen estando coordinadas armoniosamente aunque la comunicación sensorial esté bloqueada por una barrera? Vuelve a ayudarnos aquí la analogía con el campo magnético: si la disposición de las partículas de hierro en líneas de fuerza dependiese sólo del contacto directo de unas partículas con otras, el perfil del campo magnético se vería interrumpido por una barrera mecánica, por ejemplo, una hoja de papel. Pero las líneas de ese perfil atraviesan de hecho la barrera porque dependen de un campo al cual es permeable esa barrera.

Sabemos que las termitas son sensibles a los campos magnéticos, siendo el ejemplo más espectacular de ello las termitas brújula de Australia, que orientan sus habitáculos con los lados más estrechos apuntando al norte y al sur, lo que reduce al mínimo el calentamiento por el Sol en la mitad del día. Experimentos de laboratorio han demostrado también que las termitas responden a la acción de campos alternantes muy débiles, eléctricos y magnéticos.[22]

Por otra parte, Günther Becker ha demostrado en experimentos de laboratorio hechos en Berlín que las termitas pueden influirse mutuamente por lo que denomina un «biocampo», que podría ser de naturaleza eléctrica. Tomó grupos de unas 500 obreras y soldados de una colonia cautiva de la especie *Heterotermes indicola* y

---

22. Becker (1976, 1977).

puso cada uno de ellos en un recipiente rectangular de poliestireno con madera y vermiculita húmeda. Colocó entonces ocho de esos recipientes en filas, con huecos de 1 cm entre recipiente y recipiente. Después de varios días, las termitas empezaron a hacer galerías ascendentes en los ángulos de rincón de los recipientes. Pero no los hicieron por igual en todos los rincones, sino únicamente en los que daban hacia fuera; y casi no hicieron galerías en los lados del recipiente adyacentes a otros recipientes. Tal disposición se parece a la hallada en los termiteros mismos, donde las galerías no se practican en el centro sino en la periferia, extendiéndose hacia fuera apuntando a los abastecimientos potenciales de alimento y agua. En un experimento típico, la longitud total de las galerías situadas en los lados que miraban hacia fuera de los recipientes fue de 1.899 cm, frente a sólo 80 cm en los lados que miraban hacia dentro. En otro experimento, Becker constató que cuando se mantenían algunos recipientes aislados, a más de 10 cm de cualquier otro recipiente, había más actividad constructora de galerías que en un recipiente similar situado cerca de otros; cuando había otros grupos contiguos, la construcción de galerías cesaba. De algún modo los grupos de termitas se influían mutuamente de un modo que disminuía con la distancia.

En otro experimento, Becker situó 16 recipientes en una disposición de 4 × 4, de modo que quedaran 4 recipientes en cada lado del conjunto y cuatro en el centro. De nuevo la gran mayoría de la construcción de galerías tuvo lugar en los lados que miraban hacia fuera (fig. 7), mientras que en los lados que miraban hacia dentro y en los cuatro recipientes centrales hubo muy poca construcción de galerías (un total de sólo 43 cm por día, frente a 590 cm por día en los lados que miraban hacia fuera). Becker interpretó aquellos resultados como una inhibición de la construcción de galerías debida al «biocampo» en la parte central del campo.

Aquellas termitas siguieron inhibiendo la construcción de galerías en sus vecinas cuando se colocaban barreras adicionales entre los recipientes, del tipo de espuma de poliestireno y placas de vidrio gruesas. Becker pensó que aquellas capas de separación adicionales impedían la conducción de la temperatura y la vibración, y excluían asimismo cualesquiera influencias químicas posibles: pero el biocampo podía pasar a través del poliestireno y el vidrio. En cambio, cuando se introdujeron entre los contenedores unas delgadas placas de aluminio o fibra cubierta con una pintura que contenía plata, quedaba suprimido el efecto del biocampo; las termitas construyeron entonces galerías tanto en las paredes que miraban

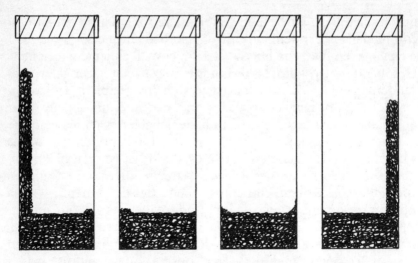

Figura 7. Construcción de galerías verticales por termitas de la especie *Heterotermes indicola*, mantenidas en cautividad en recipientes de plástico que contienen vermiculita, un material de construcción inerte. Todos ellos encierran un número idéntico de termitas. La construcción de las mismas cesa en las paredes contiguas a otros recipientes. Esta influencia es transmitida de un recipiente a otro por mediación de campos. (Según Becker, 1977.)

hacia dentro como en las que daban hacia fuera, y lo mismo en los cuatro recipientes interiores del conjunto de 4 × 4. Las barreras de aluminio y la pintura de plata eliminaban los campos eléctricos, y Becker sugiere que el «biocampo» sería probablemente un campo eléctrico alterno de baja energía producido por las mismas termitas.

De todos modos, dado que los campos eléctricos y magnéticos pueden influir en las actividades constructoras de las termitas, no es probable que esos campos fuesen capaces de proporcionar el plano de conjunto del termitero. Porque, para empezar, ¿cómo podría establecerse un patrón específico dentro del campo magnético? Es probable la implicación adicional de otro tipo de campo, más misterioso.

Experimentos efectuados por el naturalista surafricano Eugène Marais sugieren que ese campo existe. En los años veinte Marais hizo una fascinante serie de observaciones sobre la manera con que unas obreras de una especie del género *Eutermes* reparaban grandes brechas practicadas por él en sus montículos. Las obreras empezaban reparando la brecha desde cada lado, llevando cada una un grano de tierra que cubría con su viscosa saliva y dejaba pegada en el lugar debido. Las obreras situadas en los diferentes lados de la brecha no establecían contacto entre sí, ni podían verse unas a otras al ser ciegas. Sin embargo, las estructuras construidas a partir de los diferentes lados se unieron entre sí correctamente. La actividad reparadora parecía estar coordinada por alguna estructura organizativa general, que Marais atribuyó al alma del grupo, y yo prefiero considerar como un campo mórfico.

> Tome una lámina de acero unos cuantos pies más ancha y alta que el termitero. Hágala pasar justo por el centro de la brecha que ha practicado usted de tal manera que divida la herida y el termitero en dos partes separadas. Una sección de la comunidad no podrá estar nunca en contacto con la otra, y una de esas secciones quedará separada de la celda de la reina. Las constructoras de un lado de la brecha no saben nada de las que están al otro lado. A pesar de ello las termitas construyen un arco o torre similar a cada lado de la lámina. Cuando al fin retire usted la placa, las dos mitades casan perfectamente entre sí una vez reparado el corte de división. No podemos escapar a la conclusión definitiva de que existe en algún sitio un plan preconcebido que las termitas se limitan a ejecutar. ¿Dónde está el alma, la psique, en donde exista esa preconcepción? (...) ¿Dónde consigue cada obrera su parte del diseño general? Podemos meter de nuevo la lámina de acero y hacer a continuación una brecha a cada lado, y las termitas seguirán construyendo estructuras idénticas a ambos lados.[23]

Los experimentos de Marais implican la existencia de un campo organizador que, a diferencia del campo inhibidor de galerías investigado por Becker, no era bloqueado por una placa metálica y por lo mismo, no era probablemente de naturaleza eléctrica.

Marais siguió adelante con aquella investigación, y obtuvo resultados que implican que el campo organizador está íntimamente vinculado a la reina y que la muerte de ésta ocasiona una desintegración inmediata del campo entero:

> Mientras las termitas llevan a cabo su obra de restauración a ambos lados de la lámina de acero, practique una perforación que le permita alcanzar la celda de la reina, estropeando el termitero lo menos posible. Saque de allí la reina y destrúyala. Inmediatamente, la comunidad entera deja de trabajar a ambos lados de la lámina. Podemos separar las termitas de la reina durante meses enteros mediante esa placa, pero a pesar de ello, seguirán trabajando sistemáticamente mientras ella siga estando viva en su celda; en cambio, destrúyala o retírela, y la actividad de ellas termina por completo.[24]

23. Marais (1973), págs. 119-120.
24. Íd., pág. 121.

Por lo que yo sé, nadie ha intentado hasta ahora repetir los experimentos de Marais. Éstos fueron prácticamente desconocidos para el mundo de habla inglesa hasta 1972, fecha de publicación en ese idioma de *The Soul of the White Ant* (El alma de la hormiga blanca). El clima reduccionista de la moderna biología es un terreno inhóspito para el enfoque de Marais, y los investigadores han ignorado su obra. Pero en mi opinión sus hallazgos brindan el punto de partida más prometedor para una nueva ola de investigación de la organización de las sociedades de insectos.

EXPERIMENTOS QUE PROPONGO

1. Antes que nada, parece cosa importante repetir el experimento de Marais con su lámina de acero. ¿Están tan bien coordinadas las actividades a ambos lados de la lámina como afirmó Marais?

Este experimento no resulta factible para quienes vivan en partes más frías del planeta, como no estén preparados para establecer colonias de termitas «de interior». Pero en los países tropicales en los que son comunes las termitas, podría ser relativamente fácil repetir el trabajo de Marais. Los montículos termiteros salen gratis; el único gasto está en la lámina de acero. Imagino, sin embargo, que la introducción de una gran lámina de acero en un termitero podría ser cosa difícil. Y también podría serlo el retirarla después sin causar trastornos importantes una vez que las termitas hubieran reparado la brecha. Marais no da detalles, de modo que el único modo de averiguarlo es intentarlo uno mismo.

Si la actividad de reparación de las termitas situadas a ambos lados de la barrera está tan bien coordinada como aseguró Marais, podrían hacerse posibles otros muchos experimentos más. ¿Dan el mismo resultado que el acero barreras de otro tipo? ¿Pueden pasar las termitas señales sónicas a través de esas barreras? ¿Qué le ocurre al patrón de actividad de un lado de la barrera cuando se impide o estorba la actividad reparadora al otro lado? Y así sucesivamente.

2. ¿Afectan los trastornos de la reina a la colonia entera con gran rapidez, tal como aseguró Marais? En el párrafo antes citado, habla él de un efecto «inmediato». En otro caso habla de que, mientras observaba a la reina de una colonia muy grande, tras haber puesto al descubierto la celda real, una pieza de arcilla endurecida cayó sobre la reina, dándole un golpe muy fuerte. Las obreras que estaban dentro de la celda real cesaron inmediatamente de trabajar

y se pusieron a andar por allí en grupos desconcertados. Observó entonces otras partes muy periféricas del termitero, situadas a muchos metros de distancia:

> Incluso en las partes más alejadas había cesado cualquier trabajo. Los grandes soldados y las obreras se congregaron en diferentes partes del habitáculo. Existía a todas luces una tendencia a reunirse en grupos. No cabía la menor duda de que el trauma infligido a la reina se hizo sentir en unos cuantos minutos en las partes más alejadas del termitero.[25]

Posiblemente aquellos dramáticos efectos se difundieron por la colonia como resultado de señales sónicas, a través de termitas que desprendían feromonas de alarma «por relevos» o a través de otros medios convencionales. Pero también pueden haber sido transmitidos con gran rapidez mediante el campo organizador, si existe tal campo. En este último caso, la transmisión habría podido tener lugar también perfectamente a través de barreras bloqueadoras del paso de sonidos u olores.

En vez de matar la reina o dejar caer objetos duros sobre ella, se podría hacer este experimento retirándola sencillamente, o también anestesiándola junto con las termitas situadas alrededor de ella. Y se podría observar entonces de cerca, mientras ocurría todo ello, la actividad de las termitas situadas en las partes más distantes de la colonia. Y se podría calcular también la velocidad de difusión del trastorno. De tener un efecto casi inmediato, se podría excluir entonces las feromonas de alarma, pero el sonido podría seguir siendo una posibilidad. Costaría mucho eliminar el sonido mediante barreras, porque sería difícil en extremo comprobar que no se había colado algún sonido a través o en torno a ellas de no ser que se instalen micrófonos muy sensibles en distintos lugares de la colonia para controlar las señales sónicas.

Una manera mejor de investigar la posible transmisión de influencias mediante campos consistiría en situar una parte de la colonia dentro de una estructura portátil que se pudiera alejar de la parte principal de la misma. Podría consistir, por ejemplo, en una caja metálica que contuviese un alimento al que las obreras acudan habitualmente para comer. Si se retira esa caja, las termitas «atrapadas» en ella seguirían siendo parte de la colonia, sólo que estarían privadas de todas sus conexiones físicas normales con la reina y demás miembros del termitero. Sin duda alguna, el simple he-

25. Íd., pág. 154

cho de retirar la caja alterará a las termitas situadas dentro de ella, pero si se las mantiene bajo observación continua, será también posible observar cambios ostensibles en su comportamiento cuando se proceda a anestesiar o se moleste a la reina en su celda de la parte principal del termitero.

3. Podrían hacerse también experimentos parecidos con hormigas, que son relativamente fáciles de mantener en cautividad. Esa práctica es hacedera casi en cualquier parte del mundo. Existen en el mercado recipientes multicamerales para colonias de hormigas a menos de 5.000 ptas. y hay también métodos bien establecidos que enseñan cómo hacerlos uno con materiales tan baratos como el yeso mate, los tubos de plástico y vidrios sencillos. Damos detalles al respecto en la sección de detalles prácticos al final de este libro.

El modelo más sencillo se compone de una colonia de dos cámaras con las dos partes conectadas por un tubo de plástico. Las dos partes pueden separarse sin más que desconectar el tubo y taponando los agujeros. A continuación se puede llevar una parte de la colonia a otra habitación, dejando la otra parte, en la que está la reina, en su sitio de siempre. Se procede entonces a molestar la parte donde se halla la reina, por ejemplo, mediante vibración, o humo, o con un anestésico como el éter, y a observar de cerca la parte separada para ver si se produce algún cambio que pudiera indicar la existencia de una «acción a distancia».

En todos esos experimentos es muy importante hacer la mayor parte posible de trabajo «a ciegas». Por ejemplo, la persona que observe la cámara que se ha apartado debe ignorar el momento exacto en que se va a perturbar la cámara donde está la reina. Si se aprecian cambios ostensibles en el comportamiento de las hormigas, y se comprueba posteriormente que el momento en que se producen se corresponde exactamente con el de la perturbación, ello brindaría una excelente prueba de la transmisión de una influencia. Se podrían efectuar experimentos ulteriores llevando cada vez más lejos la cámara separada para ver hasta dónde se puede extender esa influencia. Seguidamente se podrían verificar otros para ver si se podría bloquear la influencia en cuestión mediante barreras de metal u otro tipo, y así sucesivamente. En cuanto se aprecie algún efecto repetible, se puede investigar progresivamente la naturaleza del campo organizador.

Conclusiones de la primera parte

Todos los experimentos propuestos en los capítulos precedentes se refieren a posibles conexiones de un tipo desconocido hoy en día para la ciencia —nexos existentes entre los animales de compañía y sus dueños, entre las palomas y sus casas, y entre los individuos que componen una colonia de termitas. Todas ellas tienen unas implicaciones enormes. Si los animales de compañía tienen conexiones invisibles con las personas, ¿qué podremos decir de las conexiones entre la gente y los animales salvajes, dadas por descontadas durante milenios en las tradiciones chamánicas? Y si existe esa comunicación *entre* distintas especies, ¿qué podríamos decir sobre los posibles tipos de conexión existentes *dentro de* una misma especie?

Si las palomas dependen de una conexión desconocida hasta ahora para buscar su camino hacia casa, puede ocurrirles lo mismo a multitud de otras especies dotadas de facultades orientativas. Poderes similares podrían desempeñar un papel muy importante en las migraciones de aves, peces, mamíferos, insectos y otros animales. Incluso el sentido humano de la dirección, tan bien desarrollado entre los pueblos cazadores-recolectores y nómadas, podría tener un componente similar.

Si las termitas se hallan coordinadas mediante un campo que une a los miembros individuales de la colonia, podrían funcionar sistemas similares de interconexión en otros animales sociales, incluyendo a los bancos de peces y bandadas de aves. ¿Podría explicarse así cómo se las arreglan esos grupos para cambiar de rumbo a la vez sin que unos individuos choquen con otros? ¿Cómo podrían relacionarse esos desconocidos campos de comunicación con la «mente de grupos» de las bandadas de animales y de los grupos de personas? ¿Podrían estar relacionados asimismo con los vínculos existentes entre los animales de compañía y sus dueños?

Es posible que los experimentos en cuestión no proporcionen pruebas de la existencia de esas conexiones. Ello reforzaría la opinión escéptica de los científicos conservadores. El fracaso de los intentos de hallar conexiones de nuevo tipo brindará apoyo a la ciega creencia convencional de que se conocen ya todos los tipos de interconexión posibles entre los organismos, y que, en principio, si no en la práctica, son explicables del todo a la luz de las leyes establecidas de la física y la química.

Pero también es posible que algún experimento permita establecer la existencia de tipos nuevos de conexión. ¿Qué sugerirían entonces esos resultados?

Ante todo, y es lo más importante, se evidencia que el éxito de alguno de esos experimentos, o de todos ellos, se traduciría en una reinterpretación de la orientación hacia casa, la migración, el sentido del espacio, la vinculación, la organización social y la comunicación en general. La biología sufriría una revolución. ¿Y qué diremos de la física? Si los resultados de experimentos hechos en la biología conducen a la necesidad de postular nuevos tipos de campos o conexiones, ¿cómo podrían relacionarse los mismos con los principios conocidos de la física?

Una posibilidad es que existan muchos tipos diferentes de campos por descubrir. Las conexiones existentes entre los animales de compañía y sus dueños, entre las palomas y sus casas, y entre los miembros de las colonias de termitas podrían ser fenómenos del todo diferentes y no tener nada en común. Podría depender cada uno de ellos de un nuevo tipo de campo o de conexión física capaz de actuar a distancia, pero, aparte de ese parecido muy general, los campos o conexiones implicados podrían ser diferentes del todo.

Prefiero la hipótesis, más económica, de que todos esos fenómenos estuviesen relacionados entre sí. Podrían ser todos ellos manifestaciones de un nuevo tipo de campo que abrace las distintas partes de un sistema orgánico uniéndolas entre sí (fig. 8). Yo con-

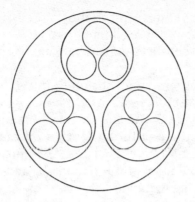

Figura 8. *Arriba:* niveles sucesivos de organización de sistemas autoorganizativos. Cada uno de ellos depende de un campo mórfico característico. En el mundo químico, por ejemplo, el círculo exterior representa el campo mórfico de un cristal, los círculos incluidos en él, los campos de las moléculas, y los círculos incluidos en éstos, los campos de los átomos, que contienen a su vez los campos de las partículas subatómicas. En el caso de los animales sociales, el círculo exterior representa el campo mórfico del grupo social, los círculos interiores a los individuos animales que lo forman, y los círculos que hay dentro de ellos, los órganos de esos animales.

Abajo: representación de cómo se estira el campo mórfico de un grupo social cuando uno o más miembros del grupo se separa de los demás. Este campo actúa como un lazo o nexo invisible entre los miembros separados del grupo. Estos principios generales se aplicarían a las conexiones existentes entre un animal de compañía y su dueño ausente; entre una mensajera y sus compañeras de bandada residentes en el palomar; y entre los miembros separados de una colonia de termitas.

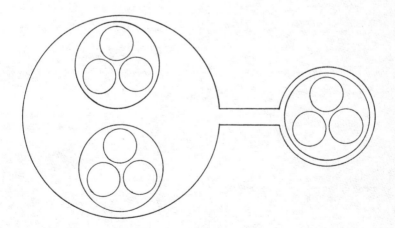

cebiría esos campos como campos mórficos. Otros biólogos preferirían acaso sugerir nombres diferentes para esos campos, que podría denominarse entonces en general campos biológicos o campos de vida.

Más tarde o más temprano, cualquier nuevo tipo de campo tendría que relacionarse de algún modo con los campos conocidos de la física, aun en el caso de que ese relacionamiento sólo pudiera explicarse a la luz de una futura teoría unificada de los campos. Esa teoría unificada sería necesariamente de una envergadura mucho mayor que cualquier otra intentada hasta ahora, dado que la física institucional ha ignorado hasta la fecha la posibilidad de cualesquiera fenómenos de campo fundamentalmente nuevos dentro del ámbito de la vida.

Pero, dado que en realidad conocemos muy poco, y también que queda por ver el resultado de estos experimentos, esas cuestiones siguen abiertas de par en par.

La extensión de la mente

Introducción a la segunda parte

Mentes contraídas
y mentes extendidas

Sabemos muy poco acerca de la naturaleza de nuestra mente. Ella es la base de toda nuestra experiencia, y de toda nuestra vida mental y social, pero no sabemos qué cosa es. Ni conocemos tampoco su extensión. La opinión tradicional, existente en todo el mundo, es que la vida humana consciente es parte de una realidad animada mucho mayor. El alma no está confinada en la cabeza, sino que se extiende por todo el cuerpo y en torno a él. Está vinculada con los antepasados; conectada con la vida de los animales, las plantas, la Tierra y los cielos; puede salirse del cuerpo en los sueños, en el trance y en la muerte; y puede comunicarse con un vasto reino de espíritus —de los antepasados, los animales, los espíritus de la naturaleza, seres tales como los trasgos y las meigas, seres elementales, demonios, dioses y diosas, ángeles y santos—. Las versiones cristianas de este entendimiento tradicional pervivieron de hecho en toda Europa durante la Edad Media, y sobreviven todavía en las sociedades rurales, por ejemplo en Irlanda o en Galicia.

En contraste con esto, la teoría dominante en Occidente durante más de tres siglos nos decía que la mente está situada dentro de la cabeza. El primero en proponer esta teoría fue Descartes, en el siglo XVII. René Descartes negó la antigua creencia de que la mente racional fuese parte de un alma más extensa, principalmente inconsciente, que impregnaba y animaba el cuerpo entero. Supuso en cambio, que el cuerpo era una máquina inanimada. Los animales y las plantas eran también máquinas, y lo era también el Universo entero. Con su teoría, el mundo del alma *se contrajo* de la naturaleza al hombre solo, y después se contrajo más aún dentro del cuerpo, circunscribiéndose a una pequeña región del cerebro, que Descartes identificó como la glándula pineal. La teoría moderna convencional es esencialmente la misma, exceptuando el hecho de que la supuesta sede de la mente se ha desplazado como cinco centímetros, a la corteza cerebral.

Este modelo de una mente contraída (o contracción de la mente), que confina el alma al cerebro, es compartido por los dos bandos del multisecular y conocido debate existente entre los *dualistas* y los *materialistas*. En cuanto a Descartes, cartesiano (del latín Cartesius = Descartes) dualista prototípico, consideraba que la mente y el cerebro tenían una naturaleza fundamentalmente distinta, aunque interactuaban dentro de este último de un modo desconocido. Frente por frente, los materialistas rechazan su concepción dualista de un «espíritu dentro de la máquina», y creen que la mente, el alma, no es otra cosa que un aspecto del funcionamiento mecanicista del cerebro, o también que se trata de un «epifenómeno» inexplicable, bastante parecido a una sombra, de la actividad física del cerebro. Sin embargo, aunque esas opiniones materialistas rigurosas están patrocinadas por algunos filósofos e ideólogos, el dualismo está mucho más extendido de hecho dentro de nuestra cultura, y se la considera generalmente como cosa de sentido común.

En la antigua imaginería de la ciencia popular, controlaban esa maquinaria unos hombrecillos situados dentro del cerebro (fig. 9). En los grabados ilustrativos más de nuestros días, esa maquinaria se ha modernizado, pero los «homúnculos» siguen estando allí, aunque sea sólo de manera implícita. Por ejemplo, en una exhibición que hay en el Natural History Museum de Londres, titulada *Controlling Your Actions* (Cómo se controlan nuestros actos), nos encontramos cómo funcionamos por dentro mirando a través de una ventana de plexiglás situada en la frente de un ser humano modelo. Dentro de ella está la cabina de un avión reactor moderno, con paneles de diales y controles de vuelo informatizados. Hay dos asientos vacíos, presumiblemente para el visitante, o sea el piloto imaginario, y su copiloto en el otro hemisferio. El símil de ordenador de moda correspondiente hoy en día al cerebro no es dife-

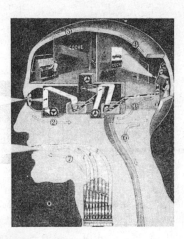

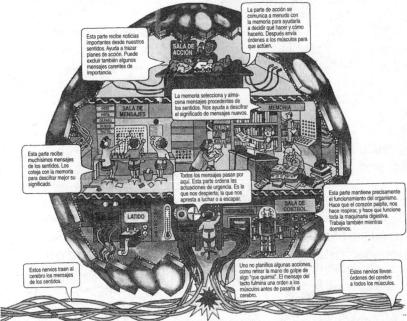

FIGURA 9. Los «duendecillos» del interior del cerebro. (A) Ilustración aparecida en un libro de divulgación científica titulado *The Secret of Life: The Human Machine and How it Works (El secreto de la vida: la máquina humana y cómo trabaja*, Kahn, 1949). El pie decía: «Esto es lo que tiene lugar en los ojos, el cerebro y la laringe cuando vemos un automóvil, lo identificamos como tal, y pronunciamos la palabra "coche"».

(B) Ilustración de un libro para niños publicado hace poco, muy utilizado en las escuelas británicas, titulado *How Your Body Works (Cómo funciona tu cuerpo*, Hindley and Rawson, 1988).

rente: si el cerebro es el *hardware*, y los hábitos y facultades de uno el *software*, no es en consecuencia el programador fantasma.

¿Cómo muchas personas pueden pensar en realidad que son máquinas? Da la impresión de que incluso los filósofos y científicos materialistas ardientes no toman muy en serio esa creencia, al menos en lo que les atañe a ellos mismos y a sus seres queridos. En su vida personal, en contraposición a la oficial, la mayoría de la gente sigue conservando en distinto grado la perspectiva antigua, y más extensa, de sus antepasados. Para empezar, es muy común la idea de que el alma se extiende a otras partes del cuerpo además del cerebro. En segundo lugar, cree también mucha gente que el alma participa en extensos ámbitos psíquicos y espirituales que trascienden mucho los confines del cuerpo.

En la psicología hindú, la budista, y otras psicologías tradicionales, existen varios centros de animación dentro del cuerpo, los *chakras*, dotado cada uno de ellos de sus propiedades características únicas. La tradición occidental había admitido también siempre la existencia de varios centros psíquicos además de la cabeza. La gente habla mucho, por ejemplo, de los «buenos sentimientos». Y aunque desde la perspectiva mecanicista, el corazón no es más que una bomba impulsora, las expresiones como «de todo corazón», «descorazonador», e incluso «¡Corazón!», o «¡No tienes corazón!», se refieren claramente a algo más que a un artilugio bombeador de sangre. Y el corazón es el símbolo mismo del amor. Nos consta que nuestros mayores creían que el foco de la vida psíquica estaba en el corazón y no en el cerebro. El corazón era algo más que un centro de la emoción, el amor y la compasión: era un centro del pensamiento y la imaginación, como sigue siéndolo hoy en día para muchos pueblos tradicionales, incluyendo los tibetanos. Y pensemos también, por ejemplo, en frases que se emplean todavía en las liturgias cristianas: en el *Magnificat*: «Ha confundido a los engreídos en el pensamiento de sus corazones» (S. Lucas, 1, 51); el Libro de Oración Anglicano reza: «Dios Todopoderoso, para quien están abiertos todos los corazones... limpia los pensamientos de nuestros corazones con la inspiración del Espíritu Santo». Y la Iglesia católica ha acogido la imagen del «Sagrado Corazón de Jesús».

También está muy extendido en nuestra cultura el antiguo sentir de que la psique *trasciende* los límites del organismo. La implican sin ir más lejos frases tan conocidas como «tienen que haberte ardido ayer las orejas porque estuvimos hablando de ti». Y está implicada asimismo en la telepatía y otros fenómenos psíquicos.

Encuestas hechas en Gran Bretaña, Estados Unidos y otros países occidentales, han demostrado repetidas veces que una buena mayoría de la población cree en su existencia y más del 50 por ciento de la gente afirma haber tenido alguna experiencia personal de esos fenómenos.[1]

Toda esa serie de experiencias y creencias no tienen sentido si la mente está confinada al cerebro y tampoco si toda nuestra comunicación depende de los principios conocidos por la física. Por esa razón, los defensores de la ortodoxia mecanicista afirman a menudo que, dado que los fenómenos «paranormales» carecen de explicación científica, no pueden existir. La creencia en ellos es considerada como superstición, y debe ser erradicada mediante la formación científica.

Lo que empezó como una filosofía radical, se ha convertido en la doctrina ortodoxa de nuestra cultura, se adquiere en la niñez y en consecuencia, se da por sentada. De acuerdo con los clásicos estudios de Jean Piaget sobre el desarrollo mental de los niños europeos, para cuando tienen diez u once años, la mayoría de los niños han aprendido lo que denomina el punto de vista «correcto», es decir, que los pensamientos se sitúan dentro de la cabeza.[2] En cambio, los niños menores de esa edad creen que en sueños viajan fuera del cuerpo; que no están separados del mundo viviente que los rodea, sino que participan en él; que los pensamientos residen en la boca, la respiración y el aire; y que las palabras y los pensamientos pueden tener efectos mágicos a distancia. Concretando, diremos que los niños pequeños europeos muestran las actitudes animistas que aparecen en las culturas tradicionales de todo el mundo, y predominaron en nuestra propia cultura hasta la revolución mecanicista.

Sin embargo, la teoría cartesiana de la mente inmaterial dentro de un cerebro a modo de máquina chocó con serios problemas desde el principio. Al identificar el alma con la mente racional, Descartes negó los aspectos corporales e inconscientes de la psique, dados por sentados anteriormente. Y desde Descartes, ha habido que reinventar siempre la psique inconsciente.[3] El físico alemán C. G. Carus, por ejemplo, escribió en 1851 un tratado sobre el inconsciente que empezaba así:

1. Véanse, por ejemplo, Palmer (1979), Haraldsson (1985); Clarke (1991); Gallup y Newport (1991).
2. Piaget (1973), págs. 70, 72 y 78.
3. Whyte (1979).

La clave del conocimiento de la naturaleza de la vida consciente del alma está en la esfera de lo inconsciente... La vida de la psique puede compararse con un gran río que continuamente da vueltas en círculo y del que ilumina el Sol sólo una pequeña superficie.[4]

Gracias a la obra de Sigmund Freud, se extendió entre los psicoterapeutas el reconocimiento del inconsciente; y según el concepto de Carl Jung del inconsciente colectivo, la psique no está confinada ya en las mentes individuales, sino que la comparte todo el mundo. Esa concepción incluye una especie de memoria colectiva en la que participan inconscientemente los individuos.

Existe además en Occidente una conciencia cada vez mayor de las tradiciones india, budista y china, todas las cuales brindan un conocimiento más rico de la relación existente entre la psique y el cuerpo que el de la teoría mecanicista. Y a través de la exploración de los efectos de las drogas psicodélicas, las prácticas visionarias de los chamanes y las técnicas de meditación orientales, la existencia de otras dimensiones de lo consciente se ha convertido en una cuestión de experiencia personal para muchos occidentales.

Como consecuencia, aunque el confinamiento de la mente a la cabeza de un cuerpo que es como una máquina sigue siendo ortodoxo dentro de la ciencia mecanicista y la medicina, coexiste con elementos supervivientes de un entendimiento más antiguo y extenso de la psique. Está sometido también a los articulados y sofisticados desafíos impuestos por la psicología de Jung y la transpersonal, por la investigación psíquica y la parapsicología, por las tradiciones místicas y visionarias, y por las formas holísticas de la medicina y la sanación.

Los experimentos que se proponen en esta parte del libro exploran la posibilidad de que la mente se extienda de hecho fuera del cerebro, tal como ha creído la mayoría de la gente durante la mayor parte de la historia de la humanidad. Aunque la teoría de la contracción mental constituye un rasgo central del paradigma mecanicista, no es un dogma indiscutible al que la ciencia tenga que estar supeditada para siempre. Debe ser considerada como una hipótesis científicamente susceptible de prueba y potencialmente refutable. Los experimentos siguientes están destinados a someterla a prueba.

4. Carus (1989), pág. 1.

La sensación de que nos están mirando

Cuando vemos cosas ¿dónde están? ¿Están las imágenes de las cosas dentro del cerebro? ¿O se hallan fuera de nosotros, tal como parece? La suposición científica convencional dice que están dentro del cerebro. Pero esa teoría podría ser absolutamente falsa. Esas imágenes podrían estar fuera de nosotros. La visión podría implicar un proceso de doble vía, un movimiento hacia dentro de la luz y una proyección hacia afuera de las imágenes mentales.

Por ejemplo, al leer usted esta página, los rayos de luz pasan de la página a sus ojos, formando una imagen invertida en la retina. Esa imagen es detectada por unas céllulas fotosensibles, lo que hace que unos impulsos nerviosos suban por los nervios ópticos y provoquen en el cerebro complejos cuadros de actividad electroquímica. Todo ello ha sido investigado detalladamente mediante técnicas neurofisiológicas. Pero ahora llega el misterio: de alguna manera se da cuenta uno de la imagen de la página. Nuestra experiencia se halla fuera de nosotros, la tenemos delante de la cara. Vista, sin embargo, desde una perspectiva científica convencional, esa experiencia es ilusoria. En realidad, se supone que la imagen está dentro de uno, junto con el resto de nuestra actividad mental.

Los pueblos de mentalidad tradicional en todo el mundo asumen una perspectiva diferente. Confían en su propia experiencia. La visión extiende su captación fuera del cuerpo. Del mismo modo que la luz penetra en los ojos, la vista sale a través de ellos. Los niños pequeños de nuestra propia cultura piensan de ese mismo modo.[1] Pero, alrededor de los once años de edad, aprenden que los pensamientos y percepciones no están fuera de ellos, sino dentro de su cabeza.[2] De ese modo, la teoría triunfa sobre la experiencia, y se acepta una doctrina metafísica como un hecho objetivo. Desde nuestro «educado» punto de vista, los niños de pocos años, igual que los pueblos primitivos y la gente sin instrucción, están confundidos. No son capaces de distinguir entre lo interno y lo externo, el sujeto y el objeto, que deberían estar nítidamente separados.

Considere por un momento la posibilidad de que los niños pequeños y los pueblos tradicionales pudieran no estar tan confundidos como solemos suponer. Ensaye un simple experimento mental. Permítase confiar en su experiencia directa en vez de desconfiar de ella. Permítase pensar que la percepción de todas las cosas que ve alrededor de usted están *en realidad* alrededor de usted. Su imagen de esta página, por ejemplo, está justo donde parece estar, delante de usted.

Esta idea es tan pasmosamente sencilla que cuesta captarla. Aunque concuerda a la perfección con la experiencia inmediata, socava todo lo que nos han enseñado a creer sobre la naturaleza de la mente, la interioridad de la experiencia subjetiva y la separación del sujeto y el objeto. En vez de la hipótesis usual de que la visión implica un proceso de un sentido, implica un proceso de ida y vuelta. A la vez que la luz penetra en los ojos, las imágenes y percepciones se proyectan hacia fuera a través de ellos en el mundo que nos rodea.

Lo que percibimos son construcciones mentales, lo que implica la actividad interpretativa de nuestra mente. Pero al tiempo que tenemos imágenes dentro de la mente, están también fuera de nuestro organismo. Si existen a la vez dentro de la mente y fuera del cuerpo, la mente deberá extenderse fuera del cuerpo. Nuestra mente se extiende hasta tocar todo lo que vemos. Si contemplamos estrellas lejanísimas, nuestra mente se extiende a través de distancias as-

1. Piaget (1973), págs. 61-62.
2. Íd., capítulo 1.

tronómicas hasta tocar esos cuerpos celestes. El sujeto y el objeto se confunden sin duda alguna. A través de lo que percibimos, lo que nos rodea entra en nosotros, pero también nos extendemos nosotros hacia fuera saliendo hacia el entorno.

En la percepción normal —tal es el caso de esta página impresa— coinciden lo que percibimos y nuestra imagen perceptual; están en el mismo sitio. En las ilusiones y alucinaciones las imágenes no coinciden con las cosas que hay fuera de nosotros, pero pueden implicar de todas maneras un proceso de proyección similar, un movimiento hacia fuera de las imágenes. (Volveremos a analizar este asunto en el capítulo 5 al tratar de los miembros fantasma.)

Esa idea de la *extensión de la mente* puede sonar a algo así como jugar con palabras, como un puro ejercicio intelectual. O también como una confusión ilegítima de unas categorías filosóficas que habría que mantener separadas: el mundo físico por un lado, y el mundo fenomenológico o subjetivo por el otro. Pero no se trata de una simple cuestión de palabras o de filosofía. La extensión mental podría tener efectos mensurables. Si nuestra mente se extiende fuera de nosotros y «toca» lo que estamos mirando, podríamos afectar entonces eso que estamos mirando, sencillamente con mirarlo. Si miramos a otra persona, por ejemplo, podríamos *afectarla* por ese mero hecho.

¿Existe alguna prueba de que una persona pueda decir cuándo está mirándola alguien, aunque no pueda ver a ese alguien? Por ejemplo, ¿puede decir una persona cuándo alguien la está mirando desde atrás? En cuanto suena esta pregunta, nos damos cuenta de que existe un cúmulo de pruebas anecdóticas que sugieren que es así. Muchas personas han tenido la sensación de que alguien estaba mirándolas, y al volverse, han hallado que era así. Y viceversa, muchas personas, al mirar a otras que les daban la espalda, por ejemplo, en un salón de conferencias, han observado que las últimas se ponían inquietas y que volvían la cabeza.

EL PODER DE LAS MIRADAS

Es muy conocida la sensación de que lo miran a uno. En encuestas informales, realizadas en Europa y América, he hallado que alrededor del 80 por ciento de las personas a las que interrogué, aseguraban haberla experimentado en persona. Aparece también como cosa sabida en un sinfín de obras de ficción, como en la frase «sintió ella que los ojos de él estaban perforándole la nuca». La describen explícitamente novelistas como Tolstoi, Dostoyevski, Anatole France, Victor Hugo, Aldous Huxley, D. H. Lawrence, J. Cowper Powys, Thomas Mann y J. B. Priestley.[3] Tomemos un ejemplo de un relato corto de Arthur Conan Doyle, el creador de Sherlock Holmes:

> Ese hombre me interesa como estudio psicológico. Al desayunar esta mañana, tuve de repente esa vaga sensación de desasosiego que se les produce a algunas personas cuando las miran atentamente, y, alzando rápido los ojos, encontré los suyos fijos en mí con una intensidad rayana en ferocidad, aunque su expresión se suavizó al instante, mientras hacía una observación trivial referente al tiempo. Lo curioso es que Harton afirma que había tenido una experiencia muy similar ayer en cubierta.[4]

La veterana investigadora psíquica británica Renée Haynes ha descrito algunas de sus propias observaciones informales sobre ese tema en estas palabras:

> El impulso a darse vuelta no es igual de fuerte en todas las personas, y pueden darse casos —por ejemplo, en los camareros— en los que está probablemente atrofiado, o es ignorado, o es también objeto de una resistencia directa. Sin embargo, un pequeño experimento ligero, digamos, durante una conferencia aburrida o en un bar lleno de gente, nos revelará que, en la mayoría de los casos, mirar fijamente desde detrás la cabeza de una persona, provocará un desasosiego nervioso, y una incomodada mirada hacia atrás. Esto se puede hacer también con gatos y perros que estén durmiendo —sin mencionar a los niños a los que se les puede despertar así de un modo más humano que con una esponja fría— y con las aves del jardín.[5]

Probablemente el efecto de las miradas desempeña un importante papel en la relación de la gente con sus animales de compañía, y no sólo podrían los animales responder de ese modo a las personas, sino también éstas al mirar de los animales. En *The Call of the Wild* (*La llamada de la selva*), Jack London, sagaz observador literario del comportamiento canino, nos ha pintado una situación especialmente íntima, referida al perro Buck:

> Podía estar tumbado a todas horas, despierto y ansioso, a los pies de Thornton... O también, según fuera el caso, podía estar echado bastante

---

3. Poortman (1959).
4. Conan Doyle (1884).
5. Haynes (1973), pág. 41.

lejos, a un lado o detrás de él, pendiente del perfil del hombre y de los ocasionales movimientos de su cuerpo. Y con frecuencia, tal era la comunión en que vivían, la fuerza de la mirada de Buck hacía que John Thornton diese vuelta a la cabeza y le devolviera la mirada, sin hablar, brillándole el alma en la mirada, igual que brillaba la de Buck en la suya.[6]

Hay también todo un anecdotario referente a la influencia de las miradas dentro de otras especies en estado salvaje. He aquí, por ejemplo, el relato de un naturalista sobre el poder de la mirada en los zorros:

Me he pasado horas junto a distintas madrigueras suyas, y he presenciado repetidas veces muestras a mi juicio de una disciplina excelente; pero nunca he oído a una raposa emitir un gruñido ni un chillido de advertencia de ningún tipo. Durante horas seguidas los cachorros retozan con viveza al sol de la tarde, unos acechando ratones y saltamontes imaginarios, otros desafiando a sus compañeros a peleas fingidas o a cacerías ficticias; pero el más asombroso aspecto del ejercicio entero, una vez que se ha familiarizado uno con esas fascinantes criaturillas, es el de la zorra vieja, que se tumba algo apartada para poder vigilar el juego y la cercanía, y que da la impresión de tener la familia bajo control en cada instante, aunque nunca emite una palabra. De vez en cuando, siempre que el corretear de un cachorro lo lleva demasiado lejos de la zorrera, la zorra alza la cabeza y lo mira fijamente; y de algún modo esa mirada tiene el mismo efecto que la silenciosa llamada de la loba; detiene al cachorro como si ella le hubiese dado un grito o enviado un mensaje. Si eso ocurriera una sola vez, podría pasarlo uno por alto como cosa de pura casualidad; pero ocurre una vez tras otra, siempre del mismo modo desafiante. El ansioso cachorro se detiene de pronto, da vuelta a la cabeza como si hubiese oído una voz de mando, capta la mirada de la raposa, y ahí viene al punto, como un perro enseñado a obedecer al silbato.[7]

En los años ochenta, cuando me di cuenta de las enormes implicaciones prácticas de ese fenómeno, traté de averiguar qué investigaciones empíricas se habían hecho sobre el tema. Me sorprendió descubrir que habían sido muy pocas. Di una conferencia sobre este tema en la Sociedad Británica de Investigación Psíquica de Londres, con la esperanza de que alguno de sus miembros tuviese algún conocimiento especial sobre la investigación experimental de los efectos de la mirada, pero volví a llevarme un chasco, aunque la temible Renée tenía, como de costumbre, todo un acervo de anéc-

6. London (1991), págs. 77-78.
7. Long (1919), págs. 91-92.

dotas sobre el tema. Discutí también este asunto con distintos parapsicólogos en los Estados Unidos, y me encontré con que ninguno había trabajado todavía en ese tema, ni le había prestado la menor atención.[8] Rebuscando en los archivos científicos, sólo he sido capaz de hallar seis artículos sobre el tema en los últimos cien años, dos de ellos sin publicar. Los psicólogos ortodoxos han ignorado este fenómeno, cosa nada sorprendente, dada su calidad «paranormal». Es más sorprendente que los parapsicólogos lo hayan ignorado también. La mayoría de los libros sobre parapsicología ni siquiera lo mencionan. El hecho de que incluso los parapsicólogos hayan menospreciado este fenómeno es de suyo asaz interesante, y nos sugiere que ha existido aquí un «punto ciego» mayor de lo normal, equivalente casi a un tabú inconsciente. ¿Por qué ha de ser así? Tal vez debido a que la sensación de que nos están mirando se relaciona tan de cerca con creencias que a la gente de ahora le encantaría desechar como supersticiones, especialmente el «mal de ojo».

EL MAL DE OJO

Prácticamente en todas las sociedades tradicionales hallamos la creencia en influencias transmitidas mediante los ojos.[9] En su forma negativa se trata del «aojo» o mal de ojo, ese ojo de la envidia que daña a todo lo que mira. Ya dice el Libro de los Proverbios «Apresúrase a ser rico el hombre de mal ojo».[10] Y se supone que resultan afectados por él los niños pequeños, el ganado, las cosechas, los caballos, los coches y desde luego cualquier cosa capaz de suscitar envidia. Ocasiona el infortunio y la mala salud. Ésa es la razón de que se hayan tomado tantas precauciones contra él, por ejemplo en forma de amuletos. En la Grecia moderna, éstos suelen adoptar la forma de un ojo azul, el ojo de Horo, descendiente directo de uno de los talismanes mágicos del antiguo Egipto.[11] Ese ojo es hoy en día un rasgo sobresaliente del Gran Sello de los Estados Unidos, y se puede ver en cualquier billete de dólar (fig. 10).

8. Como consecuencia de mi visita en 1986 a la Mind Science Foundation, en San Antonio, Texas, durante la que hablamos de la sensación de que nos miran y analizamos la posibilidad de diversos experimentos, William Braud y Sperry Andrews iniciaron un proyecto sobre este tema, cuyos resultados preliminares se describen en el texto.

9. Elsworthy (1895).

10. Proverbios 28:22.

11. Heaton (1978).

FIGURA 10. El radiante ojo de Horo, dentro del Gran Sello de los Estados Unidos, que aparece en todos los billetes de dólar.

El significado original de la palabra «fascinación» se refería a ese poder de lanzar un *hechizo* (el «feitixo» de las meigas) mediante la mirada, costumbre que sobrevive en relación con la idea de que las sierpes inmovilizan a la presa mediante la mirada. En la mitología de la antigua Grecia, la feroz mirada de Medusa, monstruo femenino con serpientes por cabellos, convertía a las personas en piedra; la máscara de la Medusa, en forma de la cabeza de una de las tres gorgonas, representaba el aterrador poder de la diosa Atenea.[12]

He aquí unas reflexiones de Francis Bacon sobre el tema de la fascinación en su ensayo «Sobre la envidia», publicado en 1625:

> No hay otros afectos que se sepa que fascinan o envidian, aparte del amor y la envidia; ambos abrigan deseos vehementes y tienden a expresarse en forma de imaginaciones y sugestiones, y tienden a asomar al ojo, especialmente en presencia de aquellos objetos que constituyen los puntos que conducen a la fascinación, si es que los hay. Vemos también cómo las Escrituras llaman a la envidia mal de ojo... Se da a entender de tal modo que existe al parecer, en el acto de la envidia, una eyaculación o irradiación del ojo. Todavía más, algunos han tenido la curiosidad de observar que los momentos en que hace más daño el ataque o percusión de un ojo envidioso, son cuando la parte envidiada está rodeada de gloria, porque ello ofrece más blanco a la envidia.[13]

12. Véase en Huxley (1990) un esclarecedor análisis de los aspectos mitológicos de los ojos y las miradas.
13. Bacon (1881), número 9.

La misma palabra «envidia», se deriva del latín *invidia*, procedente del verbo *invidere*, o sea, ver, mirar intensamente. Pero aunque la envidia es la emoción más frecuentemente asociada con el mal de ojo, se cree también que otras emociones negativas, como la cólera, afectan a las personas a través de los ojos; ya dice una vieja frase «apuñalaba con la mirada». En nuestra propia cultura quedarse mirando a una persona suele considerarse como cosa ofensiva, y tiende a causar incomodidad o a provocar respuestas agresivas.

Se supone que la mirada de algunas personas es más dañina que la de otras, y se teme a las de «mal ojo» como portadoras de la mala suerte. Las creencias de ese tipo estuvieron extendidísimas en toda la Europa medieval, donde las brujas fueron acusadas con demasiada frecuencia de «echar la mirada» a los niños y animales domésticos que enfermaban sin causa aparente. El gran egiptólogo sir Wallis Budge lo expresa con estas palabras:

> Han sacado diferentes conclusiones las personas que han estudiado los porqués del mal de ojo, pero en ninguna parte del mundo se duda de que existe esa influencia, y la creencia en ella es sin duda alguna primitiva y universal. Por otra parte, todos los idiomas, tanto antiguos como modernos, contienen alguna palabra o expresión equivalente al «mal de ojo».[14]

También existe un reconocimiento muy extendido del efecto positivo de las miradas, sobre todo si son cariñosas. En la India, por ejemplo, muchas personas van a ver a los hombres y mujeres santos en busca de su *darshan*, literalmente, su mirada, que creen portadora de grandes bendiciones. Hay posiblemente un poso inconsciente de ese mismo tipo de creencia en el deseo popular de ver en persona a los reyes, al presidente de los Estados Unidos, al Papa, al Dalai Lama, y toda una serie de «luminarias». Aunque las podemos ver más a nuestras anchas en la televisión, hay algo en su presencia real que les confiere un atractivo enorme, y hace que la gente pase horas enteras esperando apiñada su paso, para poder verlas de cerca —o mejor, para recoger una mirada de ellas. («¡La reina me saludó con la mano!») Esas personas, solemos decir, están «en los ojos de la gente».

Resumiendo, la idea de que pueden salir influencias de los ojos es prácticamente universal. Ello supone una creencia implícita en la extensión de la mente, capaz de influir en lo que ve. El que

14. Budge (1930).

la ciencia convencional ignore o niegue esa posibilidad no se basa en una meticulosa consideración de las pruebas; el tema mismo rara vez llega a ser objeto de estudio. Tal renuncia se basa sobre todo en la suposición convencional de que la mente está dentro del cerebro —la teoría de la mente contraída. Sencillamente ni siquiera se toma en serio la posibilidad de que pueda existir realmente algún misterioso efecto en las miradas; se la rechaza como cuestión de principio.

Desde luego no se puede zanjar sin más esta cuestión sobre la base de los prejuicios de los científicos, ni de la creencia popular, ni acumulando pruebas anecdóticas, ni a base de discusiones teóricas sobre la naturaleza de la mente. La única manera de salir adelante es a base de experimentos adecuados.

Fundamento científico

El primer estudio de la *sensación de que nos miran* existente en la bibliografía científica aparece en 1898 en *Science*, en un artículo escrito por E. B. Titchener, un psicólogo científico precursor de la Cornell University, Estado de Nueva York:

> Cada año hallo que cierta proporción de estudiantes pertenecientes a mis clases de tercer año están firmemente persuadidos de que pueden «sentir» que están mirándolos desde atrás, y una proporción menor que creen que, mirando con persistencia en la nuca a otra persona que está sentada delante de ellos, son capaces de conseguir que dé la vuelta y los mire a la cara.[15]

Titchener confiaba en que tenía que haber una explicación racional, y no admitía influencias misteriosas. Vale la pena leer su análisis detalladamente, dado que los escépticos de hoy en día siguen dando exactamente el mismo tipo de explicación:

> La psicología del asunto es la siguiente:
> 1. A todos nos pone más o menos nerviosos lo que ocurre a nuestra espalda. Si observa uno las personas que hay sentadas en un salón antes de que las haya absorbido la música o la conferencia que las ha congregado, nota uno que son muchísimas las mujeres que no dejan de tocarse la cabeza con las manos, alisándose el pelo o atusándolo, y que de vez en cuando se miran los hombros o miran hacia atrás por encima de ellos,

---

15. Titchener (1898).

mientras que algunos hombres se miran con frecuencia los hombros o echan la vista por encima de ellos y con la mano se dan golpecitos, o hacen ademán de cepillarse la solapa y el cuello de la chaqueta...

2. Como lo que provoca los movimientos descritos antes es la presencia de los demás oyentes, de las personas que están sentadas detrás de uno, es natural que esos movimientos no se extiendan en muchas ocasiones hasta el punto de implicar una vuelta real de la cabeza y una mirada de rastreo de los ojos hacia la parte trasera del salón o local... Obsérvese que todo ello es del todo independiente de cualquier mirada más o menos fija que se produzca detrás.

3. Ahora bien, el movimiento dentro de un campo inmóvil —ya sea el campo de la vista, el del oído, el del tacto, o cualquier otro— es uno de los estímulos más fuertes que existen para la atención pasiva... Y por lo tanto, si yo, A, estoy sentado en la parte trasera del salón, y B mueve la cabeza o la mano dentro de mi campo de visión, los ojos se me irán fatal e irresistiblemente hacia B. Dejemos que B siga ese movimiento mirando en torno suyo, y por supuesto, me hallaré mirándole. Habrá con toda probabilidad varias personas mirándolo, del mismo modo y por la misma razón, en distintas partes del salón; y es un simple accidente el que encuentre mi mirada o la de otra persona. Casi de seguro se encontrará con la mirada de alguien. Accidentes de este tipo le hacen inevitablemente el juego a la teoría de la atracción personal y de la influencia telepática.

4. Ahora queda explicado todo, excepto la sensación que B experimenta en la nuca. Esa sensación, como tal, se compone simplemente de distintas sensaciones de tensión y presión que, en parte, están normalmente presentes en esa región (sensaciones de la piel, músculos, tendones y articulaciones), sólo que las hace acentuarse más de lo normal el hecho de dirigirse la atención hacia ellas, y en parte, son provocadas por esa atención misma... Esa «sensación» *irresistible* no es más misteriosa en el caso presente que esa otra «sensación» *irresistible* que nos obliga a cambiar de postura en una silla cuando la distribución de presiones se ha hecho incómoda o a volver nuestro oído mejor hacia un sonido que deseamos percibir particularmente.

5. En conclusión, puedo asegurar que he sometido a prueba en varias ocasiones esta interpretación de la «sensación de que nos miran» en una serie de experimentos de laboratorio efectuados con personas que se declaraban o bien particularmente susceptibles a la mirada o peculiarmente capaces de «hacer que la gente se dé la vuelta». En lo que toca a esa capacidad o susceptibilidad, mis experimentos han dado invariablemente un resultado negativo; en otras palabras, no se ha confirmado la interpretación ofrecida. Si el lector de mentalidad científica objeta que se podía haber previsto ese resultado, y que los experimentos fueron en consecuencia un desperdicio de tiempo, sólo puedo contestar que a mí me parecen justificados para acabar con una superstición que tiene profundas y extendidas raíces en la conciencia popular. Ningún psicólogo con mentali-

dad científica cree en la telepatía. Al mismo tiempo, el deshaucio de ella en un caso dado podría encaminar a algún estudiante por el auténtico derrotero científico, y el tiempo invertido en él redundaría al ciento por uno en favor de la ciencia.[16]

Mientras a algunas personas situadas en el «derrotero científico auténtico» podría parecerles convincente este alegato, otras observarán que Titchener asume de antemano lo que trata de probar. La escenificación que describe pudiera haber incluido muy bien una influencia misteriosa de las miradas. Y ese deshaucio experimental del fenómeno, del que por lo demás no da detalles, pudiera tener otras explicaciones. Sus sujetos, por ejemplo, pudieran haber quedado desconcertados por su escéptica actitud, o demasiado cohibidos para funcionar debidamente al ser puestos a prueba por él bajo unas condiciones artificiales dentro de un laboratorio.

Reside precisamente ahí el problema máximo de la investigación de este fenómeno mediante experimentos. La «sensación de que nos están mirando» podría producirse bajo condiciones naturales de un modo inconsciente. En condiciones artificiales, en ensayos experimentales, podría ser difícil sin tener práctica tratar de decidir conscientemente si lo miran o no a uno. Por otra parte, en la vida real hay toda una serie de sensaciones asociadas al hecho de mirar fijamente, como son la ira, la envidia o la atracción sexual. Cuando en unas pruebas experimentales se elimina toda motivación, exceptuando la curiosidad científica, los efectos pueden resultar muy debilitados.

La segunda investigación de este fenómeno fue publicada en 1913 por J. E. Coover. En un intento de complementar las investigaciones de Titchener, halló que el 75 por ciento de los estudiantes de sus clases de tercero en Stanford creían en la realidad de la sensación de que están mirándolo a uno. Procedió entonces a efectuar pruebas experimentales con diez sujetos. El experimentador los miró desde atrás en una serie de 100 pruebas. El experimentador (el mismo Coover o un ayudante) o bien miraban al sujeto o alejaban la mirada de él, en una secuencia aleatoria, indicando cuándo empezaba la prueba mediante un golpecito. El sujeto decía entonces si estaban mirándolo (o mirándola) o no, y añadía después lo seguro que se sentía de su estimación. El resultado total reveló que los sujetos acertaban sólo el 50,2 por ciento de las veces, índice no significativamente mejor que el nivel casual puro del 50 por

16. Íd.

ciento. En cambio, cuando los sujetos afirmaron que estaban seguros de su estimación, acertaron el 67 por ciento de las veces; cuando estaban menos seguros, los resultados rondaron el nivel casual puro o se situaron ligeramente por debajo de él. Coover desechó ese aspecto de sus propios resultados. Concluyó afirmando que, aunque la creencia en la sensación de que lo miran a uno es corriente, la «experimentación demuestra que carece de fundamento».[17]

Con ello acabaron más o menos las discusiones sobre el tema durante casi medio siglo, hasta que fue suscitado de nuevo en 1959 por J. J. Poortman en el *Journal of the Society for Psychical Research*.[18] Describe unas pruebas que efectuó en Holanda, con la ayuda de una amiga que lo miró —miembro del ayuntamiento de La Haya, le había dicho que «empleaba el recurso de mirar a una persona que veía en una reunión y con la que deseaba hablar»—. Siguió el mismo método que Coover; en una secuencia de 89 pruebas, efectuadas en diferentes días, la dama concejala lo miraba o no en una secuencia al azar, y anotaba si Poortman decía sí o no. Acertó Poortman un 59,6 por ciento, pese a que la expectativa era del 50 por ciento. El resultado fue estadísticamente significativo.[19]

Pasaron casi veinte años más antes de la experimentación siguiente, hecha en 1978 por Donald Peterson, estudiante graduado de la Unversidad de Edimburgo. En una serie de experimentos con dieciocho sujetos distintos, halló que acertaban cuando estaban mirándolos con una frecuencia significativamente mayor que la aleatoria.[20]

En 1983, Linda Williams, estudiante de licenciatura de la Universidad de Adelaida, Australia, organizó un proyecto en el que la persona que miraba y el sujeto de la mirada estuvieron en habitaciones distintas, a 18 metros de distancia. La primera miraba al sujeto mediante una televisión de circuito cerrado. En una secuencia de pruebas, cada una de ellas de 12 segundos de duración, la persona que miraba veía unas veces al sujeto en la pantalla; en otras, la pantalla quedaba vacía. (La pantalla de TV estaba programada para conectarse y desconectarse en una secuencia aleatoria, pero

17. Coover (1913).
18. Poortman (1959).
19. Poortman no analizó estadísticamente sus datos, pero los he analizado yo empleando el test t (con los juegos de datos pareados), y resultó una probabilidad de que el efecto fuese puramente aleatorio de $p = 0,042$, inferior a un nivel de $p = 0,05$, empleado convencionalmente como criterio de significación.
20. Peterson (1978).

la cámara de vídeo funcionó durante todo el tiempo. Un *bleep* electrónico indicaba al sujeto cuándo empezaba cada una de las pruebas de 12 segundos.) Los resultados generales obtenidos con veintiocho sujetos revelaron un efecto positivo pequeño, aunque estadísticamente positivo; superaron el promedio casual en su acierto sobre cuándo los estaban mirando mediante el circuito de televisión.[21]

Las pruebas de esta facultad más sofisticadas técnicamente fueron efectuadas en los últimos años de la década de los 80 en la *Mind Science Foundation* (Fundación de ciencias de la mente), de San Antonio, Texas, por William Braud, Sperry Andrews y otros colegas. Utilizaron también un circuito cerrado de televisión. Se les pidió a los sujetos que se sentaran relajadamente en una habitación durante 20 minutos, mientras la cámara de vídeo funcionaba continuamente, pensando en lo que quisieran. Los que los miraban lo hacían en una pantalla de televisión situada en un bloque diferente del edificio de laboratorios. En contraste con todos los experimentos anteriores, no se les pidió indicación alguna sobre a quién estaban mirando. En vez de ello, se procedió a controlar sus respuestas fisiológicas inconscientes a base de medir su resistencia dérmica basal mediante electrodos sujetos a la mano izquierda. Los cambios de esa resistencia, igual que en las pruebas de detección de mentiras, proporcionan una medición perceptible de la actividad inconsciente del sistema nervioso simpático. En una serie de pruebas de 30 segundos, con períodos de descanso intercalados, se procedía a mirar o no al sujeto, en una secuencia aleatoria. Los resultados revelaron diferencias significativas cuando se miraba a los sujetos, a pesar de que no eran conscientes de ello.[22]

Resumiendo, aunque se ha hecho llamativamente poca investigación sobre este tema, las pruebas disponibles sugieren que existe desde luego una sensación de que lo miran a uno, aunque no se acuse de manera muy impresionante bajo condiciones artificiales.

MIS PROPIAS INVESTIGACIONES

He llevado a cabo dos tipos de experimentos. En el primero de ellos, efectuado con varios grupos en Europa y América, cuatro personas actuaron voluntariamente como sujetos y se sentaron en un extremo de la habitación dando la espalda al resto del

---

21. Williams (1983).
22. Braud, Shafer y Andrews (1990); Braud (1992).

grupo, que permanecía sentado en el otro extremo. En cada prueba, las miradas del resto del grupo apuntaban a uno de ellos; a los otros tres no. Al comienzo de cada prueba yo alzaba una tarjeta donde aparecía el nombre de la persona a la que había que mirar, determinado de acuerdo con una secuencia aleatoria. Al final de cada prueba de 20 segundos, los cuatro sujetos escribían si creían que los habían mirado o no. Los resultados revelaron que la mayoría de la gente, en esas condiciones, actuaba como por casualidad o muy poco mejor. Pero en el curso de esos experimentos, encontré dos personas que acertaban casi siempre, puntuando muy por encima de los niveles aleatorios.

Coincidió que aquellas dos personas confiaban mucho en su capacidad. La primera, una joven de Amsterdam, dijo que había practicado esa facultad desde niña con sus hermanos y hermanas, como juego, y estoy seguro de que podría seguir haciéndolo. El segundo, un californiano, me dijo después del experimento que se hallaba bajo la influencia del MDMA (Ecstasy), un fármaco psicoactivo conocido comúnmente como «éxtasis», y que sentía como resultado un aumento de la sensibilidad.

Mi segundo método experimental incluyó una retroalimentación inmediata: a los receptores se les dijo después de cada respuesta si habían acertado o no. Por lo demás el método empleado fue semejante al de la mayoría de los investigadores precedentes: los sujetos y «miradores» trabajaron en parejas, con una secuencia de pruebas aleatoria. Daremos los detalles en la sección siguiente.

En estos experimentos destacaron mucho unas cuantas personas: acertaban la mayoría de las veces. Dos de las que mejor resultado obtuvieron en mis pruebas procedían de Europa Oriental; acaso varios años de vivir en regímenes comunistas represivos les habían dado una fuerte motivación para sentir cuándo se les estaba vigilando. Los resultados de la mayoría de la gente se acercaron a los niveles de casualidad pura, pero hubo de todas maneras una tendencia estadísticamente significativa a que se situaran por encima del nivel aleatorio. Los resultados generales de diez experimentos distintos (que implicaron a más de 120 sujetos) fueron 1.858 aciertos contra 1.638 respuestas equivocadas; en otras palabras, el 53,1 por ciento de las respuestas fueron acertadas, 3,1 por ciento por encima del nivel casual del 50 por ciento. Este resultado es sumamente significativo.[23]

23. Un análisis de los resultados generales de cada uno de los diez experimentos, empleando los test t pareados, muestra un nivel de significación de $p = 0,005$, lo que indica que sólo hay una probabilidad entre doscientas de que los resultados se debiesen a fluctuaciones aleatorias.

Tales resultados confirman los positivos hallazgos de otros investigadores, resumidos antes. Pero confirman también que la mayoría de las personas no dan resultados impresionantes si se las somete a condiciones artificiales. Los resultados generales se sitúan por encima del azar puro, pero no son mucho mejores. El desafío existente reside en hallar personas capaces de actuar bien bajo esas condiciones artificiales; mis resultados preliminares revelan que esto puede ser muy posible. Algunos tipos de personas pueden ser desde luego especialmente sensibles. Los paranoicos, por ejemplo, pueden mostrar talentos excepcionales en ese sentido, pero también pueden ser paranoicos tocante al experimento en sí. Las personas que practican la percepción sutil general mediante artes marciales del tipo *aikido* pueden ser unos sujetos especialmente buenos.

POSIBLES EXPERIMENTOS

Comienzo con la somera descripción del simple método experimental que he ensayado extensivamente. Fue diseñado con un triple objetivo. Para empezar, se trata de hacerlo lo más sencillo posible, para que resulte cosa fácil. Se puede hacer con grupos de personas divididas en parejas; por ejemplo, en talleres, clases o seminarios. Se puede hacer también con parejas de personas en su casa o cualquier otro sitio; no hace falta ningún laboratorio, ni otro instrumental que un lápiz, una hoja de papel y una moneda —y ésta se puede reciclar indefinidamente. De hecho es un experimento gratuito.

En segundo lugar: permite identificar a aquellas personas dotadas de talento especial en este sentido, lo que abre camino a experimentos más detallados.

En tercer lugar: permite que aquellas personas que no lo hacen particularmente bien, practiquen y averigüen si pueden mejorar mediante la experiencia. Así, uno puede adiestrarse para actuar correctamente en esas condiciones artificiales. Y esto puede abrir el camino de investigación ulterior.

En estos experimentos las personas trabajan en parejas, uno de los miembros sentado de espaldas al otro. En una serie de pruebas, hechas en una secuencia al azar, la que mira o bien lo hace desde detrás del sujeto durante 20 minutos o bien desvía la mirada hacia otro sitio y piensa en alguna otra cosa durante 20 minutos. La secuencia aleatoria se determina echando una moneda a cara o cruz antes de cada prueba: *cara* equivale a ¡mira!; *cruz* equivale a ¡no mires! El que mira señala cuando comienza cada prueba mediante un golpecito, un chasquido o un *bleep*, y el sujeto tiene que adivinar entonces si lo está mirando o no. Los chasquidos mecánicos uniformes o los *bleeps* electrónicos dan mejor resultado que los golpecitos porque excluyen la posibilidad de que la mayor o menor fuerza de éstos transmita claves sutiles. El que mira anota el resultado y le dice a continuación al sujeto si la respuesta ha sido acertada o no. El que mira echa entonces la moneda al aire para ver qué debe hacer en la prueba siguiente. Y así sucesivamente. Este método resulta bastante rápido, siendo fácil alcanzar una velocidad media de dos pruebas por minuto. Los resultados se anotan en una simple hoja de puntuar, tal como se ve en la sección de detalles prácticos al final de este libro.

He hallado que lo mejor es atenerse a unos períodos de prueba más bien cortos, hasta de unos 20 minutos, pudiéndose hacer en ellos cuarenta o más pruebas. Para el análisis estadístico son de desear por lo menos diez períodos de prueba independientes, ya sea con la misma pareja o con diferentes parejas.[24]

Ha probado ya con éxito el método descrito como proyecto de ciencia escolar Michael Mastrandrea, un alumno de octavo de 13 años de edad, en California. Efectuó 480 pruebas con veintiocho personas distintas. Fue en todos los casos el que mira. Utilizó un *bleeper* electrónico para señalar el comienzo de cada prueba. Los resultados generales arrojaron un nivel de aciertos de los sujetos de un 55,2 por ciento, considerado como un resultado estadísticamente significativo.[25]

En aquellas personas que no lo hacen especialmente bien en las pruebas iniciales es bueno hacer prácticas, efectuando sesiones de prueba de 15 o 20 minutos siempre que aparezca conveniente. Ello hace que se produzca un proceso de aprendizaje análogo al *biofeedback* (bio-retroalimentación), en el que se pueden ensayar diversas sensaciones o métodos de visualización sutiles con el fin de hallar una manera eficaz de adivinar cuándo están mirándolo a uno. Si existe un tendencia a mejorar con la experiencia, deberá evidenciarse al aumentar la proporción de respuestas acertadas en sesiones sucesivas.

Una vez identificados —si se da el caso— sujetos sensibles, se pueden hacer muchas preguntas más. He aquí algunos ejemplos sencillos:

---

24. Se pueden analizar estadísticamente los resultados utilizando el test t, anotando el número total de aciertos y errores de cada prueba como una pareja de datos.
25. La significación estadística fue de $p = 0,02$ (Mastrandrea, 1991).

1. ¿Cuánta diferencia puede suponer el que mira? ¿Son algunas personas mucho más eficaces como «miradoras» que otras?

2. La sensación de que lo miran a uno, ¿sigue produciéndose cuando lo hacen a través de una ventana? ¿Sigue produciéndose cuando lo miran a distancia, por ejemplo, con binoculares? Haciendo experimentos de ese tipo sería posible excluir la posibilidad de que en pruebas hechas en la misma habitación los sujetos se vean influidos por claves sutiles como el sonido producido por el que mira al mover la cabeza. Si el efecto sigue produciéndose a distancia, o a través de vidrios a prueba de sonido, ello reforzaría mucho la evidencia a favor de una influencia directa de las miradas.

3. ¿Se manifiesta esa facultad cuando se mira al reflejo del sujeto en un espejo?

4. ¿Se manifiesta cuando se mira al sujeto utilizando un circuito cerrado de TV, estando el que mira y el sujeto en habitaciones separadas, o incluso en edificios distintos? Los resultados obtenidos en Adelaida (Australia) y San Antonio (Texas, Estados Unidos), resumidos antes, nos sugieren que ocurre eso.

5. Si se produce ese efecto en TV de circuito cerrado, ¿qué ocurre entonces en el caso de transmisiones reales? En ese caso se puede someter a prueba el efecto de la distancia a cientos o incluso miles de kilómetros, vía satélite. Si los experimentos preliminares revelan que se produce también en la TV, se podrían hacer entonces experimentos en vivo que abarcaran millones de espectadores. He aquí un posible modelo para una exhibición televisiva: se colocan cuatro sujetos sensibles en habitaciones separadas delante de unas cámaras de TV que funcionan continuamente. Acto seguido, en una serie de pruebas, los que miran ven a un sujeto cada vez en una secuencia aleatoria. Al fin de cada prueba, los cuatro sujetos oprimen un botón que indica *sí* o *no*. Los espectadores ven un tablero donde aparecen registradas las puntuaciones de aciertos y errores correspondientes a cada sujeto. El conjunto de esas pruebas no exige más de unos 10 minutos. Se podría disponer casi inmediatamente de un análisis estadístico informatizado, y el resto del programa podría consistir en una discusión sobre los resultados y sus implicaciones.

Si se dispone de sujetos sensibles, no habría ningún problema para efectuar ese tipo de experimento, según deduzco de conversaciones que he tenido con productores de TV de Europa y América. Ese tipo de experimentos podrían permitir buenos programas y suscitar mucho interés entre la gente.

6. ¿Hasta qué punto está relacionada con la telepatía la sensación de que lo miran a uno? ¿Mirar a una persona tiene un efecto mayor que pensar sólo en ella sin mirarla? El modo de averiguarlo reside en la experimentación. Se puede modificar el experimento, por ejemplo, incluyendo una tercera condición, en la que los que miran *piensan* en los receptores, pero sin mirarlos. En otras palabras, habrían tres tipos de prueba en la secuencia aleatoria: mirar; no mirar ni pensar; no mirar pero sí pensar. En general creo que los efectos de mirar van a ser mayores que los de pensar en alguien solamente.

Estos experimentos son sólo unos cuantos de los que se pueden hacer con los sujetos sensibles, pero bastan estos ejemplos para revelar que esto podría convertirse enseguida en todo un fértil campo de investigación. Ese campo está abierto de par en par, y sus implicaciones son realmente pasmosas.[26]

---

26. Véase en Abraham, McKenna y Sheldrake (1992), capítulo 5, un análisis de algunos de ellos.

CAPÍTULO
5

La realidad de los miembros fantasma

EXPERIENCIA DE LOS MIEMBROS FANTASMA

Cuando una persona pierde un miembro de su cuerpo, no pierde normalmente con él la sensación de su presencia. Siente como si lo tuviese en su sitio, aunque no se trate ya de una presencia real. ¿Qué clase de realidad tiene ese miembro fantasma?

Sólo en los Estados Unidos hay más de 300.000 personas que han sufrido la amputación de brazos o piernas, incluyendo unos 26.000 veteranos de guerra.[1] Casi todas ellas tienen miembros fantasma, y aunque algunos de esos «fantasmas» tienden a reducirse con el tiempo, rara vez desaparecen del todo. Aún más, en muchos casos siguen constituyendo una experiencia demasiado viva: son sede de distintos dolores. Los dolores fantasma duelen de veras.

Justo después de la amputación, la sensación fantasma puede ser tan real que las personas que se han quedado sin una pierna pueden olvidar fácilmente que no la tienen. Algunas llegan incluso a caerse al tratar de ponerse en pie y caminar. Otras «bajan la mano involuntariamente para rascar un pie que ha desaparecido».[2]

1. Barja y Sherman (1985).
2. James (1887), pág. 249.

Las personas que han sufrido la amputación reciente de un brazo a menudo tratan de extenderlo para coger el teléfono que suena, u otros objetos.

Además de la sensación de su forma, posición y movimiento, los amputados experimentan generalmente diversas sensaciones en el miembro que les falta, como escozor, calor o torcedura. Los miembros fantasma pueden moverse por lo general a voluntad, y lo hacen también en coordinación con el resto del cuerpo. En realidad se sienten como si fuesen parte del cuerpo. Incluso cuando un pie fantasma parece como que cuelga en el aire unos cuantos centímetros debajo del muñón, se le siente como si siguiera perteneciendo al resto del cuerpo, y se mueve apropiadamente con los demás miembros y el tronco.[3] Una de las curiosas características de los miembros fantasma, coincidente con su fantasmal naturaleza, es que se los puede hacer pasar a través de objetos sólidos como camas y mesas.

He recibido decenas de relatos, vivos y fascinantes, de la experiencia de esos miembros en personas amputadas. Algunos llegaron en respuesta a un artículo que escribí en 1991 en el *Bulletin of the Institute of Noetic Sciences*; otros procedían de lectores de la revista *Veterans of Foreign Wars*, a raíz de una nota aparecida en el número de abril de 1993, publicada amablemente en él, para ayudarme, por la doctora Dixie McReynolds. El que sigue es del señor Herman Berg, un veterano que sufrió la amputación de una pierna en 1970:

> Uno va acostumbrándose con el tiempo a las diferentes sensaciones, escozores y auténticos accesos de «dolor», aunque a veces se escapa alguna que otra maldición. La amputación lo convierte a uno además en un pronosticador meteorológico de verdadera confianza. Se sabe siempre cuándo va a haber un cambio de tiempo de un tipo u otro.
>
> Tengo siempre la sensación de que conservo la pierna que me falta. Al principio era como si anduviera rodando por la cama o como si sobresaliera tiesa. Ya no siento eso, pero no se me ha quitado. Luego pasan días enteros en los que uno no tiene esas sensaciones. Puedo imponerme a la mente y doblar los dedos, la rodilla o lo que sea. Puedo percibir cómo se mueven a lo largo de los nervios cortados, pero hay una sensación chocante o como de cortocircuito mientras lo hago, ¡extrañísima!
>
> Justo ahora, cuando estoy escribiendo esto, sentado en pantalones cortos en mi escritorio, la pierna que me falta está en su sitio, sobre la silla, en su postura normal, y me parece sentir algo los dedos del pie.

3. Melzack (1992).

Muchas personas amputadas padecen dolores cada cierto tiempo, pero desgraciadamente, los médicos no pueden hacer usualmente mucho por ellas, de no ser que el dolor esté en el muñón y no en el miembro fantasma mismo. Entre los métodos parcialmente eficaces están la práctica de la meditación y la bio-retroalimentación.[4] Algunos amputados buscan consuelo en la bebida o las drogas, pero muchos aprenden a vivir con el problema con gran valor y buen humor. El señor Leo Unger, por ejemplo, sufrió graves heridas en ambos pies al pisar una mina luchando en Europa en noviembre de 1944. Hubo que amputarle ambas piernas por debajo de las rodillas.

> Desde el primer día he tenido siempre la sensación de que tenía las piernas y los pies todavía en su sitio. Al principio tenía dolores fantasma fuertes como si me bajaran bolas de fuego por las piernas hasta salir por los dedos de los pies. Después de 20 años rara vez tengo esa sensación pero siento a menudo como si me acabase de romper los huesos de los pies, justo como me ocurrió cuando fui herido. He aprendido a levantar entonces las piernas y desaparece esa sensación.
>
> Durante una serie de años he sido encargado de reclamaciones de la Country Mutual Insurance Company, the Illinois Farm Bureau Company (Mutua de seguros rural del departamento de granjeros del Estado de Illinois), y cuando algún operario agrícola perdía una pierna en un recogedor de grano, cosa que ocurría a menudo con los recogedores que había antes, iba a visitarlo poco después de haber sufrido el accidente. Lo primero que les decía era: «Gracias a Dios, eres un amputado y no un inútil». Entonces me quitaba la pierna artificial correspondiente a la que había perdido él, le enseñaba el aspecto que presenta un muñón debidamente preparado, y le daba una oportunidad de ver lo bien que lo puede dejar a uno un taller ortopedista. Con no poca frecuencia escribían a mi compañía diciendo que mi demostración a domicilio les había sido más útil que la indemnización correspondiente.
>
> No puedo correr, pero he trabajado en granjas, organizado instalaciones ordeñadoras, vendido seguros, trabajado como evaluador de daños, y hecho casi todo lo que he querido durante 50 años.

OTROS TIPOS DE FANTASMAS

Otras partes del cuerpo humano pueden dar origen a fantasmas tras su pérdida, incluyendo la nariz, los testículos, la lengua, los senos, el pene, la vejiga y el recto.[5] A veces ese fantasma es

4. Sherman y otros (1989).
5. Fischer (1969); Melzack (1989).

agradable, como en el caso de algunas mujeres tras haberles amputado un seno:

> El indoloro pecho fantasma tras una mastectomía, del que el pezón constituye la sensación más viva, suele ser una experiencia agradable debido a que el pecho fantasma parece llenar por completo el sostén acolchado con una sensación sumamente real. Cuando, en cambio, hay dolor en un pecho fantasma, la sensación provoca inquietud.[6]

Del mismo modo, los penes fantasma pueden dar una sensación grata o desagradable. Algunos hombres experimentan erecciones fantasma indoloras. Los hay que tienen orgasmos fantasma. Pero algunos sufren dolores. Un hombre que tenía un dolor fuerte en su pene fantasma «se daba cuenta constantemente de ese dolor y tenía que controlar con frecuencia un acuciante deseo de alargar la mano en el espacio interpersonal y oprimir la punta de la aparición en busca de alivio».[7]

Hay otros tipos de fantasmas de sensación tan real como ésas. Algunas personas con vejiga fantasma se quejan continuamente de tener la vejiga llena y sienten incluso que se están orinando. Y las hay con fantasmas del recto que «sienten de veras que tienen escapes de gases o de heces».[8]

Uno de los tipos de pérdida más comunes, y por lo mismo de fantasma, es el de los dedos de las manos o pies. Tenemos un caso, publicado en el *British Medical Journal*, de un marinero que había perdido en un accidente el índice derecho entero y ese fenómeno lo fastidió durante décadas porque sentía como si el dedo fantasma estuviera extendido rígidamente, justo en la posición del momento en que lo perdió. Y cuando acercaba la mano a la cara, por ejemplo para rascarse la nariz o para comer, tenía miedo a sacarse un ojo con aquel índice fantasma. Aunque sabía que aquello era imposible, la sensación era irresistible.[9]

EXCEPCIONES

Aunque la pérdida de partes del organismo suele traducirse en la aparición de esos «fantasmas», hay algunas excepciones. Algu-

6. Melzack (1989).
7. Íd.
8. Íd.
9. Citado en Sacks (1985), capítulo 6.

nas personas que las perdieron siendo bebés o de muy pequeñas no tienen fantasmas. Ni los tienen los pacientes de lepra que van perdiendo dedos de las manos y pies conforme avanza la enfermedad. A diferencia de la pérdida traumática de esos dedos debido a accidentes o amputaciones, la pérdida ocasionada por la lepra es gradual, pudiendo tardar diez años o más. La pérdida del dedo es precedida por la degeneración gradual de los nervios y la ausencia de toda sensación en las partes afectadas. La lepra no es dolorosa, y las partes del cuerpo que degeneran pueden estar gravemente lesionadas o infectadas sin que el paciente les preste demasiada atención. Como consecuencia, hay que amputarles a veces esas estructuras. Pero inmediatamente después de la operación practicada en los muñones, o la amputación de una mano o un pie, se produce algo sorprendente. Incluso cuando los dedos leprosos han desaparecido veinte o treinta años antes, sin dejar fantasmas, ¡aparecen entonces de pronto vivas sensaciones fantasma en los dedos perdidos tanto tiempo antes![10]

Una de las primeras teorías sobre los fantasmas era que consistían en una especie de memoria. Se supuso en consecuencia que no debían sentirlos las personas nacidas sin algún miembro (aplasia), por ejemplo, por haber tomado su madre talidomida, un tranquilizante prohibido actualmente, durante el embarazo. Pero aunque la mayoría de las personas nacidas sin algún miembro no sienten fantasmas, al parecer entre un 10 y un 20 por ciento los sienten.[11] Hay quienes, nacidos sin manos, experimentan la presencia de unos dedos que pueden doblar. Otras personas, nacidas con los brazos cortados, tienen la sensación de que esos brazos son más largos de lo que son en realidad. Por ejemplo, un hombre al que le faltaba casi por completo el antebrazo derecho y tenía la mano adherida al codo, sentía subjetivamente que el brazo defectuoso era tan largo como uno normal.[12] A diferencia de la mayoría de los fantasmas originados por una amputación, los fantasmas de los miembros de ausencia congénita casi nunca duelen.[13]

FANTASMAS DE ÓRGANOS INTACTOS

Pueden producirse fantasmas cuando en vez de perder un miemro se pierde la *sensibilidad* en el mismo. En algunos accidentes de

10. Simmel (1956).
11. Weinstein y Sarsen (1961); Weinstein, Sarsen y Vetter (1964).
12. Vetter y Weinstein (1967).
13. Weinstein, Sarsen y Vetter (1964).

motocicleta, por ejemplo, el conductor sale disparado hacia la carretera de tal manera que se tuerce violentamente el hombro hacia delante, quedando los nervios del brazo arrancados de la médula espinal (lo que se denomina avulsión del plexo braquial). Se produce entonces un brazo fantasma, que ocupa por lo general el ahora inútil brazo existente, y está coordinado con él. Pero, cuando el paciente tiene los ojos cerrados, el fantasma puede separarse del brazo de carne y hueso y adoptar una existencia independiente. Y aunque el brazo material ya no es capaz de responder a la estimulación, el brazo fantasma suele doler muchísimo. En ocasiones se llega a amputar el brazo en cuestión tratando de aliviar ese dolor. Por desgracia para el paciente, suelen permanecer el brazo fantasma y su dolor.[14]

También experimentan fantasmas los parapléjicos que padecen sección de la médula espinal. Esos pacientes sufren una parálisis parcial, sin sensación ni control del cuerpo por debajo de dicha sección. Sin embargo, experimentan a menudo piernas y otros órganos fantasmas, incluyendo fantasmas de los genitales.

Normalmente los fantasmas de los parapléjicos se mueven en coordinación con el cuerpo, especialmente cuando tienen los ojos abiertos, pero hay parapléjicos que se quejan de que no pueden tener los fantasmas quietos. Por ejemplo, cuando las piernas fantasma «pedalean» continuamente, incluso estando la persona tendida inmóvil en la cama.[15]

Del mismo modo que pueden producirse esos fantasmas estando cortados los nervios, pueden hacerlo también cuando estos últimos están anestesiados. Este fenómeno se produce a menudo en el contexto de la cirujía ortopédica. Muchos pacientes que han recibido un anestésico local en la médula espinal experimentan la sensación de piernas fantasmas, en una proporción que depende del sitio de aplicación de la anestesia. En un estudio, tuvieron fantasmas el 10 por ciento de las personas con anestesia epidural, frente a un 55 por ciento de las que recibieron anestesia subaracnoidea.[16] Las piernas fantasma suelen estar parcialmente flexionadas, y por lo mismo, cuando esos pacientes descansan en decúbito, se alzan en el aire sobre sus piernas reales.

Asimismo, tras la anestesia de los nervios que van a los brazos desde el plexo braquial, aparecen brazos fantasma. Lo hacen incluso con más frecuencia que las piernas fantasma, y los experimen-

14. Melzack (1992).
15. Íd.
16. Bromage y Melzack (1974).

tan alrededor del 90 por ciento de los pacientes.[17] En un estudio experimental, se les pidió a los pacientes que iban a someterse a operaciones en un brazo o una mano, que hiciesen un comentario continuo referente al brazo anestesiado y que señalasen la posición de éste con el otro brazo. Entre los 20 y 40 minutos después de la inyección, había aparecido el fantasma:

> Con los ojos cerrados, el sujeto manifestó que sentía normal el brazo anestesiado tocante a su posición en el espacio; utilizando el otro brazo para indicarlo, lo situaba generalmente al lado del cuerpo, flexionado en el codo, o encima del vientre o la parte inferior del pecho. El brazo real yacía inerte en ese momento al lado del cuerpo. A veces el experimentador le movía lentamente el brazo anestesiado hasta ponerle el antebrazo y la mano al lado de la cabeza. Cuando el sujeto abría los ojos, se quedaba atónito al notar la discrepancia entre el brazo anestesiado real y su percepción del mismo. La realidad del brazo fantasma para esos sujetos era inequívoca... Algunos de ellos no reconocían su brazo real cuando lo veían levantado sobre la cabeza, y miraban con incredulidad ese brazo y el lugar donde percibían que estaba.[18]

Una vez que miraban el miembro anestesiado y se daban cuenta de la discrepancia existente, en la mayoría de los casos el fantasma se movía rápidamente hacia el miembro real, fundiéndose con él. Pero ese miembro fantasma volvía enseguida a su postura anterior cuando cerraban los ojos de nuevo. En cambio, en unos cuantos sujetos con anestesia fuerte no se produjo esa fusión ni siquiera cuando tenían los ojos abiertos: «El fantasma mantenía su posición imaginaria a pesar de la repetida instrucción de que mirasen el brazo real y se concentrasen en él».[19]

La mayoría de los pacientes anestesiados con brazos fantasma hallaron que podían moverlos a voluntad, sobre todo flexionando y extendiendo las manos y moviendo los dedos fantasma. Al ceder el efecto de la anestesia, desapareció la sensación de los fantasmas y volvieron al miembro en cuestión los movimientos activos.[20]

Se pueden producir también brazos fantasma experimentalmente colocando un manguito de presión, del tipo empleado por los médicos para medir la presión sanguínea, alrededor del antebrazo. Si se deja inflado el manguito durante el tiempo suficiente, el brazo

17. Melzack y Bromage (1973); Bromage y Melzack (1974).
18. Melzack y Bromage (1973), pág. 263.
19. Íd., pág. 271.
20. Íd.

se vuelve insensible. Y si los sujetos no pueden verse el brazo, pasados 30-40 minutos, la mayoría de ellos sentirán que lo tienen en una posición distinta de la real. Ese fantasma desaparece en cuanto se quita el manguito de presión y vuelve la sensibilidad.[21]

LA ANIMACIÓN DE LOS MIEMBROS ARTIFICIALES

Del mismo modo que los fantasmas que surgen cuando se cortan o anestesian los nervios pueden separarse de un miembro de carne y hueso y fundirse con él de nuevo, los fantasmas pueden fundirse también con los miembros artificiales. De hecho desempeñan un papel muy importante en la adaptación de la gente a las prótesis mecánicas que sustituyen los miembros o partes de miembros perdidos. En palabras de un investigador: «El fantasma funciona dentro del control y percepción de los movimientos del miembro artificial. Sin relación alguna al principio, los dos se reúnen, llegan a una coincidencia espacial, y el inerte apéndice recibe "vida" del fantasma animado».[22] Otro autor lo dice en palabras de molde: «El fantasma suele encajar en la prótesis como una mano en un guante».[23]

En los amputados que no llevan miembros artificiales, hay una tendencia a que el fantasma se acorte. Pero el uso de prótesis contrarresta ese acortamiento, y puede lograr incluso que un fantasma «encogido» vuelva a crecer. El ejemplo siguiente es de Weir Mitchell, el médico militar activo en la Guerra de Secesión estadounidense que introdujera el término «fantasma» *(phantom)* en la bibliografía médica:

> Como en un tercio de los casos de amputación de piernas y en una mitad de los de brazos, el paciente asegura que siente que el pie o la mano, según sea el caso, está más cerca del tronco que la extremidad del otro miembro... A veces sigue acercándose al tronco hasta que toca el muñón, o se sitúa aparentemente en su interior —la sombra dentro de la sustancia... Ahora bien, sería concebible que si, para permitir el movimiento, sustituimos el miembro perdido por un miembro artificial que no posea sensación, el sentido de la vista volvería a situar, dentro de nuestra conciencia, la mano o pie en su antigua posición. Esto es exactamente lo que se ha descrito en el caso de dos personas y observadores perspicaces que

21. Gross y Melzack (1978).
22. Feldman (1940).
23. Melzack (1992), pág. 120.

han perdido una pierna. Una de ellas, que debido a su actividad de trabajo tiene que ver cientos de personas amputadas cada año, me asegura que su experiencia es cosa común. Perdió una pierna a los once años, y recuerda que el pie fue acercándose gradualmente a la rodilla, hasta que terminó alcanzándola. Cuando empezó a usar una pierna artificial, recuperó con el tiempo su antigua posición, y hoy en día no se da cuenta nunca de que la pierna se le haya acortado, de no ser que, por algún motivo, hable del muñón o piense en él y en la pierna que le falta.[24]

Las personas que usan miembros artificiales suelen quitárselas para ir a la cama, y entonces el fantasma puede dolerles mucho. William Warner, un veterano estadounidense que perdió la pierna derecha por encima de la rodilla en Italia en 1944, describe su experiencia como sigue:

> Lo paso tan mal a veces que soy incapaz de dormir. Se lo he dicho a unos cuantos médicos, pero no pueden hacer gran cosa. A veces me levanto de noche, me pongo la pierna y ando un poco; eso me alivia algo. En cuanto me la quito, vuelve a empezar.

Oliver Sacks ha descrito un caso similar en el que el amputado pensaba explícitamente en su fantasma de dos maneras diferentes: el buen fantasma, que daba vida a su prótesis y le permitía andar, y el fantasma malo, que le dolía cuando se había quitado la prótesis de noche. Comenta Sacks: «En este paciente, en todos, ¿tiene algún sentido *no usarlo*, para conjurar un fantasma "malo" (tanto pasivo como patológico), si existe, o para conservarlo, si es "bueno"... vivo, activo y beneficioso?»[25]

EL FOLKLORE DE LOS FANTASMAS

Ha habido amputaciones desde hace miles de años. Se han hallado impresiones de manos con amputaciones de dedos en cuevas de España y Francia que datan nada menos que de 36.000 años, y se han hallado brazos artificiales enterrados con momias en Egipto.[26] Desde tiempo inmemorial ha habido sin duda pérdida de órganos como resultado de accidentes y de luchas. Se practicaban también amputaciones como castigo, como vemos en el antiguo código

24. Mitchell (1872), pág. 352.
25. Sacks (1985), pág. 66.
26. Barja y Sherman (1985).

hebreo, la famosa ley del talión, «ojo por ojo, diente por diente, mano por mano, pie por pie»,[27] y en el tradicional castigo islámico por hurtar, consistente en amputar el brazo derecho del ladrón. Por ese motivo podemos estar bastante seguros de que los fantasmas y los dolores fantasma no son en absoluto fenómenos nuevos, y de que han sido conocidos y comentados desde hace milenios. Y sería lógicamente de esperar que el folklore sobre esos fantasmas haya pasado hasta nosotros de generación en generación.

Es legendaria la sensibilidad de los amputados a los cambios meteorológicos, y este folklore se ve reforzado sin cesar por la experiencia. «Son frecuentes los movimientos involuntarios de los dedos ausentes de manos y pies, y en muchísimas personas son un anuncio infalible de un viento del este.»[28] Sería relativamente fácil investigar empíricamente la exactitud de esas predicciones meteorológicas, y averiguar también si se podría explicar en su totalidad en base a la temperatura, humedad, presión barométrica y demás factores puramente físicos.

Otros aspectos del folklore son más difíciles de cotejar, aunque no son menos fascinantes. Uno que aflora constantemente recuerda la conseja tradicional de que una parte separada del cuerpo mantiene una conexión con él mediante una especie de acción a distancia, o conexión no local. Topé por vez primera con ese modo de pensar cuando vivía en Malaisia. Un día, durante mi estancia en una aldea malaya, un *kampong*, me puse a cortarme las uñas y arrojaba los trozos cortados en un matorral cercano. Al verlo mis huéspedes quedaron horrorizados. Me explicaron que podía recogerlos un enemigo mío y utilizarlos para hacerme daño mediante brujerías. Se sorprendieron de que yo no supiese que las cosas malas que hicieran a las cortaduras de mis uñas podrían repercutir en que me ocurriesen desgracias.

Descubrí posteriormente que esas creencias están extendidísimas, y son uno de los principios fundamentales de la magia simpática, expresado concisamente por el antropólogo James Frazer como sigue: «Las cosas que han estado una vez en contacto entre sí, siguen influyéndose mutuamente de lejos tras haberse cortado el contacto físico».[29] Uno de los aspectos más fascinantes de la teoría cuántica es que el principio de la no localidad —expresado en la paradoja de Einstein, Podolsky y Rosen y en el teorema de

27. Éxodo 21:24.
28. Mitchell (1872), pág. 357.
29. Frazer (1911), vol. 1, capítulo 3, pág. 52.

Bell— viene a decir casi lo mismo tocante a los procesos físicos en el terreno subatómico.

En relación con los miembros fantasma, existe la creencia de que el destino del miembro cortado sigue afectando a la persona de la que fuera parte un día. Relatos que he recibido de lectores de la revista *Veterans of Foreign Wars* revelan que esa tradición sigue campando por sus respetos. Uno de ellos, William Craddock, explicaba cómo llegó a su conocimiento esa creencia de labios de su padre, que trabajaba como encargado de las calderas y de servicios de mantenimiento en un hospital de Jacksonville, Illinois:

> En los años cuarenta solía detenerme en el cobertizo de las calderas al regresar a casa de la escuela. Un día mi padre tenía una cosa envuelta en una tela sobre el banco de trabajo e intentó ocultarla cuando entré. Pude ver que la tela estaba ensangrentada, y cuando le pregunté a mi padre qué era, me dijo: «¡No te preocupes!». Me dijo después que era un miembro amputado y que acababa de envolverlo para cerciorarse de que nada de él quedaba doblado de manera no natural. Me dijo que sabía de un hombre que sufría un gran dolor por un brazo amputado hasta que, por último, lo desenterró y le enderezó los dedos. Y se le quitó el dolor.

Y ahora otro relato de un hombre que tenía un dedo amputado, conservado en un tarro:

> El hombre no tuvo problemas durante varios años. Después volvió a ver al médico que le había amputado el dedo, quejándose de una sensación de frío extremado en el dedo que le faltaba. El médico quiso saber dónde tenía el tarro con el dedo que le faltaba. El hombre le dijo que lo guardaba su madre en un sótano, bien calentado, donde había estado siempre. El médico le indicó que telefoneara a su madre pidiéndole que viese cómo estaba el dedo. La madre se resistía, pero lo hizo y halló una ventana rota en el sótano a unos centímetros del tarro. En cuanto se calentó aquel dedo en conserva, desapareció el dolor.

El psicólogo estadounidense William James llevó a cabo una revisión de casi 200 amputados en la década de 1880, y halló que las creencias de ese tipo estaban «muy extendidas».[30] Más recientemente, algunos psiquiatras han tratado de explicar el dolor fantasma como unas «fantasías» originadas en esa creencia. Un caso bibliográfico se refiere a un muchacho de 14 años que padecía un dolor intenso, abrasador, en el fantasma producido por la amputa-

30. James (1887).

ción de una pierna. Los psiquiatras descubrieron que el año anterior uno de los maestros del muchacho había comentado en la clase las amputaciones y relatado el caso de un hombre al que se le había desarrollado un gran escozor en un miembro fantasma. Habían desenterrado la pierna para descubrir la causa del dolor y descubrieron que las hormigas hacían túneles en la parte amputada. Según la historia, el dolor cesó en cuanto fueron eliminadas las hormigas y la pierna enterrada de nuevo cuidadosamente. A la luz de aquel caso el muchacho creía que la incineración de su pierna amputada era la causa del dolor abrasador en el fantasma.[31]

Otro caso psiquiátrico se refería a una joven que había sufrido la amputación de las dos piernas a los 16 años debido a un accidente de automóvil. Padeció después un dolor fantasma serio, también con un gran escozor. Sometida a hipnosis, recordó que en el momento de la operación le había dicho al cirujano que no quería que fueran incinerados los miembros amputados sino que los enterraran; y quería que se hiciera un funeral a sus piernas. El cirujano ignoró su ruego. El psiquiatra la trató sugiriéndole, bajo hipnosis, que a pesar de haber sido incineradas las piernas, seguían estando con ella en un sentido espiritual, aunque no en el sentido físico. «Informó de una creciente sensación de bienestar y daba la impresión de creer que, simbólicamente, se le habían devuelto ambas piernas.» El dolor fantasma desapareció por completo.[32] Se trata de uno de los pocos casos de cura total que he encontrado en la bibliografía médica.

Creencias similares están extendidas también en la Rusia de hoy en día, y probablemente en otras partes del mundo. Los escépticos creen, por supuesto, que tales creencias son meras supersticiones. Pero ¿cómo pueden estar tan seguros? Nadie ha hecho nunca los experimentos apropiados al caso. Aunque no es mi objetivo principal explorar la influencia de las partes amputadas en el dolor fantasma, vale la pena resaltar de paso que ese tema es desde luego susceptible de investigación empírica.

Esos experimentos no serían difíciles de llevar a cabo partiendo de la colaboración del cuadro profesional y los pacientes de algún hospital donde se quemen por rutina los miembros cortados sin consultarlo con los pacientes. En lo que respecta a este experimento, los miembros amputados se dividirían aleatoriamente en tres grupos. Se procedería a incinerar los miembros de uno de ellos

31. Frazier y Kolb (1970).
32. Soloman y Schmidt (1978).

como de costumbre; los del segundo se enterrarían derechos; los del tercero, flexionados. Podría hacerse esto siguiendo un método de doble anonimato, de manera que ni los pacientes ni los médicos conocieran el destino de los miembros amputados. En un seguimiento periódico se les preguntaría a los pacientes si tenían algún dolor, y en este caso, qué dolores. Si no hubiese diferencias significativas entre los grupos, quedaría en pie la hipótesis de los escépticos. Pero de haber diferencias tales como que los pacientes de los miembros incinerados tuviesen más escozores, y los de los miembros enterrados en posición flexionada sufrieran más que los pacientes cuyos miembros hubieran sido inhumados en posición recta, el folklore tradicional recibiría un apoyo experimental. Y se podría modificar correspondientemente la práctica médica, al menos hasta el punto de brindar a los pacientes cierto derecho a decidir sobre la manera de deshacerse de los miembros amputados.

LOS MIEMBROS FANTASMA Y LAS EXPERIENCIAS EXTRACORPÓREAS

¿Cómo se relacionan los miembros fantasma con las experiencias extracorpóreas? Las personas que pasan por estas experiencias se encuentran «fuera del» propio cuerpo, implícita o explícitamente dentro de una especie de cuerpo fantasma.[33] He aquí, por ejemplo, el relato de un hombre que se contempló sufriendo una operación a continuación de un accidente grave. Cuando le administraron un anestésico quedó inconsciente, pero la inconsciencia total no le duró mucho:

> Me vi a mí mismo —a mi ser físico— tendido allí. Contemplé, claramente definida, la mesa de operaciones. Yo en persona, cerniéndome ingrávido en el espacio y mirando hacia abajo desde arriba, vi mi cuerpo físico, tendido en la mesa de operaciones. Podía ver la herida de la operación al lado derecho del cuerpo, y ver también al médico con un instrumento en la mano que no puedo describir con más detalle. ¡Era tan real! Todavía puedo oír las palabras que gritaba yo sin parar: «¡Basta ya! —¿qué están haciendo ahí?».[34]

Algunas personas pueden incluso «salirse» de su cuerpo físico y moverse fuera de él a voluntad. Cuando termina esa experiencia «vuelven a entrar» en el cuerpo físico, y el cuerpo fantasma se fun-

33. Green (1868b) brinda un estudio admirablemente claro de este fenómeno.
34. Citado en Blackmore (1983), pág. 48.

de con él. Un viajero experto en «salirse del cuerpo» es Robert Munroe,[35] que imparte incluso cursos prácticos sobre este tema en su centro de Virginia, Estados Unidos, para enseñar a la gente a hacer viajes extracorpóreos. He aquí su propia descripción:

> Una experiencia extracorpórea implica una condición en la que uno se halla fuera de su cuerpo físico, plenamente consciente y capaz de percibir y actuar como si funcionara físicamente, con algunas excepciones. Puede moverse uno por el espacio (¿y el tiempo?), o bien despacio o también al parecer más allá de la velocidad de la luz. Uno puede observar cosas, tomar parte en lo que ocurre, tomar decisiones a su arbitrio en base a lo que uno percibe y hace. Uno puede desplazarse a través de la materia física, por ejemplo, de paredes, chapas de acero, hormigón, tierra, los océanos, el aire, incluso la radiación atómica sin esfuerzo ni efectos. Puede entrar en una habitación contigua sin molestarse en abrir la puerta. Puede visitar a un amigo que vive a 5.000 km. Puede uno explorar la Luna, el sistema solar o la galaxia, si eso le interesa.[36]

Las experiencias extracorpóreas son frecuentes en aquellas personas que han estado a punto de morir, y constituyen el punto de partida de las llamadas experiencias cuasimortales. He aquí lo que sintió un muchacho de 17 años que estuvo a punto de ahogarse cuando nadaba en un lago con otros amigos:

> Seguí subiendo y bajando como una boya, y de pronto sentí como si me encontrara fuera del cuerpo, lejos de todo, yo solo en el espacio. Aunque permanecía estabilizado y me mantenía al mismo nivel, veía mi cuerpo en el agua, subiendo y bajando como a un metro de distancia. Veía mi cuerpo desde atrás, lo veía ligeramente desde el lado derecho. Tenía todavía la sensación como de conservar toda la forma de mi cuerpo, aunque estaba fuera de él. Era una sensación etérea casi indescriptible. Me sentía como una pluma.[37]

Se sabe de experiencias en la mayoría de las culturas tradicionales, si no en todas. Incluso en las sociedades industriales modernas, distan de ser cosa rara. Repetidas encuestas nos revelan que entre un 10 y un 20 por ciento de la gente recuerdan haber tenido por lo menos alguna experiencia extracorpórea.[38]

---

35. Monroe (1973).
36. Monroe (1985).
37. Citado en Moody (1976), pág. 35.
38. Lorimer (1984). Pueden verse compilaciones de cientos de casos en Crookall (1961, 1964, 1972).

Todos tenemos experiencias parecidas en los sueños, cuando nos parece que hacemos grandes viajes por aquí y por allá aunque nuestro cuerpo físico está durmiendo en la cama. En sueños tenemos un segundo cuerpo, el cuerpo onírico. Podemos no ser conscientes de él todo el tiempo, como tal vez no lo seamos tampoco del cuerpo físico, aunque éste está implícito. En nuestros sueños tenemos una localización, un punto de perspectiva, un centro; podemos movernos, ver, oír y hablar. A veces nos sentimos particularmente conscientes del cuerpo onírico, por ejemplo en los sueños en que volamos o en los eróticos.

Algunas personas tienen sueños en los que saben que están soñando, conocidos como «sueños lúcidos»; siguen teniendo un cuerpo onírico, pero entonces pueden ir adonde quieren, y hasta cierto punto controlan su experiencia. Esos sueños se parecen mucho a las experiencias extracorpóreas, siendo la principal diferencia que se entra en ellos estando dormido, y en las segundas estando despierto.[39]

En la literatura esotérica, las experiencias de viaje en los sueños lúcidos y las extracorpóreas se conocen como «viajes astrales», y el cuerpo al que le ocurre eso se llama «cuerpo astral» o «cuerpo sutil». A algunas personas esta terminología les parece oscura o las saca de quicio; en el análisis que sigue haré referencia sencillamente al cuerpo «inmaterial».

Las semejanzas existentes entre el cuerpo inmaterial y los miembros fantasma son sorprendentes. Para empezar, el miembro fantasma parece ser subjetivamente real, y ocurre lo mismo con el cuerpo inmaterial, aunque se sabe que éste está fuera del de carne y hueso. En segundo lugar, el cuerpo inmaterial puede separarse del cuerpo normal y volver a entrar después en él, del mismo modo que en los parapléjicos y en los pacientes con nervios anestesiados, el miembro fantasma puede separarse del normal y entrar de nuevo en él. Y en tercer lugar, hay casos intermedios, especialmente cuando acaba de producirse una lesión en la espina dorsal: «Inmediatamente después de un accidente, el fantasma puede estar disociado del cuerpo real. Por ejemplo, una persona puede sentir como si tuviera las piernas levantadas sobre el pecho o la cabeza a pesar de que está viendo que se hallan tendidas sobre la carretera».[40]

El neurólogo Ronald Melzack ha sacado en conclusión, tras muchos años de estudiar fantasmas, que: «Es evidente que nuestra ex-

---

39. Green (1968 a); LaBerge (1985).
40. Melzack (1992), pág. 121.

periencia del cuerpo puede producirse en ausencia total del mismo. No necesitamos tener un cuerpo para sentirlo».[41] Esto constituye un asunto de experiencia inmediata para aquellas personas que se hallan transportadas fuera del propio cuerpo.

TEORÍAS SOBRE LOS FANTASMAS

¿Qué significa todo esto? La respuesta depende mucho de nuestra propia concepción del cosmos. Para algunas personas, el cuerpo inmaterial es un aspecto de la psique o alma, que anima normalmente al cuerpo físico, pero es capaz de separarse de él. Los miembros fantasma son aspectos del alma o psique. Tienen una realidad psíquica, no material. Se trata probablemente de la opinión tradicional más extendida. Nelson, el insigne almirante británico, perdió un brazo en la frustrada toma de Tenerife en 1797. Le encantaba decir que, para él, su brazo fantasma era una prueba de la existencia del alma.

Esa interpretación de los fantasmas sigue recibiendo el apoyo de muchos psíquicos, algunos de los cuales aseguran que ven el «aura» de los miembros que faltan.[42] En los círculos esotéricos, los miembros fantasma son considerados como aspectos del cuerpo «sutil», «astral» o «etéreo».

Y viceversa, desde el punto de vista de la mente contraída, los fantasmas y el cuerpo inmaterial son ilusiones generadas dentro del sistema nervioso. Los fantasmas no están donde parecen encontrarse: están en el cerebro. Para un materialista o mecanicista convencido, esta teoría del cerebro no es tanto una hipótesis como un artículo de fe: *tiene que* ser verdadera. La medicina institucional sigue bajo el dominio de la teoría mecanicista, y por lo mismo, la versión oficial, enseñada a los amputados por los médicos así como en los hospitales, es que el fenómeno fantasmal está situado dentro del cerebro.

Sin embargo, la localización exacta de los fantasmas ha demostrado ser notablemente elusiva. Al principio, la hipótesis predominante era que los miembros y dolores fantasma eran causados por la generación de impulsos por nervios situados en lo que quedaba de muñón, especialmente en los nódulos nerviosos que se forman en los extremos del corte, llamados *neuromas*. Se suponía que

41. Melzack (1989), pág. 4.
42. Por ejemplo, Karagalla y Kunz (1989).

esos impulsos, al fluir por la médula espinal hasta la corteza cerebral, generaban sensaciones en las regiones sensoriomotrices que eran «referidas» al miembro faltante. Esta teoría ha sido sometida a repetidas pruebas, con la intención de aliviar el dolor fantasma, mediante la sección quirúrgica de los nervios a partir de los neuromas, ya sea justo encima del neuroma o junto a las raíces, pegado a la médula espinal. Aunque a veces se produce un alivio temporal, los fantasmas persisten y el dolor suele volver. Por otra parte, la hipótesis del muñón no puede explicar por qué algunas personas nacidas sin miembros experimentan también fantasmas en ausencia de alguna lesión de los nervios.

La hipótesis siguiente trasladó la sede de los fantasmas del neuroma a la médula espinal, y sugería que los fantasmas surgían de un exceso de actividad espontánea de nervios situados en la médula espinal que habían perdido su alimentación normal desde el cuerpo. Se seccionaron diferentes conductos nerviosos dentro de la médula espinal intentando suprimir esos efectos, pero los fantasmas persistieron, y con ellos el dolor. Esta hipótesis está refutada asimismo por la experiencia de aquellos parapléjicos que han padecido una sección de la médula espinal en un sitio muy alto, por ejemplo, en el cuello. Algunos sienten dolores fuertes en las piernas y la ingle, pero las neuronas espinales que envían impulsos al cerebro desde esas zonas se originan muy por debajo del nivel de la fractura, lo que quiere decir que ningún impulso nervioso que se produjera dentro de ellas podría atravesar la fractura.[43]

Y ha habido que desplazar la fuente hipótetica de los fantasmas todavía más arriba, al encéfalo. Y se han extirpado áreas del tálamo y de la corteza cerebral que reciben impulsos nerviosos desde el miembro afectado, pero este último esfuerzo quirúrgico para eliminar el dolor ha fracasado también. Incluso cuando se han extirpado las partes apropiadas de la corteza sensoriomotora, el dolor suele reaparecer, ¡y sigue presente el fantasma![44]

Las versiones actuales de la teoría encefálica empujan la supuesta sede de los fantasmas todavía más arriba, en lo profundo de los tejidos cerebrales. Una hipótesis propone que el fantasma depende del modo con que las conexiones nerviosas se han reestructurado en el cerebro, «cambiando el mapa» de las zonas que anteriormente habían recibido los impulsos nerviosos procedentes del órgano amputado.[45] Pero el brote de nuevas conexiones nerviosas

43. Melzack (1992).
44. Íd.
45. Shreeve (1993).

tardaría semanas o meses, y los fantasmas pueden aparecer inmediatamente, como en el caso en que se anestesian los nervios que dan servicio a un miembro. Para eludir la necesidad de invocar el brote de nuevos nervios, otra hipótesis propone un rápido «desenmascaramiento de circuitos latentes» dentro de extensas regiones del cerebro.[46] Otra más propone que la imagen del cuerpo es generada por una complicada red de nervios existente en diferentes partes del cerebro, denominada neuromatriz. La neuromatriz «genera patrones, procesa la información que fluye a su través y, en último término, produce ese patrón que percibimos como el cuerpo entero».[47] Esa neuromatriz tiene unos «cables bastante duros». Aunque modificada por la experiencia, se la supone innata, dado que las personas nacidas sin miembros pueden tener los fantasmas de estructuras ausentes. Abarca una parte tan extensa en el cerebro, que destruir la neuromatriz «equivaldría a la destrucción de casi todo el cerebro».[48]

A esas alturas, la teoría cerebral de los fantasmas se convierte en prácticamente irrefutable. Si la extirpación de cualquier región particular del cerebro no sirve para suprimir el fantasma, hay que concluir que tiene que ser generado en otras partes del mismo. Se pueden postular de un modo indefinido sistemas «paralelos» o «secundarios» o «latentes», de manera parecida a cómo en la astronomía precopernicana se podían añadir siempre epiciclos a las supuestas órbitas de los planetas para explicar cualquier fenómeno dificultoso. La irrefutabilidad es una virtud para los creyentes convencidos, pero científicamente es un vicio.

Pensando en torno a los fantasmas, los investigadores médicos se han visto obligados una vez tras otra a postular conceptos tales como el «esquema postural», el «esquema corporal» o la «imagen corporal». Estos términos se introdujeron a principios de siglo como base teórica para explicar observaciones clínicas, pero su empleo ha sido siempre sumamente vago. En una revisión crítica de la doctrina del esquema corporal *(Körperbild)*, dos eminentes neurólogos alemanes han terminado concluyendo:

> No existe ninguna teoría bien definida y unitaria del esquema corporal. Por el contrario, distintos autores han desarrollado ideas sumamente diferentes basadas en premisas sumamente distintas, creadas para que sirviesen de explicación de diferentes fenómenos clínicos. Por otra parte, las

46. Íd.
47. Melzack (1989), pág. 9.
48. Íd., pág. 14.

pocas contribuciones realmente originales en este campo han estado sujetas a frecuentes malentendidos y distorsiones... Una vez establecida esa teoría, se dio a gran variedad de trastornos la denominación de «trastornos del esquema corporal». Se los utilizó entonces para probar la validez del concepto teórico. Esto es un caso clásico de *petitio principii* (petición de principio), donde una hipótesis servía para explicar otras hipótesis y viceversa. Muy rara vez se han hecho investigaciones experimentales para someter a prueba las hipótesis teóricas y su validez general sin atenerse a prejuicios.[49]

Los freudianos tienen sus interpretaciones particulares propias del esquema corporal. Éste existe dentro del «espacio-tiempo sensoriocerebral» e implica una «proyección mental del ego».[50] Los fantasmas son producto del inconsciente como resultado de un «deseo narcisista de mantener la integridad corporal frente a una pérdida realista o un rechazo de la castración simbólica de un órgano del cuerpo».[51] Esas teorías hacen aportaciones a la terminología, pero no nos dicen prácticamente nada sobre la naturaleza de la imagen corporal o de la mente inconsciente.

LOS FANTASMAS Y LOS CAMPOS

Todas las teorías científicas convencionales están enmarcadas dentro del paradigma de la mente contraída: los esquemas corporales, las imágenes y los fantasmas *tienen que* estar en el cerebro, independientemente de lo que diga la experiencia más inmediata. Sin embargo, si la mente se extiende dentro del cuerpo y fuera de él, no hace falta confinar la imagen corporal en el cerebro o incluso en el tejido nervioso. El miembro fantasma, en particular, podría no estar confinado en el cerebro, sino existir precisamente donde parece que existe: proyectándose fuera del muñón.

La mente extendida se parece a la idea tradicional de un alma que infunde y anima el cuerpo; pero creo que hoy en día lo que más ayuda es interpretar ese concepto a través de los campos. El cuerpo mismo está organizado e infundido por campos. Al igual que los campos electromagnéticos, los gravitacionales y los de materia cuántica, los campos morfogenéticos plasman su desarrollo y mantienen su forma. Al comportamiento y a la vida mental sub-

49. Poeck y Orgass (1971).
50. Fischer (1969).
51. Zuk (1956).

yacen unos campos del comportamiento, y mentales y sociales. De acuerdo con la hipótesis de la causalidad formativa, los campos morfogenéticos, del comportamiento, mentales y sociales son diferentes tipos del campo mórfico que contienen una memoria inherente, tanto del propio pasado de un individuo como de la memoria colectiva de un sinnúmero de otras personas que nos han precedido.

Aunque prefiero referirme a los campos de fantasmas como campos mórficos, la hipótesis que propongo someter a prueba ahora es más general. No me centro de momento en las características específicas de los campos mórficos, es decir su naturaleza habitual, configurada por la resonancia mórfica. Lo hago en la exploración de la idea, más general, de los campos como patrones organizadores del espacio y el tiempo. Propongo que esos campos están situados justo donde parecen estar los fantasmas. Esos campos pueden extenderse fuera del cuerpo de carne y hueso y proyectarse fuera del muñón.

UN EXPERIMENTO SENCILLO SOBRE LOS EFECTOS DEL TACTO DE LOS FANTASMAS

El experimento que propongo es análogo al de la sensación de que están mirándolo a uno, esbozado en el capítulo anterior. Del mismo modo que una persona puede verse afectada porque la miren, puede verse también afectada al ser «tocada» por un miembro fantasma. Sea cual sea la naturaleza del campo que subyace al fantasma, la persona «tocada» está organizada según campos similares, pudiendo interactuar los campos del amputado y del sujeto.

La forma más simple de hacer este experimento consiste en seguir el mismo método general de las pruebas de la sensación de ser mirado. El sujeto se sienta detrás de una persona con un brazo fantasma y, siguiendo una secuencia aleatoria, la persona del fantasma o bien no hace nada (control) o bien golpea al sujeto en el hombro con la mano fantasma. Se señala el comienzo de cada prueba con un click, zumbido u otra señal mecánica. El sujeto dice entonces si ha sentido o no el tacto fantasmal. Se anota el resultado y se le dice al sujeto si la respuesta es acertada. Esta retroalimentación puede permitir a los sujetos que aprendan la sensación, no familiar, del tacto fantasmal —si es posible aprenderla.

Por supuesto que, en el caso de los sujetos con piernas fantasma, en vez de los brazos, aquellos tratarán de detectar el tacto fantasmal del pie, una «patada fantasmal».

RESULTADOS DE UN EXPERIMENTO PRELIMINAR

Una de las personas amputadas que me escribieron tras leer mi artículo aparecido en el *Bulletin of the Institute of Noetic Sciences* fue Casimir Bernard, de Hurley, Estado de Nueva York. Había perdido la pierna derecha por debajo de la rodilla estando en servicio activo en Noruega, siendo miembro de la fuerza expedicionaria aliada en 1940. Ha trabajado desde entonces como experto en la fabricación de artículos electrónicos de la IBM. Estaba interesado ya en la investigación psíquica y le fascinaba practicar algún experimento para averiguar si podía tocar realmente a alguien con su pierna fantasma. Estimó preferible efectuar el experimento con un sujeto «sensible».

Estudió el tema con el doctor Alexander Imich, residente en la ciudad de Nueva York y químico retirado, el cual se puso en contacto con Ingo Swann, residente en la misma ciudad, que había tomado parte en una gran serie de experimentos parapsicológicos, aparentemente llenos de éxito, en el Stanford Research Institute de California. Los tres trabajaron juntos en el diseño y ejecución de una serie de pruebas, normalmente con Swann como sujeto e Imich como experimentador, y también con Imich de sujeto y Swann de experimentador. En esas pruebas el sujeto trataba de sentir la pierna fantasma de Bernard. Los experimentos fueron efectuados en varios días diferentes de marzo y abril de 1992.

Swann ha escrito el proyecto como «An informal report of a preliminary experiment to sense a "phanton limb"» (Presentación informal de un experimento preliminar para sentir un «miembro fantasma»). Agradezco a Ingo Swann, Alexander Imich y Casimir Bernard el permiso para citar este informe. He aquí la descripción de Swann del método seguido:

> El señor Casimir Bernard estaba sentado en una posición que le permitía alzar o bajar el miembro fantasma. El sujeto (Swann), con una capucha que le cubría la cabeza hasta los hombros, estaba sentado en una silla frente por frente al señor Bernard, en una posición que le permitía pasar la mano derecha hacia abajo y hacia atrás y delante por el miembro si éste estaba extendido hacia arriba. Se le pedía entonces al sujeto que dijera si su mano estaba en contacto con el miembro fantasma. El doctor Imich le indicaba silenciosamente con un dedo al señor Bernard que alzase o bajase, repetidamente, el miembro. Se utilizó un timbre para indicarle al sujeto que intentase cada prueba.

En vez de emplear un generador aleatorio de números para determinar si en cualquier momento dado había que alzar o bajar el fantasma, el experimentador improvisaba una secuencia de tipo aleatorio siguiendo la marcha del trabajo. El sujeto decía entonces si el miembro estaba allí o no. Se anotaban sus llamadas como acertadas o equivocadas, y podía también «pasar», es decir, no contestar. (Swann «pasó» en 17 de las 175 pruebas, Imich lo hizo en 11 de 96.) Si acertaba, se le decía. Existía de ese modo la posibilidad de que el sujeto aprendiese a darse cuenta de la presencia del fantasma en el curso del experimento.

He aquí los resultados promedio brutos que nos suministra Swann:

> *Swann:* de 158 intentos de llamada, 89 fueron acertados, cuando la casualidad habría hecho esperar 79.
> *Imich*: de 84 intentos de llamada, 46 fueron acertados, cuando la casualidad habría hecho esperar 42.

Swann se fijó también en el efecto del aprendizaje, que se ha hallado con frecuencia en los experimentos psíquicos hechos en el Stanford Research Institute. No es de sorprender que las habilidades psíquicas mejoren por lo general con el aprendizaje, lo mismo que las habilidades ordinarias. En sus propias palabras:

> Durante mi prolongada ocupación como diseñador de experimentos en el Stanford Research Institute, se estudiaron e identificaron muchas características indicadoras del aprendizaje para poder reforzarlas. Se averiguó que el aprendizaje psíquico progresa a través de episodios sutiles aunque predecibles, que al parecer mejoran mutuamente si se les refuerza con medidas adecuadas. Algunos de esos indicadores del aprendizaje son bien conocidos en los estudios de aprendizaje generales, pero otros son típicos del aprendizaje psíquico.

Swann señaló el número acumulativo de llamadas correctas en una gráfica que muestra también la línea que sería de esperar en base a la casualidad pura, con una mitad de aciertos y otra de errores (fig. 11). Siendo Swann el sujeto, el efecto de aprendizaje empezó a aparecer alrededor de la prueba 133. En las 25 pruebas que van de la n. 133 al final del experimento, Swann acertó 22 veces en contra de una expectación aleatoria de 12,5. (He examinado estadísticamente el conjunto entero de los datos, tomando la proporción de llamadas correctas en grupos sucesivos de diez pruebas y analizando la tendencia existente mediante la regresión lineal. La tendencia mostrada por Swann de acertar más a menudo hacia

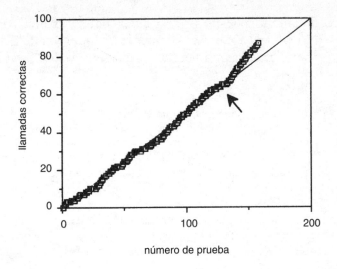

FIGURA 11.   Número acumulativo de veces que Swann acertó la presencia o la ausencia de la pierna fantasma de Bernard. Hasta alrededor de la prueba número 133 su número de aciertos no fue mejor que el aleatorio. Pero después de ese momento —indicado por una flechita— en el que dijo que se había dado cuenta de cómo percibía la pierna fantasma, mejoró su rendimiento. La línea recta señala la proporción de aciertos que habían sido de esperar en base a la casualidad pura.

el final de la prueba que al principio, en otras palabras, su efecto de aprendizaje, es estadísticamente significativo con una probabilidad de $p = 0,03$.)

Siendo Imich el sujeto, el rendimiento mejoró también con la experiencia, apareciendo el efecto de aprendizaje alrededor de la prueba 68. En las 17 pruebas que hubo desde ese punto hasta el final del experimento acertó 11 veces, frente a una expectación aleatoria de 8,5.

Y Swann señala: «Si hay que utilizar el promedio del total de-las pruebas para juzgar el éxito de este experimento, no se da entonces un éxito notable». Pero cuando se tiene en cuenta el efecto de aprendizaje, especialmente siendo sujeto el mismo Swann, el patrón de resultados «revela que se iba aprendiendo algo y que ese aprendizaje aumentaba progresivamente la capacidad de determinar si las manos del sujeto interactuaban con el miembro fantasma». Cuando empezó a evidenciarse el efecto de aprendizaje, Swann descubrió que era desagradable tocar el fantasma. Anteriormente no tenía la menor idea de si aquello sería agradable o no, pero después de hacer ese descubrimiento, halló que era más fácil sentir cuándo el fantasma estaba presente —y sus puntuaciones mejoraron.

De seguro que los escépticos querrán saber sobre la marcha si el efecto de aprendizaje no podría tener alguna explicación más directa. ¿No podría estar sencillamente en que el sujeto habría aprendido a utilizar el sonido u otras claves sensoriales? Swann mismo nos comenta:

> La visibilidad estaba excluida totalmente por la capucha, pero no se encontró ningún recurso factible para eliminar el oído. En ocasiones crujió la silla de Bernard, y el sujeto omitió la llamada en cada una de ellas porque sugerían un movimiento hacia arriba del miembro. La habitación de Imich estaba demasiado caliente y por lo mismo, las ventanas abiertas, lo que permitía oír los ruidos de las calles de Nueva York, y encubría a la vez el ruido en la habitación. Pero existe la impresión de que el experimento fue razonablemente seguro tocante a las claves sensoriales, porque de otro modo habría sido mucho más fácil conseguir un resultado positivo más pronto en el transcurso de las pruebas.

De todas maneras, no se logró excluir enteramente la posibilidad de que se produjesen claves sensoriales sutiles, ni la de que la manera con que el experimentador organizó la secuencia de las pruebas en vez de utilizar un método independiente de hallar el azar, introdujese algún sesgo sutil en los resultados.

Swann, Imich y Bernard hicieron circular este informe preliminar entre unos cuantos investigadores de parapsicología y medicina para que les diesen sus comentarios. El consenso general indicó que el experimento era interesante y los resultados alentadores, con la salvedad de que los experimentos futuros exigirían el empleo de un método independiente para asegurar la aleatoriedad, la eliminación de posibles claves sensoriales tales como el sonido, y algún tipo de control contra la posibilidad de que el efecto fuese telepático, implicando la captación de la intención del amputado de mover el miembro, o incluso una señal del experimentador, y no del fantasma mismo. Además, algunos investigadores hicieron hincapié en que no hacía ninguna falta un experimentador de ningún tipo. Se le podía proporcionar al amputado directamente la aleatoriedad de la secuencia, por ejemplo, mediante un juego de tarjetas de clave aleatorizadas, preparadas de antemano, y él podría registrar también los resultados.

Estoy de acuerdo con estos comentarios. Sugiero por mi parte para reducir la posibilidad de las claves sutiles hacer el experimento a través de una pared situada entre dos habitaciones, lo más insonorizadas posible. Si se puede detectar el fantasma cuando es emitido a través de la pared, se podrían eliminar la mayoría de los tipos de claves sensoriales.

El escéptico de dentro o de fuera seguirá esgrimiendo más argumentos. En vez de una mano o un pie fantasmal asomando a través de la pared y percibidos realmente por el sujeto, podría haber siempre alguna explicación física de sentido común. Una posibilidad obvia: podrían colarse a través de la misma algunas señales sónicas. Esto podría eliminarse del modo más simple pidiendo a los sujetos que se pongan tapones contra el sonido. Si el sonido es el culpable, esos tapones podrían reducir, si no suprimir del todo, la aparente capacidad del sujeto para sentir el fantasma. Otra posibilidad: podrían recibirse mensajes mediante alguna clase de vibración mecánica captada por el cuerpo entero y no por los oídos. Esto podría controlarse haciendo que los sujetos se sentasen sobre capas acolchadas con espuma u otro material amortiguador de las vibraciones. Y así sucesivamente. Las objeciones razonables de los escépticos se podrían eliminar una a una, en tanto que los sujetos pudieran conservar el suficiente interés y entusiasmo.

A fin de excluir la posibilidad de que los sujetos puedan captar telepáticamente lo que está pensando el amputado en vez de detectar el fantasma mismo, se podría incluir otro tratamiento experimental, y practicar las pruebas de tres maneras en vez de dos:

1. Control: el fantasma en posición de reposo, como antes. El amputado piensa en alguna otra cosa.
2. Con el fantasma extendido, como antes.
3. El amputado piensa en mover el fantasma, pero sin hacerlo en realidad. Además el amputado podría influir en el sujeto para que sintiese el fantasma.

Tales experimentos revelarían si existe en realidad algún efecto de tacto fantasmal situado por encima de cualquier efecto posible de pensamiento o sugestión.

En mi sugerencia original de este experimento, propuse que el sujeto fuese pasivo, y tratase de responder al tacto fantasma del amputado. Sin embargo, el método utilizado en el experimento de Bernard-Imich-Swann implica la percepción activa del fantasma, y esto podría constituir en general un método mejor. La percepción activa podría ser especialmente apropiada si los sujetos fuesen practicantes del «toque terapéutico» u otras formas de sanación sutil, lo que podría hacerlas ser extraordinariamente sensibles a los fantasmas. El toque terapéutico es práctica corriente de miles de enfermeras y se enseña en muchos programas de enseñanza básica de enfermeras en los Estados Unidos. En respuesta a mi solicitud de información, la doctora Barbara Joyce, directora del programa de graduación de enfermeras del New Rochelle College, de Nueva York, me ha escrito sobre su experiencia con dos mujeres que habían sufrido amputación de piernas. Ella trató de reducir el dolor y la incomodidad en sus piernas fantasma.

> En ambos casos las pacientes informaron de que el toque terapéutico aplicado al campo del miembro faltante reduce las sensaciones de escozor y dolor. Aunque con más claridad en una de ellas, pero también en algún grado con la segunda, fui capaz de «sentir» el miembro fantasma o faltante, y mi estimación de su localización en el espacio se corresponde con la «sensación» del paciente de dicha localización.

Es posible que, no sólo los terapeutas del contacto experimentados, sino la gente en general lograsen mejores resultados si se dedicaran a procurar activamente la sensación del fantasma en vez de esperar pacientemente a ser tocados por él. Por ese motivo, sugiero la adopción de un diseño experimental en el que el sujeto busque la sensación del fantasma en una región particular del espacio e informe de si está allí o no. En unas pruebas preliminares en las que el sujeto trata de aprender el modo de hacerlo, se pueden hacer las mismas en la misma habitación, como en el experimento de Bernard-Imich-Swann. Pero posteriormente, cuando la tarea es ya más familiar, las pruebas se pueden hacer a través de una pared, señalando en ella el sitio por donde hay que hacer pasar el fantasma. En algunos ensayos, el fantasma estará allí; en otros no estará; y en otros, el amputado se limitará a imaginar que está allí. Se determinará la secuencia de esas pruebas con unos métodos de aleatorización estándar. El sujeto señalará entonces si siente o no al fantasma, y se le indicará cuándo su llamada es correcta.

UNOS CUANTOS EXPERIMENTOS MÁS

1. Si existe sensación del fantasma tras la penetración de una barrera, se podrán experimentar seguidamente los efectos de varios tipos de barrera. ¿Es capaz el fantasma de pasar a través de láminas de metal? ¿Puede atravesar material imantado? ¿Puede pasar a través de cables con corriente eléctrica? Y así sucesivamente.

2. Si otras personas pueden percibir los fantasmas, ¿puede ocurrir el caso contrario? ¿Puede sentir un amputado cuándo una persona está «tocando» su miembro fantasma o pasando la mano por él? Un experimento de esta índole puede someterse a controles similares a los ya descritos.

3. ¿Puede ser detectado el fantasma por distintos animales? En unas pruebas preliminares, informales, los amputados pueden tratar de tocar a sus animales de compañía con su miembro fantasma. Por ejemplo, si se toca con la mano un gato o un perro o un caballo que estén durmiendo, ¿hacen éstos algún movimiento?

En este contexto, he oído de labios del señor George Barcus, de Toccoa, Georgia, que su continuo acompañante, una perrita, «no quiere entrar en el espacio de la pierna que me falta. Se niega a tumbarse en el espacio que deja vacío la pierna».

Valdría la pena también hacer experimentos con animales pequeños de esos que son particularmente sensibles a la presencia humana, que reaccionan alarmados cuando se les acerca una persona. Los ratones son un ejemplo, las cucarachas, otro. Si una mano fantasma llega hasta una jaula donde hay animales de esos a través de una barrera ¿dan muestras de algún tipo de reacción de alarma? Las grabaciones en vídeo pueden servir para hacer un análisis detallado de cualesquiera cambios producidos en su comportamiento.

4. ¿Puede ser detectado un fantasma por medios físicos? Por ejemplo, ¿afecta el funcionamiento de piezas sensibles de algún aparato físico? El modo más sencillo de hacer pruebas iniciales consistiría en hacer entrar el fantasma en radios, televisores, ordenadores u otros aparatos fácilmente disponibles. ¿Se producen efectos observables de algún tipo? Se podrían hacer pruebas más sensibles introduciendo el fantasma en instrumentos de medición eléctrica o magnética, o contadores Geiger, espectrómetros de masa, máquinas de resonancia magnética nuclear, cámaras de burbujas utilizadas para detectar partículas subatómicas, etc., o poniéndolo cerca de los mismos. Si el fantasma interactúa con el instrumento en cuestión, deberán producirse diferentes lecturas en su presencia y ausencia respectivamente. Y si aparecieran tales diferencias, quedará el camino abierto para una investigación cada vez más sofisticada de las propiedades físicas del fantasma.

5. ¿Puede detectarse el fantasma con la fotografía de Kirlian? Esta técnica fotográfica utiliza corriente alterna de alto voltaje y se basa en el registro de unas descargas eléctricas sobre la película.[52] Es muy popular en los círculos de la Nueva Era para «fotografiar el aura», y en muchos festivales y ferias psíquicas de la misma puede conseguir uno que le fotografíen el «aura» de la mano; el precio suele incluir una interpretación del estado emocional del fotografiado. Una de las imágenes más conocidas, aparecidas en li-

52. Véanse detalles técnicos en Dumitrescu (1983).

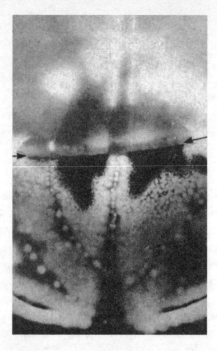

FIGURA 12.   Una «hoja fantasma». La parte superior de esta hoja se cortó siguiendo la línea indicada por las flechitas, y se la fotografió acto seguido mediante el método de Kirlian. Obsérvese la presencia de una imagen espectral de la parte faltante. (De una fotografía de Kirlian tomada por Thelma Moss.)

bros y artículos sobre la fotografía de Kirlian es la llamada hoja fantasma. Tras haber cortado parte de la hoja, sigue apareciendo en la imagen de Kirlian un fantasma de la parte cortada (fig. 12). Se trata de un resultado notable, que daría a entender la posibilidad de fotografiar también miembros fantasma, dedos, por ejemplo.

Pero pueden existir problemas serios. El efecto de la hoja fantasma puede deberse sencillamente a un error elemental. Si el fotógrafo pone primero la hoja sobre la película y corta a continuación parte de ella, quedaría una impresión húmeda de la parte cortada. La imagen aparecida en la fotografía se debería sencillamente a la humedad dejada por ella en la película.[53] Se da el caso de que incluso pedazos de papel secante húmedos dejan un «aura» en una fotografía de Kirlian, y si se pone primero el papel secante sobre la película y después se corta parte de él, aparecen en esas fotografías imágenes de papel secante fantasma.

Aunque se han producido de ese modo algunas imágenes del

53. Chaudhury, Kejariwal y Chattopadhyay (1980).

«fantasma de la hoja», pueden aparecer también imágenes de fantasmas cuando se corta la hoja *antes de* ponerla sobre la película. Pero no siempre. Ese efecto es elusivo, y mientras algunos experimentantes pueden conseguir imágenes fantasma con bastante frecuencia, otros lo consiguen muy rara vez o nunca.[54] Se ha intentado ya bastantes veces detectar miembros y dedos fantasma con ese método, pero sin éxito hasta ahora.[55] O sea que, aunque no son muy halagüeñas las expectativas en esta línea investigativa, valdría la pena hacer algunos intentos más.

6. ¿Puede afectar el fantasma la germinación de semillas o el crecimiento de microorganismos? Se podrían hacer pasar miembros fantasma a través de bandejas con semillas en germinación, o de placas de Petri con cultivos bacterianos. ¿Se desarrollan las muestras tocadas por el fantasma de un modo significativamente distinto de los controles no tratados? ¿Se producen más o menos mutaciones en los cultivos bacterianos que en los de control no tocados por el fantasma? De ser así, ¿las exposiciones más frecuentes o prolongadas al fantasma ejercen más efecto que un solo y breve contacto? Y así sucesivamente.

RELACIÓN DE LA MENTE Y EL CUERPO

La cuestión subyacente a estos experimentos reza así: ¿Cuál es la relación existente entre la mente y el cuerpo? ¿Se extiende nuestra mente por todo el cuerpo, o se halla confinada en el cerebro? Existe claramente la *impresión* de que se extiende por el cuerpo entero. Si, por ejemplo, siento un dolor en el dedo gordo del pie, lo experimento en ese dedo, y no en el cerebro. De un modo similar, experimento mi percepción general del cuerpo como algo que existe en el cuerpo entero y no sólo dentro de mi cabeza. Sin embargo, la opinión convencional reza que esas sensaciones subjetivas se producen dentro del cerebro y son un aspecto o epifenómeno de los procesos encefálicos.

En circunstancias normales no se puede hacer gran cosa para separar la experiencia de un miembro del miembro físico mismo. Pero esa separación se produce después de las amputaciones, o de la sección de nervios, o tras algunos tipos de anestesia. Es entonces cuando se puede disociar el miembro fantasma del miembro físi-

54. Hubacher y Moss (1976); Krippner (1980); Stillings (1983).
55. Stanley Krippner, comunicación personal, 14 de julio 1993.

co. Todo el mundo está de acuerdo en que ese miembro fantasma tiene una realidad subjetiva. Pero ¿qué cosa subyace a esa realidad? ¿La experiencia de ella se produce únicamente dentro del cerebro? ¿O está asociada a unos campos extendidos que impregnan el cuerpo y que siguen existiendo incluso cuando se extirpa una estructura de éste, del mismo modo que los campos que rodean un imán siguen existiendo después de haber retirado las limaduras de hierro que revelan su presencia?

Los experimentos prouestos en este capítulo están diseñados para investigar si ese miembro fantasma «subjetivo» puede tener efectos «objetivos». De tenerlos, habrá que considerar a los fantasmas como algo más que unos meros procesos cerebrales y asociarlos con unos campos situados donde da la impresión de existir el fantasma.

La cuestión siguiente sería la naturaleza de esos campos. ¿Son unas extensiones de campos físicos de tipo conocido, como los campos electromagnéticos o de la materia cuántica? ¿Se trata de campos mentales? ¿Son campos mórficos, dotados de una memoria inherente? ¿Son todas estas cosas a la vez?

Pero evidentemente hay que contestar primero la pregunta principal suscitada en este capítulo: ¿Pueden tener los fantasmas unos efectos detectables? Nadie lo sabe todavía.

Conclusiones de la segunda parte

Si las personas son capaces de decir realmente cuándo están mirándolas y si los miembros fantasma pueden ejercer efectos detectables, habría que echar a un lado el paradigma de la mente contraída. La mente saldría entonces hacia fuera a través de los sentidos, proyectándose mucho más allá de la superficie del cuerpo. Impregnaría el cuerpo, animándolo de algún modo. No podríamos decir ya que la mente está encerrada en el cerebro. Habría que liberarla de su angosto confinamiento, rompiendo de ese modo el ensalmo de Descartes.

Habría que ver desde una perspectiva nueva la relación existente entre la mente, el cuerpo y su entorno. Se abrirían de par en par grandes áreas nuevas a la investigación médica, psicológica y filosófica. La parapsicología se hallaría en medio de un entorno científico favorable en vez de la hostil atmósfera que conocemos. Habría que revaluar todo un acervo folklórico. Empezaría a amanecer un nuevo modo de entender la psique. Y empezarían a desintegrarse las conocidas separaciones existentes entre el espíritu y la materia, la mente y el cuerpo, el sujeto y el objeto.

Por otra parte, los experimentos que proponemos podrían fracasar. Podrían no revelar la existencia de algún tipo de conexión o comunicación desconocido hasta ahora a los físicos. Los escépticos quedarían justificados. Y aquellos escépticos que creen en la importancia de la indagación empírica verían con buenos ojos estos intentos de someter a prueba sus suposiciones.

Ilusiones científicas

Introducción a la tercera parte

Ilusiones de la objetividad

PARADIGMAS Y PREJUICIOS

Muchas personas no científicas de profesión sienten un respeto sacrosanto al poder y aparente certidumbre del conocimiento científico. Ocurre así también con la mayoría de los estudiantes de materias científicas. Los libros de texto están repletos de hechos aparentemente indiscutibles y de datos cuantitativos. La ciencia da la impresión de ser objetiva por esencia. Por otra parte, la creencia en la objetividad de la ciencia es como un dogma para muchas personas modernas. Es cosa fundamental para la visión cósmica de los materialistas, racionalistas, humanistas seculares y todos los demás que propugnan la superioridad de la ciencia sobre la religión, la sabiduría tradicional y las artes.

Esta imagen de la ciencia rara vez es objeto de discusión explícita por parte de los científicos mismos. Tienden a asumirla implícitamente y darla por descontada. Pocos científicos muestran suficiente interés por la filosofía, la historia o la sociología de la ciencia, y se le concede un menguado espacio a estas materias dentro del atiborrado programa de los cursos científicos. En su mayoría asumen sencillamente que mediante el «método científico» se pueden someter experimentalmente a prueba las teorías de un modo objetivo a salvo de cualquier contaminación de sus propias esperanzas, ideas y creencias. A los científicos les gusta contemplarse como paladines de una audaz e intrépida búsqueda de la verdad.

Semejante enfoque implica hoy en día mucho cinismo, aunque creo que hay que reconocer la nobleza de ese ideal. En tanto que el empeño del científico esté iluminado por ese espíritu heroico es digno del mayor encomio. Sin embargo, en la realidad, la mayoría de los científicos se han convertido hoy en día en unos servidores de los intereses militares y comerciales.[1] Casi todos tratan de hacer carrera dentro de las instituciones y organizaciones profesionales. El temor a verse relegados profesionalmente, al rechazo de sus artículos en las revistas doctas, a la pérdida de subvenciones, y a la sanción definitiva del despido son muy poderosos factores disuasivos contra la tentación de alejarse demasiado de la ortodoxia del momento, al menos en público. Muchos de ellos no se sienten lo suficientemente seguros para airear su opinión verdadera hasta que no se han jubilado, o recibido un premio Nobel, o ambas cosas.

Las dudas del vulgo tocante a la objetividad de los científicos se ven compartidas ampliamente, por motivos más sofisticados, por los filósofos, historiadores y sociólogos de la ciencia. Los científicos forman parte de sistemas sociales, económicos y políticos de mayor envergadura; constituyen grupos profesionales con sus propios métodos iniciáticos, presiones de compañeros, estructuras de poder y sistemas de recompensa. Trabajan por lo general en el contexto de paradigmas o modelos de la realidad establecidos. E incluso dentro de los límites impuestos por el sistema de creencias científicas prevaleciente, no se dedican a buscar los hechos puros y desnudos por su propio atractivo: hacen conjeturas o hipótesis sobre el modo de ser de las cosas, y después las someten a experimentación. Normalmente esos experimentos están motivados por el deseo de apoyar una hipótesis de su gusto o para refutar una hipótesis rival. El objeto, e inclusive los hallazgos de la investigación que se practica, se ve muy influido por las expectaciones, conscientes o inconscientes, de los investigadores. Las críticas feministas detectan además un fuerte sesgo machista, a menudo inconsciente, en la teoría y la práctica de la ciencia.[2]

Muchos científicos profesionales, como son los médicos, psi-

---

1. Véase un análisis esclarecedor en Suzuki (1992).
2. Keller (1985).

cólogos, antropólogos, sociólogos, historiadores y académicos en general, son muy conscientes de que la objetividad destacada constituye más un ideal que un reflejo de la práctica real. En privado, la mayoría de ellos están dispuestos a aceptar que algunos de sus colegas, cuando no ellos mismos, ven influida su investigación por la ambición personal, las ideas preconcebidas, los prejuicios y otras fuentes de parcialidad.

La tendencia a hallar lo que uno busca tiene raíces profundas. Está basada en la naturaleza misma de la atención. La facultad de enfocar los sentidos de acuerdo con las intenciones es un aspecto fundamental de la naturaleza animal. El hallar lo que uno busca es una circunstancia esencial de la vida humana cotidiana. La mayoría de la gente se da perfecta cuenta de que la actitud de las demás personas afecta la manera en que interactúa con el mundo que la rodea. No nos sorprende que existan tales propensiones en los políticos ni la diferencia de ver las cosas que tiene la gente que pertenece a otras culturas. No nos sorprende hallar muchos ejemplos cotidianos de autoengaño en miembros de nuestra familia y entre los amigos y colegas. Pero se supone que el «método científico» se alza muy por encima de los prejuicios culturales y personales, dedicándose en exclusiva al manejo de hechos objetivos y principios universales.

Las predisposiciones en materia científica son más fáciles de identificar cuando reflejan prejuicios políticos, porque la gente de ideas políticas opuestas tiene grandes motivos para discutir las afirmaciones de sus opositores. A los conservadores, por ejemplo, les gusta hallar una base biológica de la superioridad de las clases y razas dominantes que afirme que sus diferencias son abrumadoramente innatas. En cambio, los liberales y socialistas prefieren oír hablar de un predominio de las influencias ambientales que atribuya las desigualdades existentes a los sistemas sociales y económicos.

En el siglo XIX este debate entre «la naturaleza y la crianza» se centró en la medición del tamaño del cerebro; en el siglo XX en las mediciones del coeficiente de inteligencia. Científicos eminentes firmemente convencidos de la superioridad innata del hombre sobre la mujer o de los blancos sobre otras razas, hallaban fácilmente lo que querían hallar. Paul Broca, por ejemplo, el anatomista cuyo nombre lleva hoy la región lingüística del cerebro, dogmatizaba que: «En general, el cerebro es más grande en los adultos maduros que en los ancianos, en los hombres que en las mujeres, en los hombres eminentes que en los de talento mediocre, en las razas superiores que en las inferiores».[3] Tuvo que superar muchos obstáculos objetivos para sostener su creencia. Por ejemplo, cinco eminentes catedráticos de Gotinga dieron su consentimiento para que se pesaran sus cerebros después de su muerte; como el peso de ellos resultó embarazosamente parecido al promedio, Broca afirmó campanudamente ¡que aquellos profesores no habían sido tan eminentes después de todo!

Otros críticos de un enfoque político más igualitario han sido capaces de demostrar que las generalizaciones basadas en los diferentes tamaños del cerebro o puntuaciones del CI se habían basado en una distorsión y selección sistemática de los datos. A veces los datos mismos eran de hecho fraudulentos, como en el caso de algunas de las publicaciones de sir Cyril Burt, un destacado propugnador de la opinión consistente en que la inteligencia es con mucho innata. En su libro, *The Mismeasure of Man (La falsa medida del hombre)*, Stephen Jay Gould rastrea la lastimosa historia de esos estudios, pretendidamente objetivos, de la inteligencia humana, poniendo de hincapié con cuánta persistencia se han vestido los prejuicios con atuendo científico. «Si —como creo haber demostrado— los datos cuantitativos están tan sujetos a las restricciones culturales como cualquier otro aspecto de la ciencia, no tienen ningún derecho especial para reivindicar la verdad definitiva.»[4]

UNA AMPULOSIDAD PRETENCIOSA

Una fuente pertinaz y omnipresente de esa engañosa objetividad está en el estilo en que se escriben los informes científicos. Dan la impresión de provenir de un mundo idealizado donde la ciencia es un ejercicio puramente lógico, libre de cualquier pasión humana. «Se ha observado...», «Se ha descubierto que...», «Los datos hallados revelan...», y así por el estilo. Se siguen enseñando esos formulismos a los pimpollos científicos en la escuela y la universidad: «Tómese un tubo de ensayo...».

Los científicos publican sus descubrimientos en artículos técnicos llamados también comunicaciones, en las revistas especializadas. En un ensayo justamente famoso, titulado «¿Es un fraude la comunicación científica?», el inmunólogo Peter Medawar ha puesto

---

3. Broad y Wade (1985), pág. 197.
4. Gould (1984), pág. 27.

de relieve que la estructura normativa de esos artículos brinda «una narrativa totalmente engañosa de los procesos de pensamiento que intervienen en la génesis de los descubrimientos científicos». En las ciencias biológicas, una comunicación típica empieza por una breve introducción que incluye una revisión de los trabajos importantes efectuados antes, después una sección sobre los «materiales y métodos», seguida de los «resultados» y por último una «discusión».

> La sección denominada «resultados» se compone de un torrente de información objetiva en el que es considerado de muy mal tono analizar la significación de los resultados que uno está obteniendo. Uno debe aparentar que su mente, por decirlo así, es un receptáculo virgen, un recipiente vacío presto a captar una información que afluye desde el mundo externo sin que haya revelado uno la razón de su afluencia. Uno reserva toda la valoración de las pruebas científicas respectivas para la sección de «análisis», y llegada ésta se reviste de una ostentación ridícula preguntándose a sí mismo si la información que ha compilado significa en realidad algo.[5]

Como es de suponer, las hipótesis a cuya demostración se encaminaban los experimentos, suelen venir de hecho al principio en vez de hacerlo al final. Desde que Medawar escribió ese pasaje, va habiendo un mayor reconocimiento consciente de la secuencia de los hechos, y una tendencia cada vez mayor a mencionar las hipótesis al comienzo de las comunicaciones. Pero siguen existiendo los mismos convencionalismos: una prosa gélida, narrada en tercera persona impersonal, como dando a entender que los datos son unos hechos esterilizados. Los profesionales de la ciencia se dan perfecta cuenta de que ese estilo es una especie de ficción; pero hoy en día se ha convertido en algo obligatorio para quien tenga pretensiones de objetividad, habiendo sido adoptado también por los tecnócratas y los burócratas.

Engaño de los demás —y de uno mismo

La falsa apariencia de objetividad llega al colmo cuando sus mismas víctimas se creen a salvo de ella. Junto a un laudable sentido de la honra, ha existido siempre en la ciencia experimental desde su comienzo mismo una tendencia a la santurronería.

5. Medawar (1968).

El deseo de hacer que prevaleciesen sus ideas llevó a todas luces a Galileo, a informar de unos experimentos que mal podían haber sido ejecutados tal como los describió. De esa manera existió una actitud ambigua hacia los datos desde el comienzo mismo de la ciencia experimental occidental. De una parte, los datos experimentales se erigieron en los árbitros supremos de la verdad, y de la otra, cuando era necesario, los hechos se subordinaron a la teoría, e incluso sufrieron una distorsión si no encajaban en ella.[6]

Un vicio similar afectó a otros gigantes de la historia de la ciencia, y no en último lugar a Isaac Newton. Abrumó a sus críticos con una exactitud de los resultados que no dejaba margen a la discusión. Su biógrafo Richard Westfall ha ilustrado documentalmente su manera de ajustar sus cálculos de la velocidad del sonido y la precesión de los equinoccios, y alteró la correlación de una variable en su teoría de la gravitación para presentar una exactitud aparente mejor que una parte en 1.000.

> No constituía la menor parte de la fuerza de persuasión de los *Principia* (Principios newtonianos) su deliberada pretensión de ofrecer un grado de precisión muy superior al correspondiente a su reivindicación legítima. Si los *Principia* establecieron el patrón cuantitativo de la ciencia moderna, sugieren asimismo una verdad menos sublime —que nadie es capaz de manipular el factor inflador de un modo tan efectivo como el maestro matemático mismo.[7]

Probablemente el tipo más común de engaño —y de engañarse uno mismo— depende del empleo selectivo de los datos. Por ejemplo, entre 1910 y 1913, el físico estadounidense Robert Millikan estuvo enredado en una discusión con un rival austríaco, Felix Ehrenfeld, a cuenta de la carga del electrón. Tanto los primeros datos de Millikan como de Ehrenfeld eran bastante variables. Descansaban en la introducción de gotas de aceite en un campo eléctrico y la medición de la fuerza de campo necesaria para mantenerlos en suspensión. Ehrenfeld sostenía que los datos demostraban la existencia de subelectrones con fracciones de la unidad de carga de un electrón. Millikan aseguraba que había una sola carga. Para refutar a su rival, publicó en 1913 una comunicación entera llena de resultados nuevos y precisos que apoyaban su propia opinión, y ponía de hincapié en cursiva que «no se trata de un grupo escogido de

6. Broad y Wade (1985), pág. 27.
7. Westfall (1973).

gotas, sino que representa el total de las gotas sometidas a experimento durante sesenta días consecutivos».[8]

Un historiador de la ciencia ha examinado recientemente los cuadernos de notas de laboratorio de Millikan, que revelan un panorama muy diferente. Los datos en sucio estaban adornados individualmente con comentarios como «muy bajo, algo está equivocado» y «bonito, publícalo».[9] Las 58 observaciones publicadas en su artículo habían sido seleccionadas de entre 140. Ehrenfeld siguió publicando entretanto todas sus observaciones, que siguieron mostrando una variabilidad mucho mayor que los datos escogidos de Millikan. Ehrenfeld fue tenido en menos mientras Millikan ganó el premio Nobel.

No cabe duda de que Millikan estaba convencido de que tenía la razón, y no quería ver perturbadas sus convicciones teóricas con unos datos desaliñados. Probablemente le ocurrió lo mismo a Gregor Mendel, cuyos resultados de los famosos experimentos hechos con el cultivo de guisantes resultan indigeriblemente buenos para ser ciertos, de acuerdo con el análisis estadístico moderno.

La tendencia a publicar sólo los resultados «mejores» y a maquillar los datos no se reduce en exclusiva desde luego a las figuras insignes de la historia de la ciencia. En la mayoría, si no todos los campos de ésta, unos buenos resultados tienden a favorecer mucho la carrera de la persona que los ha obtenido. Y en un entorno profesional sumamente competitivo y jerarquizado, se practican ampliamente distintas formas de mejorar los resultados, aunque no sea más que omitiendo los datos desfavorables. Se trata a todas luces de una práctica normal. Aparte de cualquier otra cosa, las revistas no propenden precisamente a publicar los resultados de experimentos problemáticos o negativos. De unos datos no muy claros o aparentemente no significativos se siguen unos créditos profesionales menguados.

No conozco ningún estudio formal sobre el porcentaje de datos de la investigación que se publican en realidad. En los campos que mejor conozco por mi experiencia personal, la bioquímica, la biología evolutiva, la fisiología de las plantas y la agricultura, estimo que sólo se seleccionan para su publicación alrededor del 5-20 por ciento de los datos empíricos. He preguntado a colegas de otros campos de la investigación tales como la psicología experimental, la química, la radioastronomía y la medicina, y obteni-

---

8. Broad y Wade (1985), pág. 34.
9. Íd.

do resultados similares. Cuando se descartan la gran mayoría de los datos en procesos de selección privados —a menudo el 90 por ciento o más— queda evidentemente todo un margen para que los sesgos y prejuicios teóricos personales actúen tanto consciente como inconscientemente.

La publicación selectiva de datos crea un contexto en el que el fraude y los espejismos se convierten en una cuestión relativa. Por otra parte, los científicos suelen considerar sus cuadernos de notas y archivos de datos como cosa privada, y tienden a resistirse a los intentos de sus críticos y rivales de tener acceso a ellos. Cierto es que se supone generalmente que un investigador está dispuesto, dentro de lo razonable, a poner sus datos a disposición de cualquier colega que exprese el deseo de verlos. Pero, según mi propia experiencia, este ideal está muy lejano de la realidad. En las distintas ocasiones en que he pedido a otros investigadores que me dejasen ver sus datos brutos, se me ha rehusado. Tal vez ello diga más sobre mí que sobre las normas científicas imperantes; pero uno de los poquísimos estudios sistemáticos hechos sobre este entrañable principio de la apertura, nos deja poca base para la confianza. El método empleado fue muy simple: la persona que lo llevó a cabo, un psicólogo de la Universidad del Estado de Iowa, escribió a treinta y siete autores de comunicaciones publicadas en revistas de psicología solicitando los datos brutos en que se basaban sus publicaciones. Cinco no contestaron. Veintiuno aseguraron que, desgraciadamente, habían extraviado o destruido inadvertidamente sus datos. Dos brindaron acceso sólo en condiciones muy restrictivas. Únicamente nueve enviaron sus datos en sucio; y cuando fueron analizados sus estudios, más de la mitad presentaban grandes errores empezando por las estadísticas.[10]

Es posible que no tengan nada que ocultar aquellas personas que rehúsan exponer sus datos en bruto al escrutinio; tal vez consideran sencillamente incómodo el explicar sus notas a otra persona, o sospechan de los motivos de la petición, o creen que ésta proyecta un baldón implícito sobre su honor. No es el propósito de este análisis sugerir que los científicos sean particularmente proclives al fraude y el engaño deliberados. Todo lo contrario: la mayoría de ellos son probablemente por lo menos tan honrados como la mayoría de los miembros de otros grupos profesionales, como los abogados, clérigos, banqueros y administradores. Pero los científicos tienen una mayor pretensión de objetividad, y al mismo

10. Íd., pág. 78.

tiempo una cultura que alienta la publicación selectiva de los resultados. Estas condiciones se prestan para el engaño deliberado de los demás, pero no creo que resida ahí la mayor amenaza para el ideal de la objetividad. El mayor peligro reside en el engaño de uno mismo, especialmente el autoengaño colectivo, estimulado por las suposiciones reinantes en torno a la existencia de una realidad objetiva.

Muchos científicos reconocen el potencial de pensamiento ilusionado existente en otros, y están muy dispuestos a desechar los resultados de la investigación hecha en campos heterodoxos como la parapsicología y la medicina holística, atribuyéndola al autoengaño, cuando no al fraude deliberado. No cabe duda que algunos de los que desafían las ideas ortodoxas pueden estar ensañándose ellos mismos. Pero no han causado gran daño al progreso de la ciencia, porque sus resultados o bien son ignorados, o se ven sujetos a un escrutinio sumamente crítico. Grupos organizados de escépticos, como el CSICOP o Comité de Investigación Científica de las Reivindicaciones de lo Paranormal, están dispuestos siempre a poner en duda los resultados que no encajan en su imagen cósmica mecanicista, y hacen todo lo que pueden para desacreditarlos. Los parapsicólogos están más que acostumbrados a esas críticas respuestas, y ello los hace abrir los ojos más de lo usual contra las añagazas posibles en los efectos de los experimentos y otras fuentes de parcialidad. En cambio, la ciencia convencional no está sujeta a un grado de escrutinio similar.

EL EXAMEN POR LOS COLEGAS, LA REPRODUCCIÓN Y EL FRAUDE

Los científicos, igual que los médicos, abogados y otros profesionales, se resisten por lo general a los intentos de parte de agentes exteriores a regular su conducta. Se precian mucho de su propio sistema de control. Incluye tres controles:

1. Las solicitudes de empleos y subvenciones están sujetas al examen de los colegas, para garantizar que los investigadores y sus proyectos cuentan con la aprobación de los profesionales establecidos.

2. Las comunicaciones presentadas a las revistas científicas deben superar el examen crítico de expertos en el tema, normalmente anónimos.

3. Todos los resultados publicados están sujetos potencialmente a una repetición independiente.

El examen a cargo de colegas y los métodos de arbitraje desempeñan sin duda un importante control de la calidad, y son sin duda eficaces con gran frecuencia, pero incluyen un sesgo implícito. Tienden a favorecer a los científicos e instituciones prestigiosos. La repetición independiente se lleva a cabo en realidad muy pocas veces, por un mínimo de cuatro motivos. Primero, en la práctica es difícil reproducir exactamente un experimento dado, aunque sólo sea porque las recetas son incompletas o no incluyen trucos prácticos. En segundo lugar, pocos investigadores tienen tiempo o recursos para repetir el trabajo de otras personas, especialmente si los resultados proceden de un laboratorio bien subvencionado e implican aparatos costosos. En tercer lugar, no hay por lo general motivación alguna para reproducir el trabajo de otros. Y en cuarto lugar, aunque se lleven a cabo unas reproducciones exactas, es difícil que se las publiquen a uno porque las revistas científicas favorecen la investigación original. Normalmente sólo se intenta la reproducción de los resultados obtenidos por otras personas cuando hay condiciones especiales, por ejemplo, cuando los resultados son de una importancia extraordinaria o cuando se sospecha que hay un fraude por algún motivo especial.

En tales circunstancias, los engaños pueden colarse fácilmente siempre que los resultados concuerden con las expectativas predominantes.

> La aceptación de los resultados fraudulentos es la otra cara de una conocida moneda: la resistencia a las ideas nuevas. Los resultados fraudulentos pueden ser fácilmente aceptados por la ciencia si se les presenta como es debido, si se ajustan a los prejuicios y expectativas predominantes, y si proceden de un científico debidamente cualificado, afiliado a alguna institución de elite. La ausencia de esas cualidades es el motivo de que la ciencia tienda a resistirse a las ideas nuevas. Sólo asumiendo de entrada que la lógica y la objetividad son los únicos guardianes de la ciencia puede sorprendernos aún un poquito el predominio y el frecuente éxito del fraude... Para los ideólogos de la ciencia el fraude es un tabú, un escándalo cuya trascendencia debe ser negada ritualmente en toda ocasión. A los ojos de las personas que ven la ciencia como una empresa humana dedicada a hallarle sentido al mundo, el fraude es una simple prueba de que esa ciencia vuela tanto con las alas de la retórica como con las de la razón.[11]

Una de las contadas áreas de la ciencia sometidas a una forma limitada de supervisión externa es el sometimiento a prueba por

---

11. Íd., págs. 141-142.

razones de seguridad de los nuevos alimentos, medicinas y pestici-
das. En los Estados Unidos la industria somete cada año muchos
miles de resultados experimentales a la revisión de la Food and Drug
Administration (FDA = Administración de alimentos y medicamentos) o a la Environmental Protection Agency (EPA = Agencia de protección del ambiente). Estas dos agencias están faculta-
das a enviar inspectores a los laboratorios que proporcionan los
datos. Y sacan a la luz continuamente resultados falsificados.[12]

Los casos de fraude descubiertos en las grandes «trastiendas sin
policía» de la ciencia rara vez son aireados por los mecanismos oficiales del examen de los colegas o por el arbitraje de las comunicaciones o por el teórico potencial de la reproducción independiente. Y aun en el caso de que fracasen los intentos de reproducir unos
experimentos, se suele achacar ese fracaso a la imposibilidad de reproducir las condiciones del experimento dado con la precisión
necesaria. Existe toda una gran barrera psicológica y cultural a la
hora de acusar de fraude a los colegas —a no ser que alguien tenga
fuertes motivos personales para sospechar de su integridad. La mayoría de los casos conocidos de fraude salen a la luz como resultado de algún «chivatazo» de colegas o rivales inmediatos, a menudo
a causa de algún agravio personal.[13] Cuando esto ocurre, la respuesta típica de los jefes de laboratorio y demás autoridades respon-
sables consiste en tratar de silenciar el asunto. Pero cuando las acu-
saciones de fraude no se esfuman, cuando las alegaciones se hacen
con la debida persistencia y en último término aparecen pruebas
abrumadoras, se procede a hacer una investigación oficial. Alguien
resulta culpable, y se le despide ignominiosamente.

La mayoría de los científicos profesionales niegan que tales in-
cidentes arrojen dudas sobre la ciencia instituida como tal; los ven
más bien como aberraciones aisladas cometidas por individuos des-
quiciados temporalmente por presiones o por esos psicópatas raros, pero inevitables, que hay. Y la ciencia se purifica mediante su
expulsión. Son chivos expiatorios en el sentido bíblico de la palabra. En el Día de la Expiación, el sumo sacerdote confesaba los
pecados del pueblo al tiempo que ponía las manos sobre ese ma-
cho cabrío. Acto seguido, el chivo expiatorio, cargado con las cul-
pas de todos, era expulsado de la comunidad al no menos bíblico
desierto, llevándose con él las iniquidades de la gente.[14]

Los científicos sienten generalmente la necesidad de mantener

12. Íd., pág. 81.
13. Íd.
14. Levítico 16: 20-22.

una imagen de sí mismos idealizada, no ya por motivos personales y profesionales, sino porque los demás proyectan también sobre ellos esa imagen. Hay muchas personas que ponen su fe en la ciencia en vez de la religión y necesitan de su autoridad, superior y objetiva. Y en tanto que la ciencia sustituye a la religión como fuente de la verdad y los valores, los científicos se convierten en una especie de casta levítica. Igual que ocurre con los sacerdotes en general, se produce entonces una expectativa pública de que estén a la altura de los ideales que predican: en el caso de los científicos, la objetividad, la racionalidad y la búsqueda de la verdad. «A algunos científicos se les distingue en sus apariciones en público porque desempeñan ese papel, que parece investirlos como unos cardenales de la razón que presentan la salvación a un público irracional.»[15] Se resisten también muchísimo a admitir que pueda existir cualquier cosa fundamentalmente mala en las creencias e instituciones que dan legitimidad a su propia posición. Aunque es relativamente fácil admitir que los individuos pueden errar, y purificar la comunidad arrojándolos de su seno, es mucho más difícil cuestionar las creencias e idealizaciones en que descansa el sistema entero.

Los filósofos de la ciencia tienden a idealizar el método experimental, y lo hacen también los mismos científicos. Su enjundioso estudio sobre el fraude y el engaño en la ciencia llevó a William Broad y Nicholas Wade a indagar qué es lo que ocurre realmente en los laboratorios en vez de lo que se supone que ocurre allí. Hallaron que la realidad es mucho más pragmática y empírica y que implica mucha prueba y error:

> Los competidores dentro de un campo dado ensayan muchos métodos diferentes, pero están siempre prestos a servirse de la receta que da mejor resultado. Siendo la ciencia un proceso social, cada investigador trata al mismo tiempo de progresar y de ganar aceptación para sus propias recetas, que representan su propia interpretación del campo... La ciencia es un proceso complejo donde el observador puede ver casi siempre lo que quiere con tal de que reduzca su visión lo suficiente... Los científicos son individuos y como tales tienen diferentes estilos y diferentes enfoques de la verdad. El estilo idéntico de toda la redacción científica, que parece salir de un método científico universal, es una falsa unanimidad impuesta por los convencionalismos actuales de la información científica. Si se les permitiera a los científicos expresarse con naturalidad al describir sus experimentos y teorías, se desvanecería probablemente al instante el mito de un método científico universal y único.[16]

15. Broad y Wade (1985), pág. 219.
16. Íd., pág. 218.

Estoy de acuerdo con este análisis. Y mi libro es una argumentación en pro de una investigación científica más democrática y pluralista, liberada de las convenciones impuestas a la ciencia institucional debido a su papel de Iglesia Establecida del orden secular mundial. Con todo, bajo cualquier forma que adapte la ciencia, seguirá dependiendo siempre de los experimentos.

EXPERIMENTOS SOBRE LOS EXPERIMENTOS

En este análisis he considerado hasta ahora los problemas generales causados por la ilusión de la objetividad. En los dos capítulos siguientes pasaré a esbozar unos experimentos dedicados a investigar la naturaleza misma de la investigación experimental.

En el capítulo 6 estudiaremos la doctrina de la uniformidad, que pone a los científicos en contra de ver en la naturaleza patrones o irregularidades inesperados. La constancia misma de las «constantes fundamentales» llega a convertirse en dogma de fe. Esas constantes, cuando se miden de hecho, fluctúan. El trato de las variaciones como errores aleatorios permite suavizar los datos, ocultando así las variaciones subyacentes detrás de una fachada uniforme. Sugiero un método para investigar empíricamente las variaciones que se observan.

En el capítulo 7 nos fijaremos en la influencia de las expectativas mismas. Pudieran éstas incluir muy bien sutiles influencias, que incluyen acaso a su vez efectos paranormales, en el sistema sometido a estudio. ¿Hasta qué punto nos dicen algo sobre la naturaleza los experimentos, y hasta qué punto se limitan a reflejar las expectativas del experimentador?

CAPÍTULO

6

La variabilidad de las «constantes fundamentales»

LAS CONSTANTES FÍSICAS FUNDAMENTALES Y SU MEDICIÓN

Las «constantes físicas» son unos números que emplean los científicos en sus cálculos. A diferencia de las constantes de las matemáticas, como la famosa π, los valores de las constantes de la naturaleza no se pueden calcular a partir de principios primarios; porque descansan sobre mediciones de laboratorio.

Como su nombre implica, se supone que las llamadas constantes físicas son inmutables. Se cree que reflejan una constancia subyacente en la naturaleza. Analizaremos en este capítulo cómo han cambiado de hecho los valores de las constantes físicas fundamentales en estas últimas décadas. Sugiero cómo se puede seguir investigando la naturaleza de esos cambios.

En los manuales de física y química aparecen enumeradas muchas constantes, tales como puntos de fusión y ebullición de miles de sustancias químicas, que ocupan cientos de páginas: por ejemplo, el punto de ebullición del alcohol etílico es 78,5 °C a una temperatura y presión estándar; su punto de congelación es de −117,3 °C. Pero unas constantes son más fundamentales que otras.

Tabla 1 Constantes fundamentales

Magnitud fundamental	Símbolo
Velocidad de la luz	c
Carga elemental	e
Masa del electrón	m_e
Masa del protón	m_p
Constante de Avogadro	N_A
Constante de Planck	h
Constante gravitatoria universal	G
Constante de Boltzmann	k

La lista anterior nos da las siete que se consideran en términos generales como realmente fundamentales (tabla 1).[1]

Todas estas constantes se expresan mediante unidades; por ejemplo, la velocidad de la luz se expresa en metros por segundo. Si las unidades cambian, lo harán también las constantes. Y esas unidades están hechas por el hombre, y dependen de definiciones que pueden cambiar de una época a otra: el metro, por ejemplo, fue definido inicialmente en 1790 por un decreto de la Asamblea Nacional Francesa como un diezmillonésimo del cuadrante del meridiano de la Tierra que pasa por París. El sistema métrico decimal entero se basó en el metro y fue impuesto por ley. Pero se descubrió que las mediciones originales de la circunferencia de la Tierra contenían un error. Entonces se procedió a definir el metro, en 1799, como la longitud de una barra normativa guardada en Francia bajo supervisión oficial. En 1960 volvió a ser definido el metro como la longitud de onda de la luz emitida por los átomos de kriptón; y en 1983 fue redefinida de nuevo a partir de la velocidad de la luz misma, como la longitud del trayecto recorrido por la luz en 1/299.792.458 de segundo.

E igual que ocurre con todos los cambios debidos a los cambios de unidades, los valores oficiales de las constantes fundamentales varían de cuando en cuando al hacerse nuevas mediciones. Proceden a ajustarlas continuamente los expertos y las comisiones internacionales. Los valores obsoletos son sustituidos por otros nuevos, basados en los últimos «valores óptimos» obtenidos en laboratorios por todo el mundo. Consideraremos en detalle más adelante cuatro ejemplos: la constante gravitatoria *(G)*, la velocidad de

1. Petley (1985).

la luz *(c)*, la constante de Planck *(h)*, así como la constante de estructura fina (α), que se deriva de la carga del electrón *(e)*, la velocidad de la luz y la constante de Planck.

Los valores «óptimos» son ya el resultado de una selección considerable. Para empezar, los experimentadores propenden a rechazar los datos inesperados aduciendo que deben ser errores. En segundo lugar, una vez que se han eliminado las mediciones más divergentes, se igualan las variaciones obtenidas en un laboratorio dado promediando los valores obtenidos en diferentes ocasiones, y el valor final es sometido todavía a una serie de correcciones un tanto arbitrarias. Por último se seleccionan, ajustan y promedian resultados procedentes de laboratorios de todo el mundo para lograr así el último valor oficial.

Las mediciones de las constantes fundamentales constituyen el feudo de unos especialistas llamados metrólogos. En tiempos pasados ese campo estaba dominado por individuos, como el estadounidense R. T. Birge, de la Universidad de California, situada en Berkeley, quien ostentó el cetro supremo desde los años veinte hasta los cuarenta. Hoy en día los valores finales son establecidos por comisiones internacionales de expertos. En cualquier momento dado, el valor oficial de las constantes depende de una serie de decisiones de los experimentadores en cuestión, de los decanos de la metrología y de las comisiones mencionadas. Dice Birge sobre ese proceso:

> La decisión referente al más probable valor en un momento determinado de una constante dada, exige necesariamente cierta dosis de criterio... De un modo similar, cada investigador hace uso de cierta dosis de criterio en la selección de sus datos y en las conclusiones definitivas a conseguir.[2]

LA FE EN LAS VERDADES ETERNAS

Como vemos, los valores de las constantes cambian en la práctica. Pero en teoría se las supone inmutables. Normalmente se echa a un lado, sin discusión, el conflicto surgido entre la teoría y la realidad empírica, porque se asume que todas las variaciones se deben a errores experimentales, y se asume que los valores últimos son los óptimos. Se trata a los metrólogos con una indulgencia in-

2. Birge (1929).

finita. Los valores «antiguos» de las constantes se abandonan y olvidan enseguida.

Pero ¿qué pasa si las constantes cambian *realmente*? ¿Qué ocurre si varía la naturaleza subyacente de la naturaleza? Antes de que podamos discutir siquiera ese tema, es necesario pensar en una de las asunciones más fundamentales de la ciencia tal como la conocemos: la fe en la uniformidad de la naturaleza. Para el creyente comprometido, tales cuestiones carecen de sentido. Las constantes *tienen que* ser constantes.

La mayoría de ellas han sido medidas sólo en esta pequeña región del Universo durante unas décadas, y las mediciones en sí han variado erráticamente. La idea de que todas las constantes son las mismas en todas partes y siempre no constituye una extrapolación de los datos. Si *fuere* una extrapolación, sería algo monstruoso. Los valores de las constantes tal como se miden hoy en la Tierra han cambiado considerablemente en los últimos cincuenta años. Asumir que no hubiesen cambiado durante 15.000 millones de años en ninguna parte del Universo va mucho más allá de lo que permiten las exiguas pruebas. El hecho de que esa asunción se cuestione tan poco, se dé por sentada con tal facilidad, revela la fuerza de la fe de los científicos en las verdades eternas.

De acuerdo con el credo tradicional de la ciencia, cuanto existe está gobernado por leyes fijas y constantes eternas. Las leyes de la naturaleza son las mismas en todos los tiempos y lugares. Trascienden de hecho el espacio y el tiempo. Se parecen más a las ideas eternas —en el sentido de la filosofía platónica— que a unas cosas que evolucionan. No están hechas de materia, energía, campos, espacio o tiempo; no están hechas de nada. En dos palabras, son inmateriales y no físicas. Al igual que las ideas platónicas, subyacen a todos los fenómenos como su razón o *logos* oculto, trascendiendo al espacio y al tiempo.

Por descontado que todo el mundo está de acuerdo en que las leyes de la naturaleza formuladas por los científicos cambian de tiempo en tiempo, al ser sustituidas parcial o totalmente las viejas teorías por otras nuevas. Por ejemplo, la teoría newtoniana de la gravitación, que dependía de la actuación de las fuerzas a una distancia en un tiempo y espacio absolutos, fue sustituida por la teoría einsteiniana del campo gravitatorio, consistente en curvaturas del espacio-tiempo mismo. Pero tanto Newton como Einstein compartían la fe platónica de que, bajo las cambiantes teorías de las ciencias naturales, hay unas auténticas leyes eternas, universales e inmutables. Y ninguno de ellos desafió la constancia de las constantes: más aún, los dos dieron gran prestigio a esta asunción, Newton a través de la introducción de la constante gravitatoria universal, y Einstein a base de tratar la velocidad de la luz como un absoluto. En la moderna teoría de la relatividad, c es una constante matemática, un parámetro que relaciona las unidades empleadas para el tiempo con las unidades empleadas para el espacio; su valor es fijo por definición. La cuestión referente a si la velocidad de la luz difiere en realidad de c, aunque teóricamente concebible, parece ser de un interés periférico.

Para los padres fundadores de la ciencia moderna, como Copérnico, Kepler, Galileo, Descartes y Newton, las leyes de la naturaleza eran ideas inmutables existentes en la mente divina. Dios era un matemático. El descubrimiento de las leyes matemáticas de la naturaleza era una penetración directa en la eterna mente de Dios,[3] los físicos se han hecho eco desde entonces de sentimientos similares.[4]

A fines del siglo XVIII muchos intelectuales respaldaron una creencia conocida como deísmo, que incluía una deidad remota, racional y matemática despojada de los dificultosos atributos del Dios de la Biblia. Aquel Ser supremo era conocible mediante la razón humana sin necesidad de la divina revelación ni de las instituciones religiosas. El Dios del deísmo había creado ante todo el Universo, pero después no desempeñó ningún papel activo. Todo se producía automáticamente de acuerdo con las leyes y constantes de la naturaleza. Esas leyes, al ser aspectos de la mente divina, participaban en los atributos divinos; eran absolutas, universales, inmutables y omnipotentes.

Desde principios del siglo XIX en adelante, el deísmo fue cediendo espacio progresivamente al ateísmo. Dios se convirtió en una «hipótesis innecesaria», en palabras del físico francés Henri Laplace. La enternidad de la materia y la energía estaba garantizada por los principios de conservación de la materia y la energía; y se dieron sencillamente por sentadas la eternidad de las leyes de la naturaleza y la constancia de las constantes. Los inmateriales principios matemáticos de la naturaleza eran de alguna manera cuasietéreos, autónomos y misteriosamente antropomórficos —y potencialmente reconocibles por los matemáticos.

Hasta los años sesenta, el universo de la física ortodoxa seguía siendo eterno. Pero las pruebas de la expansión del Universo habían

---

3. Analizado en Sheldrake (1988), capítulos 1 y 2.
4. Véase, por ejemplo, Wilber (1984), págs. 101-111.

ido acumulándose durante varias décadas, y el descubrimiento en 1965 de la radiación de fondo de microondas cósmica terminó desencadenando una gran revolución cosmológica. La teoría del Big Bang (la gran explosión) se hizo dueña del terreno. En vez de un Universo eterno parecido a una máquina que se deslizaba gradualmente hacia una muerte termodinámica por calentamiento, se impuso el panorama de un cosmos evolutivo, en creciente desarrollo. Pero si había habido un nacimiento del cosmos, una «singularidad» inicial, según dijeron los físicos, ello dio pábulo al resurgimiento de preguntas multimilenarias. ¿De dónde y de qué proviene todo? ¿Por qué es el Universo como es? Y surge además una pregunta nueva. Si toda la naturaleza evoluciona, ¿por qué no van a evolucionar también las leyes de la naturaleza? Si las leyes son inmanentes en una naturaleza que evoluciona, las leyes deberían evolucionar también.

En su mayoría, los físicos siguen aceptando el enfoque tradicional de Platón. Las leyes no surgen del cosmos evolucionante, sino que le están impuestas a éste. Para empezar, estaban ahí, como una especie de código napoleónico cósmico. De alguna manera salido de un ámbito eterno, no físico, antropomórfico —la mente de un dios matemático, o simplemente de un etéreo ámbito matemático—, el Universo nació del vacío en una explosión primigenia. El físico Heinz Pagels lo describe en estas palabras:

> La nada existente «antes de» la creación del Universo es el vacío más completo que podemos imaginar —no existían ni espacio ni tiempo ni materia. Sería un mundo sin lugar, sin duración ni eternidad, sin número —lo que los matemáticos denominan «el conjunto vacío». Sin embargo, ese vacío impensable se convierte en una plenitud de existencia —una consecuencia necesaria de las leyes físicas. ¿Dónde estaban escritas esas leyes en aquel vacío? ¿Quién «le indica» al vacío que está preñado de un posible Universo? Viene a dar la impresión de que ese vacío está sujeto a leyes, una lógica que existe antes que el tiempo y el espacio.[5]

Los intentos modernos de crear una matemática «teoría del todo» aceptan una cosmología evolucionaria, pero aceptan también al mismo tiempo la fe tradicional en las leyes eternas de la naturaleza y en la invariabilidad de las constantes fundamentales. Las leyes existían ya en algún sentido antes de la singularidad inicial; o más bien trascienden al conjunto del tiempo y el espacio. Pero sigue en pie la pregunta: ¿por qué tienen que ser las leyes como son?

5. Pagels (1985), pág. 11.

Y ¿por qué tienen que tener las constantes fundamentales los valores particulares que tienen?

Hoy en día se suelen analizar estas cuestiones de acuerdo con el principio cosmológico antropomórfico siguiente: de los muchos universos posibles, sólo uno con las constantes situadas en los valores hallados hoy en día podría haber dado origen a un mundo con vida como el que conocemos, y permitido la aparición de cosmólogos inteligentes capaces de analizarlo. De haber sido diferentes los valores de esas constantes, no habría estrellas, ni átomos, ni planetas, ni seres humanos. Con sólo que las constantes fuesen ligeramente diferentes, no estaríamos aquí. Por ejemplo, con sólo un pequeño cambio en la intensidad relativa de las fuerzas nucleares y electromagnéticas, no podría haber átomos de carbono, y en consecuencia tampoco formas de vida basadas en el carbono, como nosotros. «El Santo Grial de la física moderna consiste en explicar por qué estas constantes numéricas... tienen los valores numéricos particulares que tienen.»[6]

Algunos físicos se inclinan hacia una especie de neodeísmo, con un dios creador matemático que empezó por afinar las constantes y seleccionar entre muchos universos posibles éste en el que podemos evolucionar nosotros. Otros físicos prefieren dejar a dios a un lado. Una manera de evitar la necesidad de una mente matemática que fijase las constantes de la naturaleza es suponer que nuestro Universo haya surgido de la espuma de otros posibles universos. La burbuja primigenia que dio origen a nuestro Universo fue una de tantas. Pero nuestro Universo tiene que tener las constantes que tiene por el mero hecho de que estamos aquí. De algún modo nuestra presencia impone una selección. Podrían existir innumerables universos extraños e inhabitables, del todo desconocidos para nosotros, pero éste es el único que podemos conocer.

Lee Smolin ha llevado aún más allá este tipo de especulación al proponer una especie de darwinismo cósmico. Mediante los agujeros negros, universos-hijos podrían retoñar de otros preexistentes y adoptar una vida propia. Algunos de ellos podrían tener ligeras mutaciones en los valores de sus constantes y por lo mismo evolucionar de un modo diferente. Sólo aquellos que forman estrellas pueden formar agujeros negros y por lo mismo tener hijos. Así pues, por un principio de fecundidad cósmica, sólo los universos como el nuestro podrían reproducirse, y podría haber muchos

6. Barrow y Tipler (1986), pág. 5.

universos habitables, más o menos parecidos a éste.[7] Pero esta teoría, muy especulativa, sigue dejando sin explicar, en primer lugar, por qué tendrían que existir universos de cualquier clase, y también qué cosa determina las leyes que los gobiernan, o qué cosa mantiene, soporta o recuerda las mutantes constantes de cualquier universo en particular.

Observemos que todas estas especulaciones metafísicas, por extravagantes que parezcan, son del todo convencionales en cuanto a que dan por sentadas tanto las leyes eternas como las constantes, al menos dentro de un universo dado. Esas suposiciones tan bien establecidas hacen que la «constancia» de las constantes aparezca como una verdad comprobada. Su inmutabilidad es un dogma cimentado en la filosofía y la teología platónicas. Pero tal creencia va mucho más allá que sus pruebas, incluso en estas últimas décadas han cambiado los valores oficiales de las constantes. Y las tentativas de medir las constantes a lo largo de distancias y tiempos astronómicos, utilizando métodos astronómicos, se basan sin excepción en la suposición que tratan de probar, es decir, en una inmutabilidad universal de la naturaleza. Están, en diferente grado, basadas en círculos viciosos o peticiones de principio, como demostraré más adelante. Pero los meros datos empíricos tienen poco que ver con la fe a machamartillo de un creyente. Si las mediciones revelan variaciones de las constantes, como ocurre con frecuencia, se limitan a desechar esas variaciones como errores experimentales; la última cifra constituye la mejor aproximación disponible del «valor verdadero» de la constante.

Algunas variaciones podrían deberse muy bien a errores, y esos errores disminuyen conforme van mejorando los instrumentos y métodos de medición. Todos los tipos de mediciones tienen limitaciones inherentes en cuanto a exactitud. Pero no todas las variaciones de los valores medidos de las constantes tienen que deberse necesariamente a errores o a limitaciones del instrumental utilizado. Algunas pueden ser reales. En un universo evolucionante, es concebible que las constantes evolucionen con la naturaleza. Pueden incluso estar sometidas a una variación cíclica, si no caótica.

TEORÍAS DE CONSTANTES CAMBIANTES

Algunos físicos, entre ellos Arthur Eddington y Paul Dirac, han aventurado la idea de que al menos algunas de las «constantes fun-

---

7. Davies (1992), págs. 221-222.

damentales» podrían cambiar con el tiempo. Dirac en particular, ha propuesto que la constante gravitatoria universal, G, podría estar disminuyendo con el tiempo: la fuerza gravitatoria se debilitaría al expansionarse el Universo.[8] Pero las personas que hacen tales especulaciones están prestas normalmente a reconocer que no están desafiando la idea de las leyes eternas; se limitan a proponer que esas leyes eternas rigen la variación de las constantes.

La proposición de que las *leyes* mismas evolucionan es más radical. El filósofo Alfred North Whitehead indica que si desechamos la antigua idea de unas leyes platónicas impuestas a la naturaleza, y pensamos en cambio en la inmanencia de las leyes en la naturaleza, entonces *tendrían* que evolucionar ellas junto con la naturaleza:

> Como las leyes de la naturaleza dependen de las características individuales de las cosas que la constituyen, al cambiar esas cosas, tendrán que cambiar consecuentemente dichas leyes. En consecuencia, la moderna concepción evolutiva del universo físico debe incluir que las leyes de la naturaleza evolucionan en concordancia con las cosas que constituyen el entorno astronómico. Y por lo mismo, habrá que abandonar la concepción de que el universo evoluciona sometido a unas leyes eternas fijas.[9]

Prefiero desechar del todo ese espejismo de una «ley» junto con su obsoleta imagen de dios a manera de emperador promulgador de leyes y de agencia universal y omnipotente encargada de hacer que se cumplan. He sugerido, en vez de ello, que la regularidad de la naturaleza podría parecerse más a un hábito. De acuerdo con la hipótesis de la resonancia mórfica, es inherente a la naturaleza una especie de memoria acumulativa. En vez de estar regida por una mente eterna matemática, la naturaleza está conformada por hábitos, sometidos a una selección natural.[10] Y algunos hábitos son más fundamentales que otros; por ejemplo, los hábitos de los átomos de hidrógeno son muy antiguos y están muy extendidos, y aparecen en todo el universo, mientras que con los hábitos de las hienas no ocurre lo mismo. Los campos gravitatorios y electromagnéticos, los átomos, las galaxias y las estrellas se rigen por hábitos arcaicos que datan de los períodos más antiguos de la historia del Universo. Desde este punto de vista las «constantes fundamentales» son aspectos cuantitativos de unos hábitos muy arraigados. Pue-

8. Por ejemplo, Dirac (1974).
9. Whitehead (1933), pág. 143.
10. Sheldrake (1981, 1988, 1990).

den haber cambiado al principio, pero al hacerse cada vez más fijas debido a la repetición, las constantes podrían haberse asentado en forma de valores más o menos estables. En este aspecto, la hipótesis de los hábitos coincide con la asunción convencional de la inmutabilidad, aunque por razones muy diferentes.

Aún en el caso de que dejemos a un lado las especulaciones en torno a la evolución de las constantes, hay por lo menos dos motivos más por los que puedan variar estas últimas. Primero, podrían depender del entorno astronómico, y cambiar al moverse el sistema solar dentro de nuestra galaxia, o al alejarse ésta de las demás galaxias. El segundo es que las constantes podrían oscilar o fluctuar. Podrían fluctuar incluso de una manera aparentemente caótica. La teoría caótica moderna nos ha permitido reconocer que un comportamiento caótico, en contraposición al determinismo de la antigua, es cosa normal en muchos ámbitos de la naturaleza.[11] Hasta ahora las «constantes» han sobrevivido incontestadas a una era pretérita de la física: a los vestigios de un platonismo. Pero ¿qué pasará si también ellas varían de un modo caótico?

La posibilidad de que las constantes cambien ligeramente en el transcurso de muchos millones de años ha sido tomada en serio por los meteorólogos, y se han hecho varias tentativas de estimar los posibles cambios de un modo indirecto, por ejemplo, comparando la luz de unas estrellas y galaxias que se cree que están relativamente cerca y sumamente lejos, y por lo mismo diferirían en edad muchos millones o incluso miles de millones de años luz. Esos métodos dan a entender que, de haber cambios sistemáticos en las constantes fundamentales, son muy pequeños. Pero el problema reside en que esos métodos indirectos descansan en muchas suposiciones que no se pueden cotejar directamente. En diferente grado, la evidencia indirecta de la inmutabilidad de las constantes depende de círculos viciosos. Consideraremos esa evidencia de un modo más detallado en mi análisis de las constantes particulares.

Aunque los valores medios de las constantes sean de hecho estables a lo largo de prolongados períodos de tiempo, los valores correspondientes a cualquier tiempo dado pueden variar alrededor de esos promedios como resultado de cambios en los entornos extraterrestres, o también fluctuar de un modo caótico. ¿Pero qué nos dicen los hechos mismos?

11. Gleik (1988).

VARIABILIDAD DE LA CONSTANTE GRAVITATORIA UNIVERSAL

Esta constante gravitatoria universal, G, apareció por vez primera en la ecuación de Newton sobre la gravedad, que afirma que la fuerza de la atracción gravitatoria es igual a G veces el producto de las masas que se atraen dividido por el cuadrado de la distancia que las separa. El valor de esta constante ha sido medido varias veces desde aquel primer experimento de precisión efectuado en 1798 por Henry Cavendish. Los valores «óptimos» obtenidos durante este último siglo más o menos aparecen en la figura 13. Al principio hubo una gran dispersión de los mismos, seguida de una convergencia hacia una cifra consensuada. Pero incluso después de 1970 los valores «óptimos» han oscilado entre 6,669 9 y 6,674 5, con una diferencia del 0,07 por ciento.[12] (Las unidades en que se expresan estos valores son $\times 10^{-11}$ m^3 kg^{-1} s^{-2}.)

Pese a la neurálgica importancia de la constante gravitatoria universal, es la menos exactamente definida de todas las constantes fundamentales. Han fracasado los intentos de fijarla con bastantes cifras decimales; las mediciones son sencillamente demasiado variables. El editor de la revista científica *Nature* ha calificado de «un borrón en la cara de la física» el hecho de que G siga manteniendo un margen de incertidumbre de alrededor de una parte en 5,000.[13] Digamos además que esa incertidumbre es tan grande en estos últimos años que se ha postulado la existencia de fuerzas enteramente nuevas para explicar las anomalías gravitatorias.

En los primeros años de la década de los 80, Frank Stacey y sus colegas midieron G en unas minas y pozos de perforación profundos de Australia. El valor resultó alrededor del 1 por ciento mayor que el aceptado hasta entonces. Por ejemplo, en un conjunto de mediciones hechas en la mina Hilton, en Queensland, apareció un valor de G de 6,734 ± 0,002, frente al valor aceptado comúnmente de 6,672 ± 0,003.[14] Los resultados hallados en Australia son repetibles y consistentes,[15] pero nadie se fijó gran cosa en ellos hasta 1986. En ese año Ephrain Fischbach, de la Universidad de Washington, Seattle, hizo temblar a todo el mundo científico al asegurar que los resultados de laboratorio arrojaban también una ligera desviación de la ley newtoniana de la gravedad, coincidente con los resultados obtenidos en Australia. Él y sus colegas reanali-

---

12. Mediciones de Luther y Sagitor, respectivamente, citadas en Petley (1985).
13. Maddox (1986).
14. Holding y Tuck (1984).
15. Por ejemplo, Holding, Stacey y Tuck (1986).

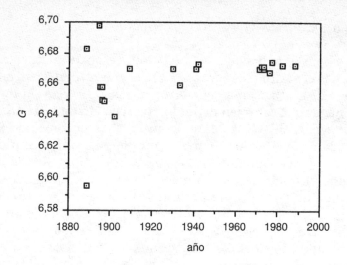

FIGURA 13.	Valores óptimos de la constante universal de gravitación (G) de 1888 a 1989.

zaron los datos obtenidos en una serie de experimentos por Roland Eötvös en los años veinte, uno de los ejemplos paradigmáticos de libro de texto de medición exacta, y hallaron que había una anomalía consistente oculta en aquellos datos, que había sido desechada como un error aleatorio.[16] Basándose en esos resultados de laboratorio y en las observaciones de las minas australianas, Fischbach propuso la existencia de una fuerza repulsiva, desconocida hasta entonces, la denominada quinta fuerza (siendo las cuatro fuerzas conocidas las fuerzas nucleares fuerte y débil, la fuerza electromagnética y la gravitatoria).

En los años siguientes, nuevas y minuciosas mediciones de la gravitación practicadas en minas profundas, en agujeros del casquete helado ártico y en torres altas proporcionaron más pruebas de la existencia de una quinta fuerza.[17] La interpretación de estos resultados depende de si se tiene en cuenta la geología local, dado que la densidad de las rocas del entorno local afecta las mediciones de la gravitación. Los experimentadores eran bien conscientes de ello, y efectuaron las correcciones pertinentes. Pero los escépticos alegaron que los resultados obtenidos se debían a la existencia de rocas ocultas de una densidad inusualmente alta y postularon la existencia de unos afloramientos enterrados como explicación de los incómodos resultados.[18] Por el momento, sigue predominando la

16. Fischbach y otros (1986).
17. Anderson (1988); Maddox (1988).
18. Parker y Zumberge (1989).

opinión de los escépticos, aunque la existencia de esa quinta fuerza sigue siendo también una cuestión abierta, y objeto de considerable investigación teórica y experimental.[19]

La posible existencia de una quinta fuerza no es particularmente relevante para los posibles cambios de G con el tiempo. Pero el hecho mismo de que haya llegado a suscitarse la cuestión de una fuerza nueva que afecta la gravitación y que se la tome en serio a fines del siglo XX sirve para poner de relieve lo imprecisa que sigue siendo la caracterización de la gravedad más de tres siglos después de la publicación de los *Principia* (*Principios*) de Newton.

La sugerencia hecha por Paul Dirac y otros físicos teóricos de que G pueda decrecer conforme se expande el Universo ha sido tomada realmente en serio por algunos metrólogos. De todas maneras, el cambio propuesto por Dirac era muy pequeño, unas 5 partes en 10^{11} al año. O sea bastante por debajo de los límites de detección empleados por los métodos convencionales de medir G sobre la Tierra. Los resultados «óptimos» hallados en los veinte años últimos difieren entre sí en más de 5 partes en 10^4. En otras palabras, el cambio que Dirac sugería es como diez millones de veces menor que las diferencias existentes entre los valores «óptimos» recientes.

Con el objeto de someter a prueba la hipótesis de Dirac se han experimentado una serie de métodos indirectos. Algunos dependen de pruebas geológicas, como son la inclinación de las dunas de arena fósiles, por la que se pueden calcular las fuerzas gravitatorias existentes en la época en que se formaron; otras dependen de los registros de los eclipses habidos en estos 3.000 años últimos; otros, de métodos astronómicos modernos. En uno de ellos se controló la distancia de la Luna a intervalos regulares utilizando una sofisticada forma de radar posibilitada mediante la colocación en la superficie de nuestro satélite de una serie de reflectores como parte del programa espacial. Se midió a intervalos regulares el tiempo de trayectoria de pulsaciones de radar, emitidas y detectadas por un telescopio. La misión *Viking*, enviada a Marte, permitió el empleo de una técnica de radar más precisa, a base de pulsaciones retransmitidas a la Tierra desde unos *landers* (sofisticados ingenios «amartizados») situados en la superficie de ese planeta. Dichas mediciones se practicaron con continuidad entre 1976 y 1982. Asumiendo un valor fijo para la velocidad de la luz, estas técnicas de radar permitieron controlar la distancia existente entre Marte y la

19. Fischbach y Talmadge (1992).

Tierra con una precisión de unos cuantos metros. Después, sobre la base de complejos modelos matemáticos de las órbitas de distintos cuerpos del sistema solar, se verificaron aquellos datos para ver si concordaban con un valor constante de G. Pero los cálculos hechos implicaron muchas incertidumbres, incluyendo suposiciones de la posible interferencia en la órbita de Marte de asteroides grandes de masa desconocida. Una manera de calcular los datos dio unos resultados coincidentes con G que variaban menos de 0,2 partes en 10^{11} al año.[20] Otro cálculo que utilizó los mismos datos indicó una variación más de diez veces mayor, aunque de todas maneras inferior a 1 parte en 10^{10} al año.[21]

Otro método también astronómico consiste en el estudio de la dinámica de un pulsar binario distante y ver si concuerda con un valor constante de G durante el período de observación. También aquí hacen falta toda una serie de suposiciones a fin de poder efectuar los cálculos, lo que las hace cuestionables a ojos de cualquiera que quiera cambiar esas suposiciones.[22]

Hay físicos que piensan que por lo menos algunos de los datos indican pequeños cambios en G con el tiempo.[23] Sobre la base de los datos lunares algunos han sacado en conclusión que G podría estar cambiando por lo menos tanto como propone Dirac;[24] otros creen que no es así.[25] Esos distintos estudios han sido interpretados por Brian Petley, decano de la metrología británica, como sigue:

> Partiendo de que se pueda confiar en las escalas cosmológicas del tiempo y que nuestro conocimiento de la gravitación sea suficiente, las variaciones de G son inferiores a alrededor de 1 parte en 10^{10} al año. Esta conclusión se apoya en una serie de pruebas diferentes, procedentes algunas de experimentos hechos durante muy poco tiempo. Si excluimos el cambio postulado por Dirac, nos quedan unos cambios de G referentes a una pequeña potencia de tiempo, o acaso la opción de postular una variación cíclica con una variación escasa durante la época actual.[26]

El problema inherente a todas esas líneas de prueba indirecta es que dependen de una compleja trama de asunciones teóricas, incluyendo la inmutabilidad de las demás constantes de la natura-

20. Hellings y otros (1983).
21. Reasenberg (1983).
22. Damour, Gibbons y Taylor (1988).
23. Por ejemplo, Wesson (1980); van Flandern (1981).
24. Van Flandern (1981).
25. Petley (1985), págs. 46-50.
26. Íd., págs. 47-48.

leza. Sólo son convincentes dentro del marco del paradigma que nos ocupa. O lo que es lo mismo: si asumimos la exactitud de las teorías cosmológicas modernas, que presuponen de suyo la inmutabilidad de G, los datos en cuestión son internamente consistentes, siempre que asumamos que todas las variaciones que aparecen de hecho entre un experimento y otro, o entre un método y otro, son fruto de algún error.

La caída de la velocidad de la luz de 1928 a 1945

Según la teoría de la relatividad de Einstein, la velocidad de la luz en el vacío es una constante absoluta. Gran parte de la física moderna se basa en esa suposición. Existe en consecuencia un gran prejuicio teórico en contra de suscitar la cuestión de unos posibles cambios de la velocidad de la luz. En cualquier caso, esa pregunta está cerrada oficialmente hoy en día. Desde 1972 se ha fijado la velocidad de la luz *por definición*. Su valor está definido en 299.792,458 ± 0,001 2 kilómetros por segundo.

Como en el caso de la constante gravitatoria universal, las primeras mediciones de c fueron considerablemente diferentes del valor oficial actual. La determinación hecha en 1676 por Römer, por ejemplo, fue alrededor del 30 por ciento más baja, y la de Fizeau, en 1849, como un 5 por ciento más alta.[27] La figura 14 presenta el progreso de los valores «óptimos» obtenidos desde 1874. A primera vista ese esquema merece constituir otro brillante ejemplo del progreso de la ciencia exacta, acercándose cada vez más a la verdad. Pero el detalle de los hechos es más complicado que eso.

En 1929 Birge publicó su revisión de todas las pruebas disponibles hasta 1927 y sacó en conclusión que el mejor valor de la velocidad de la luz era de 299.796 ± 4 km/s. Indicó que el probable error era muy inferior al de cualquier otra constante, y concluía diciendo que «el valor actual de c es enteramente satisfactorio, pudiéndose considerar como más o menos permanentemente establecido».[28] Sin embargo, en el momento mismo en que escribía esas líneas, aparecían valores de c considerablemente más bajos, y en 1934 Gheury de Bray sugería que los datos apuntaban a una variación cíclica de la velocidad de la luz.[29]

27. «Light» (La luz). *Encyclopaedia Britannica*, XV Edición.
28. Birge (1929), pág. 68.
29. De Bray (1934).

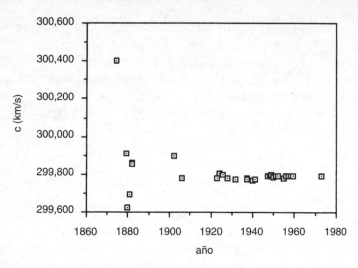

FIGURA 14.   Valores óptimos de la velocidad de la luz *(c)* de 1874 a 1972.

Entre 1928 y 1945, la velocidad de la luz fue al parecer unos 20 km/s más baja que antes y después de ese período (tabla 2). Los valores «óptimos», hallados por los investigadores más prominentes utilizando una serie de técnicas, concordaron impresionantemente entre sí, y Birge (en 1941) y Dorsey (en 1945) combinaron y ajustaron los valores disponibles.

En los últimos años de la década de los 40 la velocidad de la luz volvió a subir. No es de sorprender que al principio hubiese algún alboroto cuando fue derrocado el valor antiguo. El nuevo valor fue unos 20 km/s más alto, cercano al predominante en 1927. Pero volvió a haber un consenso (fig. 15). Lo que habría durado ese consenso, de estar basado en continuas mediciones, es un temor propio de la especulación metafísica. En la práctica, se previnieron las discrepancias ulteriores fijando por definición en 1972 la velocidad de la luz.

¿Cómo se puede explicar esa velocidad más baja entre 1928 y 1945? Si se había tratado sencillamente de un tema de error experimental (por qué concordaron tanto los resultados de diferentes investigadores y diferentes métodos? ¿Y por qué fueron tan bajos los errores estimados?

Una posible causa es que la velocidad de la luz fluctúe realmente de tiempo en tiempo. Tal vez se redujo de hecho durante casi veinte años. Pero esta posibilidad no ha sido considerada en serio por los investigadores de ese campo, excepto por de Bray. Tan arraigada está la suposición de que tiene que ser fija que hay que eliminar

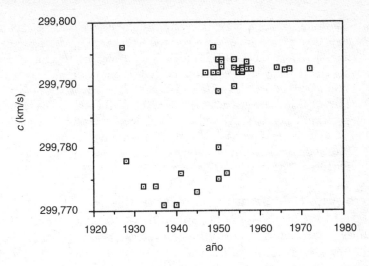

FIGURA 15.   Valores de la velocidad de la luz *(c)* tomados de 1927 a 1972. En 1972 se fijó su valor por definición.

Tabla 2   La velocidad de la luz, 1928-1945[30]

Autor	Año	Velocidad de la luz (km/s)
Valor aceptado anteriormente (Birge, 1929)		299.796 ± 4
Mittelstaedt	1928	299.778 ± 20
Michelson *y otros*	1932	299.774 ± 11
Michelson *y otros*	1935	299.774 ± 4
Anderson	1937	299.771 ± 10
Hüttel	1940	299.771 ± 10
Anderson	1941	299.776 ± 6
Birge (revisión)	1941	299.776 ± 4
Dorsey (revisión)	1945	299.773 ± 10
Valor definido actual, a partir de 1972		299.792,458 ± 0,001 2

tajantemente los datos empíricos. Este notable episodio de la historia de la velocidad de la luz se atribuye hoy en día generalmente a la psicología de los metrólogos:

> La tendencia existente en una época dada a que los experimentos concordasen entre sí ha sido definida por la alambicada expresión «coherencia de la fase». La mayoría de los metrólogos son muy conscientes de la posible existencia de efectos de ese tipo; no cabe duda de que algunos ob-

30. Datos tomados de Von Friesen (1937) y Petley (1985), pág. 295.

sequiosísimos colegas se deleitan poniéndolos de relieve... Dejando a un lado el descubrimiento de los errores, al acercarse el fin del experimento se producen análisis más frecuentes y estimulantes con los colegas interesados en el tema, y las fases preliminares de la publicación de la obra añaden una perspectiva nueva. Todas estas circunstancias se combinan para impedir que lo que trataba de ser un «resultado final» lo sea en la práctica y por consiguiente es fácil de hacer, y difícil de refutar, la acusación de que es mucho más probable que uno no tenga que preocuparse por las correcciones cuando el valor obtenido se acerca al máximo a los demás resultados.[31]

Pero si los cambios aparecidos en los valores de las constantes en el pasado se atribuyen a la psicología de los experimentadores, tenemos —de acuerdo con la observación de otros metrólogos eminentes— que «ello suscita a su vez una desconcertante pregunta: ¿Cómo podemos saber que ese factor psicológico no es igualmente importante hoy en día?».[32] Sin embargo, en el caso de la velocidad de la luz, esa cuestión se convierte hoy en académica. No sólo está fijada por definición esa velocidad, sino también las unidades mismas en que se mide la misma, la distancia y el tiempo, están definidos de acuerdo con la luz misma.

Se solía definir el segundo como 1/86.400 de un día solar promedio, pero ahora se le define de acuerdo con la frecuencia de luz emitida por tipo particular de excitación de los átomos de cesio-133. Un segundo equivale a 9.192.631.770 veces el período de vibración de la luz. Entretanto, desde 1983, se ha definido el metro de acuerdo con la velocidad de la luz, fijada asimismo por definición.

Según ha hecho hincapié Brian Petley, es concebible que:

> (i) la velocidad de la luz pueda cambiar con el tiempo, o (ii) tener una dependencia direccional dentro del espacio, o (iii) estar afectada por el movimiento de la Tierra alrededor del Sol, o por el movimiento dentro de nuestra galaxia o por algún otro marco de referencia.[33]

No obstante, si esos cambios se produjesen de veras, seríamos ciegos del todo a ellos. Nos encontramos cerrados a cal y canto dentro de un sistema artificial donde tales campos no sólo son imposibles por definición, sino que serían además indetectables en la práctica debido al modo en que hay que definir las unidades. Cual-

---

31. Petley (1985), págs. 294-295.
32. Bearden y Thomsen (1959).
33. Petley (1985), pág. 68.

quier cambio de la velocidad de la luz haría cambiar las unidades mismas de tal manera que la velocidad expresada en kilómetros por segundo seguiría siendo la misma.

El aumento de la constante de Planck

La constante de Planck, h, es una característica fundamental de la física cuántica y relaciona la frecuencia de una radiación, v, con su cuanto de energía, E, de acuerdo con la fórmula $E = hv$. Tiene las dimensiones de la acción (energía × tiempo).

Oímos decir a menudo que la teoría cuántica es radiantemente afortunada y sorprendentemente precisa. Por ejemplo: «Las leyes descubiertas para describir el mundo cuántico... son las herramientas más exactas y precisas que hemos hallado jamás para lograr una descripción y predicción atinadas del funcionamiento de la naturaleza. En algunos casos la coincidencia entre las predicciones teóricas y las mediciones que obtenemos superan el margen cualitativo de un mil millonésimo».[34]

He oído y leído afirmaciones de esa índole tantas veces que llegué a asumir que la constante de Planck debe sernos conocida con una aproximación alucinante en cifras decimales. Y tal parece ser si uno lee un prontuario científico —en tanto que no eche un vistazo a ediciones anteriores. De hecho su valor oficial ha cambiado con los años, mostrando una acusada tendencia a aumentar (fig. 16).

El mayor cambio se produjo entre 1929 y 1941, al subir en más de un 1 por ciento. Ese aumento se debió básicamente a un cambio sustancial «experimentado» por la carga del electrón, e. Las mediciones experimentales de la constante de Planck no dan unas respuestas directas, sino que implican la carga del electrón y/o la masa de éste. Cuando cambian alguna de estas otras constantes, o ambas, lo hace con ellas la constante de Planck.

He mencionado ya el trabajo de Millikan sobre la carga del electrón en la introducción a la tercera parte, y ese trabajo se convirtió precisamente en una de las raíces de esos problemas. Aunque otros investigadores hallaron valores sustancialmente más elevados, no se les tuvo mayormente en cuenta; «pero la gran fama y autoridad de Millikan dio peso a la opinión de que la cuestión de la magnitud de e había recibido su solución definitiva».[35] Y durante unos

34. Barrow (1988), pág. 157.
35. Von Friesen (1937), pág. 431.

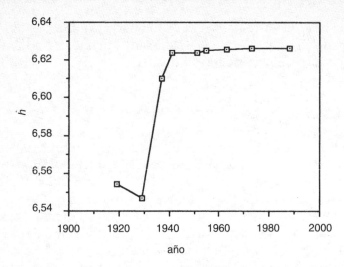

FIGURA 16.   Valores óptimos de la constante de Planck *(h)* de 1919 a 1988.

veinte años predominó el valor de Millikan, pero se fueron acumulando pruebas de que *e* era mayor. Nos lo relata Richard Feynman en estas palabras:

> Tiene su interés revisar la historia de las mediciones de la carga del electrón después de Millikan. Si las sitúa uno en la gráfica en función del tiempo, resulta que una es algo mayor que la de Millikan, la siguiente un poco mayor que ésa, y la siguiente un poquito mayor todavía, hasta que por último se estabilizan en torno a un número más alto. ¿Por qué no descubrieron a la primera que el nuevo número era más alto? Es un asunto del que se avergüenzan los científicos —este caso concreto— porque salta a la vista que la gente hacía cosas por este temor: cuando topaban con un número que era demasiado alto con respecto del de Millikan, buscaban y hallaban el motivo del «forzoso error» en algún detalle. Si hallaban un número aproximado al valor del de Millikan no se esforzaban tanto en escudriñar. Y de ese modo eliminaron las cifras demasiado divergentes, e hicieron otras cosas por el estilo.[36]

A finales de la década de los años 30, ya no se pudieron ignorar las discrepancias existentes, pero tampoco se podía abandonar sin más el prestigiosísimo valor de Millikan; en vez de hacerlo, lo corrigieron utilizando un nuevo valor de la viscosidad del aire, variable importante en su técnica de la gota de aceite, ajustándolo a los nuevos resultados.[37] A principios de los 40, unos valores de *e* to-

36. Feynman (1985), págs. 312-313.
37. Von Friesen (1937); Birge (1941).

Tabla 3 Constante de Planck de 1951 a 1988 (revisión de valores)

Autor	Año	h ($\times 10^{-34}$ julios/segundo)
Bearden y Watts	1951	6,623 63 ± 0,000 16
Cohen y otros	1955	6,625 17 ± 0,000 23
Condon	1963	6,625 60 ± 0,000 17
Cohen y Taylor	1973	6,626 176 ± 0,000 036
Cohen y Taylor	1988	6,626 075 5 ± 0,000 004 0

davía mayores condujeron a una nueva revisión hacia arriba de la cifra oficial. Por supuesto que se hallaron razones para volver a corregir el valor de Millikan, aumentándolo para que coincidiese con el nuevo valor.[38] Y cada vez que aumentaba e, había que elevar también la constante de Planck.

Es curioso observar que la constante de Planck siguió arrastrándose hacia arriba desde 1950 a 1970 (tabla 3). Cada uno de esos aumentos superó el error estimado del valor anteriormente aceptado. El último valor muestra un ligero descenso.

Se hicieron varios intentos de buscar cambios de la constante de Planck estudiando la luz emitida por quasares y estrellas que se suponían muy lejanos sobre la base de la desviación hacia el rojo de sus espectros. La idea subyacente era que, si la constante de Planck ha cambiado, las propiedades de la luz emitida hace miles de millones de años deberían ser diferentes de las de la luz más reciente. Apareció una pequeña diferencia, lo que llevó a la conclusión, aparentemente impresionante, de que h varía en menos de 5 partes en 10^{13} al año. Pero los críticos de esos experimentos han señalado que esas «constancias» son inevitables, dado que los cálculos en cuestión descansan en la *suposición* implícita de que h es constante; otro círculo vicioso.[39] (Hablando en plata, la suposición de partida es que el producto hc es constante; pero como c es constante por definición, eso equivale a asumir la inmutabilidad de h.)

FLUCTUACIONES DE LA CONSTANTE DE ESTRUCTURA FINA

Uno de los problemas inherentes a la búsqueda de cambios en una constante fundamental es que si aparecen cambios en ella, es

38. Birge (1945).
39. Petley (1985), pág. 46; Barrow y Tipler (1986), pág. 241.

difícil saber si es la constante misma la que cambia, o las unidades
que se emplean para medirla. Sin embargo, algunas de esas constantes carecen de dimensiones y se expresan en cifras puras, por
lo que en tal caso no surge el problema de los cambios en las unidades. Un ejemplo es la razón de la masa del protón a la masa del
electrón. Otra es la constante de estructura fina. Por esta razón,
algunos metrólogos han insistido en que los «cambios seculares de
las "constantes" físicas deberían formularse de acuerdo con esas
cifras».[40]

En consecuencia, estudio en esta sección la evidencia de cambios existente en la constante de estructura fina, α, formada partiendo de la carga del electrón, la velocidad de la luz y la constante
de Planck, de acuerdo con la fórmula $\alpha = e^2/2\,hc\varepsilon_0$ siendo ε_0 la
permisividad del espacio libre. Nos da una medida de la fuerza de
las interacciones electromagnéticas, y se expresa a veces como su
recíproca, aproximadamente $1/137$. Algunos físicos teóricos consideran esa constante como una de las cifras cósmicas clave que podría explicar una «teoría del todo».

Entre 1929 y 1941 la constante de estructura fina aumentó en
alrededor del 0,2 por ciento, de $7,283 \times 10^{-3}$ a $7,2976 \times 10^{-3}$.[41]
Tal cambio fue atribuible principalmente al aumento de valor de
la carga del electrón, compensado parcialmente por la caída de la
velocidad de la luz, magnitudes ambas ya comentadas. Igual que
en el caso de otras constantes, se produjo una dispersión de los
resultados obtenidos por varios investigadores, los encargados de
revisarlas combinaron y ajustaron de tiempo en tiempo los valores «óptimos». El progreso de estos valores de consenso a partir
del año 1941 aparece en la figura 17. Igual que en el caso de otras
constantes, esos cambios fueron por lo general mayores de lo que
sería de esperar en base a los errores estimados. El aumento aparecido entre 1951 y 1963, por ejemplo, fue doce veces mayor que
el error estimado en 1951 (expresado como desviación estándar);
el aumento entre 1963 y 1973 fue casi cinco veces el del error estimado en 1963. Las cifras relevantes aparecen en la tabla 4.

Algunos cosmólogos han especulado que la constante de estructura fina podría variar con la edad del Universo,[42] y se ha intentado poner coto a esa posibilidad analizando la luz proveniente
de estrellas y quasares, asumiendo que su distancia es proporcional

40. Cook (1957).
41. Birge (1929, 1941).
42. Barrow y Tipler (1986).

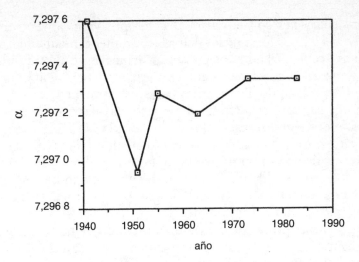

FIGURA 17. Valores óptimos de la constante de estructura fina (α) de 1941 a 1983.

Tabla 4 Constante de estructura fina de 1951 a 1973

Autor	Año	α ($\times$ 10^{-3})
Bearden y Watts	1951	7,296 953 $\pm$ 0,000 028
Condon	1963	7,297 200 $\pm$ 0,000 033
Cohen y Taylor	1973	7,297 350 6 $\pm$ 0,000 006 0

a la desviación hacia el rojo de su luz. Los resultados hallados sugieren que no ha habido cambio, o muy poco, en esa constante.[43] Pero igual que en todos los demás intentos de inferir la «constancia» de las constantes partiendo de observaciones astronómicas, hubo que hacer muchas asunciones, incluyendo la «constancia de otras constancias», la exactitud de las teorías cosmológicas actuales y la validez de las desviaciones hacia el rojo como indicadoras de la distancia. Todas estas suposiciones han sido cuestionadas, y siguen siéndolo, por los cosmólogos y astrofísicos disidentes.[44]

¿CAMBIAN EN REALIDAD LAS CONSTANTES?

Como hemos podido ver por los ejemplos expuestos, los datos empíricos fruto de las mediciones de laboratorio revelan toda cla-

43. Petley (1985).
44. Por ejemplo, Arp y otros (1990).

se de variaciones con el correr del tiempo. Variaciones similares aparecen en los valores de las demás constantes fundamentales. Las mismas no perturban a los creyentes firmes en su inmutabilidad, porque se pueden achacar siempre a errores experimentales de un tipo u otro. Debido al continuo perfeccionamiento de la técnica, se otorga siempre el máximo de fe a las últimas mediciones, y si son diferentes de los resultados anteriores, las antiguas caen automáticamente en el descrédito (excepto cuando las más antiguas están revestidas de un gran prestigio, como en el caso de la medición de e por Millikan). Existe también, en cualquier momento dado, una tendencia de los metrólogos a sobrestimar la exactitud de las mediciones del momento, demostrada por el hecho de que las mediciones posteriores difieren a menudo de las anteriores en cantidades mayores que el error estimado. Y viceversa, si los metrólogos estiman sus errores correctamente, los cambios de los valores de las constantes revelan que éstas sufren auténticas fluctuaciones. El ejemplo más claro está en la caída de la velocidad de la luz entre 1928 y 1945. ¿Hubo un cambio real en el devenir de la naturaleza, o se debió la misma a un engaño colectivo de los metrólogos?

Hasta ahora sólo ha habido dos teorías principales sobre las constantes fundamentales. La primera reza que son realmente constantes, y que todas las variaciones de los datos empíricos se deben a errores de un tipo u otro. Conforme progresa la ciencia, van reduciéndose esos errores. Con una precisión cada vez mayor, vamos acercándonos más y más a los auténticos valores de las constantes. Ésta es la postura convencional. La segunda: algunos físicos teóricos han conjeturado que una o más de esas constantes podrían variar de un modo tenue y regular junto con la edad del Universo o a través de distancias astronómicas. Diversas pruebas hechas de esas ideas utilizando observaciones astronómicas parecen haber excluido tales cambios. Pero esas pruebas son peticiones de principio: se basan en las suposiciones mismas que tienen que probar: que las constantes son constantes, y que la cosmología de nuestro tiempo es correcta en todos sus aspectos esenciales.

Se ha tenido poco en cuenta la tercera posibilidad, que es la que exploramos aquí, es decir, la de que las constantes puedan fluctuar, dentro de ciertos límites, en torno a valores medios que permanecen bastante constantes. La idea de las leyes y constantes inmutables es la última superviviente de la era de la física clásica en la que se supuso que un orden matemático regular y (en principio) totalmente predecible prevalecía en cualquier momento y lugar.

En realidad no hallamos nada que se le parezca en el curso de los asuntos humanos, en el ámbito biológico, en el meteorológico, o incluso en el firmamento. La revolución caótica nos revela que ese orden perfecto había sido una seductora ilusión.[45] La mayor parte del mundo natural es inherentemente caótica.

La fluctuación de los valores de las constantes fundamentales en las mediciones experimentales parece ser igual de compatible con los pequeños aunque reales cambios observados en sus valores que con esa perfecta «constancia» oscurecida por los errores experimentales. Vamos a centrarnos en la constante gravitatoria, por ser la más variable; pero se podrían aplicar también los mismos principios a cualesquiera de las demás constantes.

UN EXPERIMENTO PARA DETECTAR LAS POSIBLES FLUCTUACIONES DE LA CONSTANTE GRAVITATORIA UNIVERSAL

Su principio es simple. Hoy en día, cuando se hacen mediciones en un laboratorio particular, el valor final se basa en el promedio de una serie de mediciones individuales, y se atribuyen a errores aleatorios cualesquiera variaciones inexplicadas existentes entre esas mediciones. Es claro que, de existir verdaderas variaciones subyacentes, ya sea debidas a cambios del entorno terrestre o a fluctuaciones inherentemente caóticas de la constante misma, las eliminará la aplanadora de los métodos estadísticos relegándose a simples errores aleatorios. Mientras esas mediciones estuviesen confinadas en un único laboratorio, no habría manera de distinguir entre esas posibilidades.

Lo que propongo es la práctica de una serie de mediciones de la constante gravitatoria universal hechas a intervalos —digamos, mensuales— en diferentes laboratorios de todo el mundo, utilizando los mejores métodos disponibles. Después, durante varios años, se compararían esas mediciones. Si hubiese fluctuaciones subyacentes en el valor de G, por la razón que sea, aparecerían en los diferentes sitios. En otras palabras, los «errores» podrían mostrar una correlación —los valores podrían tender a ser altos en unos meses y bajos en otros. De ese modo se podrían detectar patrones de variación subyacentes no rechazables como errores aleatorios.

Sería entonces necesario buscar otras posibles explicaciones que

45. Gleik (1988).

no implicasen un cambio de G, incluyendo posibles cambios de las unidades de medición. Es imposible prever el resultado de esas indagaciones, pero lo importante es empezar por buscar una correlación de las fluctuaciones. Y precisamente por el hecho mismo de estar buscando fluctuaciones, hay más probabilidad de hallarlas. En cambio, el paradigma teórico imperante hoy en día condena a un esfuerzo continuo a todos los implicados en suprimir las variaciones, porque se supone que las constantes son de verdad constantes.

A diferencia de los demás experimentos propuestos en este libro, éste implicaría un esfuerzo internacional francamente de gran escala. Incluso así, el presupuesto no necesitaría ser grande si se efectuase en laboratorios establecidos, ya equipados para hacer ese tipo de mediciones. Y es posible incluso que pudiera ser hecho por estudiantes. Se han descrito varios experimentos económicos para determinar G, basados en el clásico método de Cavendish utilizando una balanza de torsión, habiéndose desarrollado recientemente un método perfeccionado para estudiantes, de una exactitud del 0,1 por ciento.[46]

Una de las ventajas del continuo perfeccionamiento en cuanto a precisión de las técnicas metrológicas es que sería cada vez más posible detectar cambios pequeños en las constantes. Sería posible, por ejemplo, lograr una precisión muchísimo mayor en las mediciones de G si se pueden hacer los experimentos en naves espaciales y satélites, y se procede ya a proponer y analizar las técnicas adecuadas al caso.[47] He aquí un área donde una gran cuestión necesitaría de veras *mucha* ciencia.

Pero existe de hecho un modo de hacer esta investigación con un presupuesto muy bajo para empezar: examinando los datos brutos de las mediciones de G hechas en distintos laboratorios durante estas últimas décadas. Ello requeriría la cooperación de los científicos implicados, debido a que los datos en bruto se conservan en los cuadernos de notas de los científicos y en los archivos de los laboratorios, y muchos científicos son reacios a permitir el acceso de otros a sus registros privados. Pero si existiere esa cooperación, habría ya datos suficientes para buscar fluctuaciones a escala mundial del valor de G.

Las implicaciones de una fluctuación de las constantes fundamentales serían enormes. No podríamos seguir imaginándonos un

---

46. Dousse y Rheme (1987).
47. Si le interesa una bibliografía extensa del tema, vea Gillies (1990).

devenir de la naturaleza de suave uniformidad; reconoceríamos que existen fluctuaciones en el corazón mismo de la realidad física. Y si diferentes constantes fundamentales variasen a diferentes ritmos, esos cambios crearían diferentes calidades del tiempo, no muy distintas de las previstas por la astrología, pero con una base más radical.

Efectos de las expectativas de los experimentadores

PROFECÍAS QUE TIENDEN A CUMPLIRSE POR SU PROPIA NATURALEZA

Con frecuencia las cosas salen exactamente como se esperaba o como se había profetizado, no a causa de un misterioso conocimiento del futuro, sino porque el comportamiento de la gente tiende a hacer que la profecía en cuestión se cumpla. Está, por ejemplo, el caso del maestro que predice que un alumno va a fracasar, y lo trata probablemente de tal manera que ese fracaso se hará más probable —cumpliéndose de ese modo la profecía original. La propensión de las profecías a cumplirse es bien conocida en los campos de la economía, la política y la religión. Es también un tema de psicología práctica. Distintos modos de emplear esos poderes constituyen la base de innumerables libros de carácter divulgativo, que muestran cómo la evitación de actitudes negativas y la adopción de otras positivas ayudan a conseguir un éxito notable en la política, los negocios y el amor. Asimismo la confianza y el optimismo desempeñan un importante papel en la práctica de la medicina y la sanación —y en los deportes, la lucha y muchas otras actividades. Independientemente de cómo queramos interpretarlo, las expectativas positivas y negativas influyen con frecuencia en lo que ocurre en realidad. Es lo más corriente ver cómo muchas profecías se cumplen por sí mismas. Siendo así ¿cómo se aplica esto a la ciencia? Muchos científicos llevan a cabo experimentos llenos de expectativas tocante al resultado y con hipótesis arraigadísimas en cuanto a lo que es posible y lo que no lo es. ¿Pueden influir esas expectativas en los resultados? La respuesta es *sí*.

Para empezar, las expectativas afectan el tipo de preguntas planteadas en esos experimentos. Y esas preguntas dan forma a su vez a los tipos de respuesta que van a producirse. Esto está reconocido explícitamente en la física cuántica, donde el diseño del experimento determina el tipo de resultado posible; por ejemplo, si la respuesta va a ser en forma de ondulación o de partícula. Pero este principio es perfectamente general. «La estructura del examen es como un cliché: determina cuánto de la verdad total va a revelarse y el patrón que aquélla va a sugerir.»[1]

En segundo lugar, las expectativas de los experimentadores afectan las cosas que observan, dando una tendencia a ver lo que quieren ver y a ignorar lo que no quieren ver. Esa tendencia puede producir sesgos inconscientes en la observación y en el registro y análisis de los datos, al rechazo de los resultados desfavorables como errores, y a una publicación muy selectiva de los resultados, como hemos visto en la introducción a la tercera parte.

En tercer lugar, y con un matiz un tanto misterioso, las expectaciones de los experimentadores pueden influir en lo que ocurre en realidad. El problema que va a explorar este capítulo es precisamente *hasta qué punto* podría ser misterioso ese proceso.

Efectos del experimentador

Un caso de investigación industrial muy revelador, llevado a cabo entre 1927 y 1929 en la planta Hawthorne de la compañía Western Electric, en Chicago, se ha convertido en un ejemplo familiar para generaciones de estudiantes de psicología social. Reveló eso que conocemos hoy generalmente como «efecto Hawthorne».[2] El estudio había sido diseñado para averiguar los efectos sobre la productividad de diferentes cambios en las pausas de descanso y de refrigerio. Pero ocurrió, con gran sorpresa de los investigadores, que el rendimiento aumentó como en un 30 por ciento indepen-

1. Lewis (1964).
2. Reber (1985), pág. 317.

dientemente de los tratamientos experimentales concretos. La atención que se les prestó ejerció en los obreros un efecto mayor que las condiciones físicas particulares en que trabajaban.

El efecto Hawthorne podría desempeñar un papel en muchos tipos de investigación, al menos en la referente a psicología, medicina y comportamiento de los animales. Los investigadores afectan ya a los sujetos de su investigación por el mero hecho de prestarles atención. Por otra parte, podrían tener no sólo una influencia general debida a su atención e interés, sino también una influencia específica en el modo de comportarse de sus sujetos. Éstos tienden en general a comportarse de acuerdo con lo que esperan de ellos los experimentadores.

La tendencia de los experimentadores a lograr los resultados esperados es conocida con el nombre de «efecto del experimentador», o dicho con más precisión, «efecto de las expectativas del experimentador». La mayoría de los investigadores de las ciencias del comportamiento y médicas son muy conscientes de esa tendencia, y procuran contrarrestarla mediante el uso de las metodologías del trabajo «a ciegas», ya sea en las variantes de simple o doble anonimato. En los experimentos de simple anonimato, los sujetos no saben a qué tratamiento se les va a someter. En los experimentos de doble anonimato tampoco lo saben los que hacen el experimento. Una tercera parte codifica los tratamientos y el experimentador no conoce el código hasta después de haber reunido los datos.

Aun siendo tan importantes los efectos del experimentador en la investigación sobre seres humanos y animales, nadie sabe hasta qué punto se dejan sentir en otros campos de la ciencia. La impresión convencional es que los efectos del experimentador están reconocidos suficientemente, y se confinan al comportamiento de los animales, la psicología y la medicina. Se les ignora ampliamente en otras áreas de la ciencia, cosa fácil de comprobar visitando una biblioteca científica y estudiando las revistas de diferentes campos. Los métodos de doble anonimato se emplean rara vez, si acaso, en la investigación sobre biología, química, física e ingeniería. Los científicos de estas materias suelen ser «inocentes» de la posibilidad de que los experimentadores puedan afectar inconscientemente los sistemas que están estudiando.

Asomando desde el transfondo nos llega el alarmante pensamiento de que gran parte de la ciencia establecida podría reflejar la influencia de las expectativas de los experimentadores, incluso a través de la psicocinética y otras influencias paranormales. Esas expectativas podrían no sólo incluir las de los investigadores individuales, sino también el consenso existente entre sus colegas. Los paradigmas científicos, esos modelos de la realidad compartidos por los profesionales, ejercen gran influencia en el cuadro general de la expectativa, pudiendo influir en el resultado de incontables experimentos.

Se comenta a veces, a manera de broma, que los físicos nucleares, más que descubrir partículas subatómicas nuevas, las inventan. Para empezar, esas partículas se predicen a partir de razones teóricas. Si un número suficiente de profesionales creen que va a ser probable encontrarlas, se procede a construir costosos aceleradores y colisionadores de partículas para buscarlas. Después, no lo dude, las esperadas partículas se detectan, en forma de trazas en cámaras de burbujas o películas fotográficas. Cuanto mayor es la frecuencia con que se detectan, se hace más fácil volver a hallarlas. Y se establece un nuevo consenso: *existen*. El éxito de esa inversión de cientos de millones de dólares justifica entonces ulteriores desembolsos en desintegradores atómicos todavía mayores para encontrar todavía otras partículas ya pronosticadas, y así sucesivamente. El único límite existente no parece estar fijado tanto por la naturaleza misma, sino por la inclinación del Congreso de los Estados Unidos a seguir gastando miles de millones de dólares en ese objetivo.

En las ciencias físicas, aunque se ha practicado poquísima investigación empírica de los efectos del experimentador, ha habido muchas y sofisticadas discusiones sobre el papel del observador en la teoría cuántica. Esos observadores, desde una perspectiva filosófica, se nos representan como las descollantes mentes de científicos objetivos e idealistas. Pero si tomamos en serio la activa influencia de la mente del experimentador, se nos ofrecen muchas posibilidades —incluso la de que la mente del observador pueda tener poderes psicocinéticos. Es posible que en el ámbito microscópico de la física cuántica tengan lugar fenómenos de «la mente sobre la materia». Tal vez pueda influir la mente en las probabilidades de acontecimientos de índole probabilística, no rígidamente determinados de antemano. Esta idea constituye la base de mucha especulación entre los parapsicólogos,[3] y es una manera de tratar de explicar la interacción de los procesos mentales y físicos en el cerebro.[4]

3. Véase, por ejemplo, Wolman (comp.) (1977).
4. Por ejemplo, el neurofisiólogo sir John Eccles es partidario de este enfoque (Popper y Eccles, 1977).

En el campo del comportamiento animal, según analizo seguidamente, existen verdaderas pruebas experimentales de los efectos de las expectativas de los experimentadores en el comportamiento de los animales. Pero se suele ignorar la posibilidad de tales efectos en la mayoría de las áreas de la biología. Un embriólogo, por ejemplo, puede muy bien reconocer la necesidad de ponerse en guardia contra una observación sesgada y de utilizar métodos estadísticos apropiados, pero es improbable que tome en serio la idea de que sus expectativas puedan influir, de alguna manera misteriosa, el desarrollo de los tejidos embrionales mismos.

En la psicología y la medicina, los efectos del experimentador se explican generalmente como influencias transmitidas por «claves sutiles». Pero algo muy distinto es el posible grado de sutileza de las mismas. Se asume generalmente que dependen únicamente de formas reconocidas de comunicación sensorial, dependientes a su vez sólo de los bien conocidos principios de la física. La posibilidad de que incluyan también influencias «paranormales» como la telepatía y la psicogénesis ni siquiera se discute en una sociedad científica bien educada. Creo por mi parte que es mejor afrontar esa posibilidad que ignorarla, y propongo una investigación de los efectos «de la mente sobre la materia». Pero vale la pena primero considerar lo que está ya comprobado.

CÓMO LA GENTE SE COMPORTA COMO ERA DE ESPERAR

Las personas se comportan generalmente «como era de esperar». Si tenemos la esperanza de que la gente sea amable, es más fácil que lo sea que cuando tememos que sea hostil, y le damos un trato en consecuencia. Los pacientes de los psicoanalistas freudianos tienden a tener sueños freudianos, mientras que los de los psicoanalistas jungianos suelen tenerlos jungianos. Hay incontables ejemplos de todos los campos de la experiencia humana que ilustran este principio.

Comparados con la riqueza de la experiencia personal y los relatos anecdóticos, los experimentos basados en los efectos de la expectativa sobre el comportamiento de la gente parecerían fácilmente inventados y banales. Y sin embargo, son importantes debido a que permiten la investigación empírica de este efecto y su introducción en el campo de la disertación científica. Y hay ya desde luego cientos de experimentos que han demostrado que los experimentadores pueden afectar el resultado de las investigaciones psicológicas inclinándolas en la dirección de sus expectativas.[5]

He aquí un ejemplo: a un grupo de catorce estudiantes graduandos de psicología se les dio una «preparación especial» para un «nuevo métodos de aprendizaje del método de Rorschach» en el que deberían preguntar a la gente qué imágenes veían en las manchas de tinta. A siete de ellos se les dio a entender que los psicólogos experimentados obtenían de sus sujetos más imágenes humanas que de animales. A los otros siete se les dieron las mismas manchas de tinta, pero se les dijo que unos psicólogos experimentados habían hallado que suscitaban una proporción mayor de imágenes de animales. Como era de suponer, el segundo grupo obtuvo un número de imágenes de animales significativamente mayor que el primero.

Es de más peso la demostración empírica de que los efectos de tales expectativas no se confinan a los experimentos de laboratorio a corto plazo. En las escuelas, por ejemplo, influyen mucho las expectativas en el modo de tratar los maestros a los niños y por lo mismo en el modo de aprender de los pequeños. El ejemplo paradigmático al caso se llama «experimento de Pigmalión», y fue llevado a cabo en una escuela elemental de San Francisco por el psicólogo de Harvard Robert Rosenthal y sus colegas. Estos prestigiosos científicos crearon sin dificultad expectativas en los maestros de que algunos niños de sus clases iban a sobresalir mucho intelectualmente y tener progresos muy notables en el curso escolar de aquel año. Los psicólogos suscitaron esa creencia administrando a todos los niños de aquella escuela un test que describían como una nueva técnica para predecir el «florecimiento» intelectual y denominaban «Harvard Test of Inflected Acquisition» (Prueba de adquisición flexional de Harvard). Acto seguido le confiaron al maestro de cada clase los nombres del 20 por ciento de aquellos niños que habían obtenido una puntuación más alta. Se trataba, de hecho, de un test ordinario de inteligencia no verbal, y fueron elegidos al azar los nombres de los niños que tenían más probabilidades de «florecer».

A fin de curso, al ser sometidos de nuevo todos los niños a la misma prueba de inteligencia con el mismo test, los niños «prometedores» de primero sacaron un promedio de 15,4 puntos más de CI que los niños de control; los de segundo, 9,5 puntos más. Y aquellos niños «prometedores» no sólo mostraron tendencia a

5. Rosenthal y Rubin (1978).

puntuar mejor, sino también a que los maestros los calificasen de más atrayentes, más ajustados, más afectuosos, más curiosos y más felices. Aquel efecto se notó mucho menos del tercer curso en adelante, probablemente porque los maestros tenían ya sus propias expectativas de los niños; las expectativas suscitadas por Rosenthal y sus colegas ejercieron mucho menos efecto cuando hubieron de competir con reputaciones comprobadas.[6] Muchos estudios ulteriores han confirmado y ampliado estas conclusiones.[7]

Se criticó a Rosenthal y colegas de que su mismo interesado compromiso en hallar efectos de los experimentadores incidió en sus propios resultados. Rosenthal replica afirmando que, de ser así, esto demostraría su punto de vista, sólo que de otra manera:

> Podríamos llevar a cabo un estudio a base de dividir aleatoriamente a los investigadores de la expectativa en dos grupos: en el primero, se efectuarían los experimentos de expectativas como de costumbre, mientras que en el segundo se adaptarían precauciones especiales para que la expectativa del investigador principal no pudiera comunicarse a los experimentadores. Supongamos que el efecto de expectativa medio del primer grupo fuese 7 y el del segundo, 0. ¡Podríamos seguir considerándolo como prueba del fenómeno de los efectos de expectativa![8]

Aunque en las ciencias médicas y del comportamiento se emplean como rutina métodos de doble anonimato como protección en contra de los efectos del experimentador, esos métodos son sólo eficaces en parte. Subsisten algunos efectos de la expectativa, y se les ve con máxima claridad en el efecto de placebo de la experimentación médica.

EL EFECTO DE PLACEBO

Los placebos (medicamentos ficticios) son tratamientos sin ningún valor terapéutico específico que, sin embargo, ayudan a la gente a sentirse mejor. Los investigadores médicos han hallado que los efectos de placebo son omnipresentes dentro de la medicina. Si no se les controla en los estudios terapéuticos, los resultados no suelen ser considerados como fiables. Se han hallado efectos de placebo en muchas situaciones patológicas incluyendo la tos, los cam-

6. Rosenthal (1976).
7. Por ejemplo, Rosenthal (1991).
8. Rosenthal y Rubin (1978), págs. 412-413.

ILUSIONES CIENTÍFICAS

bios de estado de ánimo, la angina de pecho, el dolor de cabeza, el mareo, la ansiedad, la hipertensión, el estado asmático, la depresión, el resfriado común, el linfosarcoma, la secreción y motilidad gástrica, las dermatitis, la artritis reumatoide, la fiebre, las verrugas, el insomnio y muchos síntomas dolorosos debidos a distintas causas.[9]

Gran parte del éxito de distintas terapias a lo largo del tiempo pueden atribuirse al efecto de placebo, al margen del tipo de terapia o de las teorías que la sostienen. Y no puede haber dudas de que desempeña asimismo un gran papel en la medicina moderna. Una revisión hecha a una amplia gama de ensayos farmacológicos nos revela que los placebos son, en promedio, entre una tercera parte y la mitad de eficaces que la medicación específica —todo un resultado para unas píldoras inocuas que no cuestan casi nada. Pueden existir también formas de consejo o psicoterapia inocua, o incluso cirugía inocua. Por ejemplo, una intervención quirúrgica para tratar un dolor de angina incluía la ligazón de las arterias mamarias. Cuando se sometió a prueba la eficacia de esta intervención, se les hizo la incisión correspondiente a los pacientes de control, pero no hubo ligazón alguna de arterias. «Hubo el mismo alivio del dolor de angina en los grupos de cirugía real que en los de cirugía simulada. Además, ambos grupos mostraron cambios fisiológicos, incluyendo la inversión de la onda T del electrocardiograma.»[10]

Entonces, ¿qué son los placebos? La historia etimológica de la palabra misma es reveladora. Es la primera palabra de una antífona del oficio de difuntos, «*Placebo Domino...* —agradaré al Señor».[11] Se empleó la palabra en referencia a las plañideras profesionales que recibían dinero por «cantar *placebos*» junto al catafalco del difunto en lugar de la familia, a la que le correspondía originalmente ese papel. Con el correr de los siglos, las connotaciones de la palabra fueron haciéndose burlonas; y se utilizó para definir a los aduladores, sicofantes y parásitos sociales. Apareció por vez primera en un diccionario médico en 1785, en sentido peyorativo, y hacía referencia a «un método o medicina vulgar».[12]

No cabe duda de que las cantadoras de placebos de la Edad Media deben haber carecido de cualquier afecto específico hacia los fallecidos. Sin embargo, la rutinaria mentalidad general creía que

9. White, Tursky y Schwartz (1985); Murphy (1992), capítulo 12.
10. Evans (1984).
11. Del Salmo 114, 9 de la Vulgata.
12. Shapiro (1970).

su cantinela tenía valor como parte de un ritual reconocido. Los placebos modernos forman parte de un escenario terapéutico, y su poder depende igualmente de las creencias y expectativas, tanto del médico como del paciente. Cualquier método de tratamiento administrado dentro de cualquier cultura, tradicional o moderna, se efectúa dentro de un contexto en el que las técnicas empleadas le parecen convenientes al paciente y a los terapeutas potencialmente eficaces.

Los médicos propenden mucho a atribuir la eficacia de los sistemas de medicina tradicionales o «no científicos» al fenómeno del placebo, como también a achacar el empleo de placebos a otras clases de médicos. Pero tienden a poner a salvo de ese efecto a las medicinas que emplean ellos mismos. En una revisión hecha a la actitud hacia los efectos de placebo, los cirujanos excluían la cirugía, los internistas la medicación respectiva, los psicoterapeutas la psicoterapia, y los psicoanalistas excluían el psicoanálisis.[13] Todavía más, en la investigación médica, se consideran generalmente los efectos de placebo como un fastidio a evitar. Pero posiblemente la negativa actitud de los médicos hacia los placebos tiene su «lado positivo», al constituir la otra cara de la moneda de su fe en la especial eficacia de su propia técnica, que por lo mismo tiende a dar mejor resultado —¡precisamente por el efecto de placebo!

Los efectos de placebo más acusados se producen en los experimentos de doble anonimato, en los que tanto los pacientes como los médicos creen que se está empleando un potente tratamiento nuevo. Cuando los médicos creen que el tratamiento es menos eficaz, se produce un efecto de placebo menor. En los experimentos de simple anonimato, donde los médicos saben a qué pacientes se les ha dado un placebo, pero los pacientes no, los placebos son todavía menos eficaces. En los de carácter abierto, donde los pacientes saben que les están dando un placebo, es donde los efectos son menores. En otras palabras, los tratamientos dan el máximo resultado cuando tanto los médicos como los pacientes *creen* que tienen un potente efecto benéfico. Y viceversa, en los experimentos donde las medicaciones *activas* se marcan como placebos es donde los fármacos dan peores resultados clínicos.[14]

En consecuencia, unas expectativas más bajas se traducen en un efecto de placebo más bajo. Ése es el caso de las nuevas «medicinas maravillosas», que suscitan al principio grandes esperanzas, pero

13. Íd.
14. Evans (1984), pág. 17.

que no están a la altura de sus expectativas. Ese patrón fue bien identificado por Armand Trousseau, clásico médico francés del siglo XIX, que recomendaba a sus colegas que «tratasen el mayor número de pacientes posible con los nuevos fármacos mientras tienen éstos todavía el poder de curar».[15] Hay muchos ejemplos modernos. Hubo, por ejemplo, una época en la que la clorpromacina fue exaltada por su eficacia para tratar la esquizofrenia, pero después fue esfumándose gradualmente la fe en su poder. En experimentos posteriores fue dando cada vez menos resultado. El efecto de los placebos empleados declinó de un modo paralelo. «Tal vez cuando los investigadores empezaban a darse cuenta de que el nuevo "medicamento maravilloso" no era tan potente como esperaban, sus expectativas disminuían, y con ellas posiblemente su interés en los pacientes.»[16] He aquí otro ejemplo, especialmente chocante, de los años cincuenta:

> Un hombre con un cáncer avanzado dejó de responder a la radioterapia. Le dieron entonces una inyección única de un fármaco experimental, Krebiozen, considerado por algunos autores entonces como una «cura milagrosa» (después se desacreditó). Los resultados impresionaron del todo al médico de aquel paciente, quien aseguró que sus tumores «se fundieron como bolas de nieve en una estufa muy caliente». Posteriormente, el paciente leyó unos estudios que indicaban que el fármaco era ineficaz, y volvió a extendérsele el cáncer. En ese momento, el médico, con una corazonada, le administró un placebo (agua pura y simple) por vía intravenosa. Le dijeron al paciente que se trataba de una forma «nueva, perfeccionada» de Krebiozen. De nuevo se le redujo el cáncer de manera impresionante. Pero después volvió a leer, en los periódicos, el dictamen oficial de la American Medical Association: el Krebiozen era una medicación inútil. La fe del pobre lector se desvaneció, y murió en unos cuantos días.[17]

Los mismos principios valen para la investigación médica específica. Los creyentes y no creyentes en formas de tratamiento nuevas suelen obtener resultados muy distintos: «Cuantitativamente este cuadro coincide. El 70 a 90 por ciento de eficacia en los informes de los entusiastas descendió del 30 a 40 por ciento de eficacia «de línea de base» del placebo obtenida en los informes de los escépticos.[18]

15. Citado en Dossey (1991), pág. 203.
16. Evans (1984), pág. 17.
17. Citado en Dossey (1991), pág. 203.
18. Benson y McCallie (1979).

Un rasgo notable de los placebos es que los pacientes no sólo se benefician con ellos, sino que acusan también respuestas tóxicas o efectos secundarios. En una revisión de sesenta y siete experimentos de doble anonimato con medicinas en los que participaron 3.549 pacientes, un 29 por ciento de éstos presentaron diversos efectos secundarios mientras fueron tratados con el placebo, incluyendo anorexia, náusea, dolores de cabeza, somnolencia, temblor y dermatitis.[19] Los efectos secundarios fueron en ocasiones tan serios que exigieron una intervención médica adicional. Por otra parte, mostraban una relación con las expectativas de los médicos o los pacientes tocante al principio activo sometido a experimentación.[20] Por ejemplo, en un experimento de doble anonimato a gran escala sobre anticonceptivos orales, un 30 por ciento de las mujeres que recibieron placebo informaron de una disminución del impulso sexual, un 17 por ciento aumento del dolor de cabeza, el 14 por ciento aumento del dolor menstrual y el 8 por ciento un mayor nerviosismo e irritabilidad.[21]

Del mismo modo que el poder de las bendiciones se ve reflejado en el de las maldiciones, los efectos benéficos de los placebos se ven reflejados también en los efectos negativos de los métodos que se supone que van a hacer daño, conocidos técnicamente como «placebos negativos» o «nocebos». Los antropólogos conocen ejemplos espectaculares de «muertes por vudú», provocadas por la creencia en el poder del embrujamiento en África, Latinoamérica y otras partes. Los experimentos de laboratorio han evidenciado también efectos de nocebo, menos espectaculares, por ejemplo en un estudio en el que se les dijo a los sujetos que les iba a pasar a través de la cabeza una ligera corriente eléctrica mediante la aplicación de unos electrodos y se les advirtió que aquello podría dar origen a un dolor de cabeza. Aunque de hecho no se les aplicó la menor corriente, a dos tercios de los sujetos les dio dolor de cabeza.[22] Tanto los placebos como los nocebos dependen de las creencias culturales prevalecientes, incluyendo la fe en la medicina científica. «Dicho sencillamente; la fe hace enfermar, o mata, o cura.»[23]

19. Pogge (1963).
20. S. Ross y L.W. Buckalew, en White, Tursky y Schwartz (1985).
21. Evans (1984).
22. Schweiger y Parducci (1978).
23. R.A. Hahn, en White, Tursky y Schwartz (1985), pág. 182.

INFLUENCIA DE LA EXPECTATIVA EN LOS ANIMALES

Los animales responden de manera diferente a diferentes personas, cosa que conoce cualquier dueño o entrenador de animales. Reconocen a las personas a las que están acostumbrados y suelen ponerse en guardia ante las desconocidas. Da la impresión de que perciben si las personas son amigas, calibran bien su temor o su confianza, y responden a sus expectativas. Considerado esto desde una perspectiva de sentido común, basada en la experiencia cotidiana, nos sorprende muy poco el que los científicos que hacen experimentos con animales ejerzan influencia personal en ellos. Las actitudes y expectativas de los experimentadores afectan a los animales con quienes trabajan ellos.

Los experimentos clásicos sobre los efectos de las expectativas de los experimentadores en los animales fueron efectuados en la década de los 60 por Robert Rosenthal y sus colegas. Emplearon estudiantes como experimentadores y ratas como sujetos. Las ratas procedían de una cepa normal para laboratorio, pero fueron divididas al azar en dos grupos, marcados como «Maze-Bright» (listas en el laberinto) y «Maze-Dull» (torpes en el laberinto). Se les dijo a los estudiantes que aquellas ratas eran producto de generaciones de crianza selectiva en Berkeley para lograr un rendimiento bueno o malo en los laberintos de prueba estándar. Los estudiantes, como es natural, esperaban que las ratas «brillantes» aprendiesen más aprisa que las «apagadas», Por descontado que así resultó. En conjunto, las ratas «brillantes» hicieron un 51 por ciento de respuestas más correctas y aprendieron un 29 por ciento más aprisa que las ratas «apagadas».[24]

Esos hallazgos se vieron confirmados en otros laboratorios y con otros tipos de aprendizaje.[25] Y se han observado efectos de experimentador comparables con turbelarios, animales inferiores que viven en el cieno del fondo de las charcas y medios acuáticos similares. En uno de esos estudios, una muestra de esos gusanos, del género *Planaria*, esencialmente idénticos, fue dividida en dos grupos, descrito uno de ellos como una cepa con escasos giros de cabeza y contracciones del cuerpo («gusanos productores de baja respuesta») y el otro como una cepa con frecuentes giros y contracciones («gusanos productores de gran respuesta»). Con tales expectativas en la mente, los experimentadores hallaron un promedio de cinco

24. Rosenthal (1976), capítulo 10.
25. Íd.

veces más giros de cabeza y veinte veces más contracciones en las planarias «productoras de gran respuesta».[26]

Esos efectos de expectativa, al igual que los del experimento con ratas de Rosenthal, aparecieron en estudiantes no graduados, que suelen propender a ver, o incluso a pretender que vieron, lo que se les dice que se puede esperar. Unos observadores más fogueados suelen mostrar generalmente unos efectos de expectativa menores. Eso ocurrió, por ejemplo, cuando trabajaron con las planarias otros investigadores más experimentados. El número de contradicciones que hallaron en las planarias «productoras de gran respuesta» fue de dos a siete veces mayor que en las de «respuesta escasa», en comparación con el promedio de veinte veces hallado en los estudiantes no graduados. De todas maneras, un aumento de dos a siete veces sigue constituyendo un efecto grande, que introduce inevitablemente un serio sesgo en los resultados.

Por otro lado, los observadores experimentados pueden estar sumamente comprometidos con enfoques particulares de la realidad, que se traducen directa o indirectamente en unos efectos de expectativa mayores que los que aparecen entre los novatos, con menos compromiso personal en teorías determinadas. Pueden suscitar un clima de expectativa entre sus colegas y técnicos, lo que puede influir a su vez el modo de comportarse los animales estudiados.

Aunque los efectos de expectativa fueron estudiados sistemáticamente por primera vez en los años sesenta, y han sido demostrados hasta ahora en cientos de estudios especiales,[27] el principio general no tiene nada de nuevo. Bertrand Russell, por ejemplo, escribiendo con su ingenio y claridad de costumbre, lo expresó como sigue en 1927:

> El modo que tienen los animales de aprender ha sido muy estudiado en estos años últimos con cantidad de pacientes observaciones y experimentos... Podríamos decir grosso modo que todos los animales que han sido observados con cuidado se han comportado del modo idóneo para confirmar la filosofía en la que creía el observador antes de iniciar sus observaciones. Mejor dicho, han exhibido todos las características nacionales de su observador. Los animales estudiados por norteamericanos corren de acá para allá frenéticamente, y con una increíble exhibición de bullicio y dinamismo, y terminan logrando por casualidad, el resultado deseado. Los animales observados por alemanes se ponen a pensar tranquilamente, y terminan emitiendo la solución desde lo íntimo de su conciencia.[28]

27. Rosenthal (1976); Rosenthal y Rubin (1978).
28. Citado en Rosenthal (1976), capítulo 10.

Efectos del experimentador en la parapsicología

Los efectos del experimentador son bien conocidos a los parapsicólogos, por varias razones. La primera es que desde hace mucho saben los investigadores experimentados que los sujetos tienden a mostrar más facultades psíquicas cuando se sienten relajados y en un ambiente positivo y entusiasta. Si en cambio, están ansiosos, incómodos o se sienten tratados de un modo formalista y frío por los investigadores científicos, no lo hacen tan bien. Pueden llegar incluso a no mostrar en absoluto facultades psíquicas significativas, carencia de «efectos psi» (ψ), en el argot parapsicológico.

Segunda, es un asunto bastante conocido entre los investigadores de este campo que los sujetos que muestran aptitudes psíquicas considerables tienden a perderlas a menudo cuando entran en la habitación desconocidos como observadores. El pionero parapsicólogo J.B. Rhine llegó a cuantificar ese efecto en una serie de pruebas hechas con un sujeto muy dotado, Hubert Pearce de nombre, tras haber notado que cuando alguien iba a ver a Pearce mientras trabajaba, se venía abajo inmediatamente la puntuación de él. «Empezamos a llevar un registro de aquella evidencia, invitando a veces a un visitante con ese único objeto, sirviéndonos otras de algún visitante casual. Anotamos el momento de entrada y salida de 7 visitantes, uno de ellos en dos ocasiones. Todos ellos provocaron un bajón en la puntuación de Pearce.»[29]

El efecto desconcertador de los desconocidos es especialmente fuerte cuando éstos son escépticos, sobre todo si son hostiles hacia el experimentador mismo o a las personas implicadas. En cambio, si los desconocidos se muestran amistosos, y especialmente si ayudan de algún modo en el experimento en vez de comportarse como observadores al margen, los sujetos se acostumbran a su presencia, y las puntuaciones ψ vuelven a subir.[30] Los escépticos suelen interpretar el fracaso de los test parapsicológicos en presencia de personas escépticas como una prueba de que los poderes psíquicos no se pueden detectar en condiciones científicas rigurosas, y que por lo mismo, no existen en realidad. Pero los efectos negativos de los escépticos pueden deberse muy bien a su desconcertadora presencia y a sus expectativas negativas, transmitidas a través de claves sutiles y no demasiado sutiles.

Tercera, saben muy bien los parapsicólogos que algunos experi-

29. Rhine (1934).
30. White (1976).

mentadores consiguen continuamente resultados positivos en su investigación, al paso que otros no lo logran. Dos investigadores británicos investigaron sistemáticamente ese efecto en los años cincuenta. Uno de ellos, C. W. Fisk, inventor retirado, consiguió una vez tras otra resultados significativos en sus experimentos. El otro, D. J. West, que sería después catedrático de criminología en Cambridge, fracasaba por lo general en la detección de fenómenos psíquicos. En aquellos experimentos, cada uno de ellos preparó la mitad de los ítem del test, e hizo las puntuaciones al final. Los sujetos no sabían que intervenían dos experimentadores, ni se encontraron con ellos; recibieron los formularios de la prueba por correo y los devolvieron por el mismo conducto. Los resultados de la mitad de Fisk del experimento revelaron unos efectos muy significativos en cuanto a clarividencia y psicocinesis. Los datos de West no mostraron desviación alguna de la casualidad. Sacaron en conclusión que West era «gafe».[31]

Cuarta, la investigación hecha sobre la psicocinesis ha revelado una vez tras otra que los experimentadores que hallan efectos significativos son a su vez buenos sujetos de experimentación. Por ejemplo, Helmut Schmidt, el inventor de la máquina de Schmidt, un generador aleatorio de números, cuyos resultados pueden salir afectados al parecer cuando se desea que salgan determinados esquemas, halló que él suele ser su mejor sujeto.[32] Otro investigador, Charles Honorton, ha llegado incluso a demostrar que los efectos psicocinéticos producidos en los generadores aleatorios de números por los sujetos de sus experimentos se deben más a él mismo que a sus sujetos.[33] Los sujetos produjeron efectos psicocinéticos cuando él se hallaba presente; y él mismo los produjo cuando actuaba como sujeto de la experimentación. Pero el efecto ψ se perdía cuando él no estaba presente y otro experimentador se encargaba de probar a los sujetos. Honorton y su colega Barksdale dedujeron que esos efectos demostraban que «no se pueden mantener fácilmente las fronteras tradicionales entre los sujetos y los experimentadores». Interpretaron sus resultados como un «efecto de experimentador debido al ψ».[34]

Las consecuencias de tales efectos son alucinantes. Si los parapsicólogos pueden llegar a producir efectos de experimentador debidos al ψ, intencionalmente o no, a través de su influencia sobre

31. Kennedy y Taddonio (1976).
32. Schmidt (1973, 1974).
33. Honorton (1975).
34. Honorton y Barksdale (1972).

sus sujetos, incluso a distancia (como en los experimentos de Fisk-West), se derrumba del todo la separación convencional supuesta entre los experimentadores y los sujetos de su investigación. Por otra parte, si las personas pueden influir en hechos físicos como la desintegración radiactiva, se viene abajo también la separación convencional supuesta entre la mente y la materia. Pero, en ese caso ¿por qué tendrían que confinarse a la parapsicología los efectos de experimentador debidos al ψ? ¿No podrían producirse también en otros muchos campos de la ciencia?

¿Hasta qué punto es paranormal la ciencia normal?

El tabú convencional impuesto a la parapsicología, convirtiéndola en algo así como una proscrita de la ciencia oficial, tiene buenas razones. La existencia de los fenómenos psíquicos podría poner en serio entredicho su ilusión de objetividad. Suscitaría la posibilidad de que muchos resultados empíricos obtenidos en muchos campos de la ciencia reflejen las expectativas de los experimentos a través de sutiles influencias inconscientes. Es irónico que el ideal ortodoxo de la observación pasiva podría brindar excelentes condiciones para la aparición de efectos paranormales:

> Un experimentador que organiza su instrumental, prepara sus animales y los deja después con cierta sensación de seguridad de que el experimento va a salir bien y de que los animales van a «hacer sus cosas» como es debido, no puede menos que recordarnos algunos aspectos de la magia, de lo ritual, o incluso de la «oración impetratoria». Se hacen algunas cosas con la confianza en que van a producir el resultado deseado, y el participante, tras haber hecho esto, crea psicológicamente un distanciamiento entre él mismo y el resultado. No trata de *obligar* a las cosas a que ocurran, pero confía desde luego en que van a hacerlo... Semejantes circunstancias pueden brindar una oportunidad idónea en la intervención psicocinética.[35]

Esta posibilidad se ha suscitado incluso en una comunicación aparecida en *Nature*, titulada «Los científicos frente a lo paranormal», por el físico David Bohm y otros. Observaron que las relajadas condiciones necesarias para la aparición de los fenómenos psicocinéticos son también las más fructíferas para la investigación científica en general. En cambio, la tensión, el miedo y la hostili-

35. Stamford (1974).

dad no sólo tienden a inhibir los efectos psi, sino que influyen también los experimentos que se practican en las llamadas ciencias duras. «Si algunas de las personas que participan en un experimento físico se muestran tensas y hostiles, y no quieren en realidad que funcione el experimento, las probabilidades de éxito se reducen mucho.»[36]

Los defensores de la ortodoxia rechazan o ignoran por lo general la posibilidad de las influencias paranormales bajo cualesquiera circunstancias. Grupos organizados de escépticos se encargan de mantener la ciencia libre de ψ. Esos vigilantes científicos se niegan continuamente a aceptar cualquier prueba de los efectos psi, que rechazan por uno o más de los motivos siguientes:

1. Experimentación incompetente.
2. Observación, registro e información selectivas de los datos.
3. Engaño consciente o inconsciente.
4. Provocación de los efectos del experimentador mediante claves sutiles.

Los escépticos tienen derecho a señalar esas posibles fuentes de error en la investigación parapsicológica. Pero esas mismas fuentes de sesgos están presentes igualmente en la investigación ortodoxa. El hecho mismo de que la investigación parapsicológica se halle sometida a un escrutinio tan crítico hace que los investigadores activos en este campo sean sumamente conscientes de los efectos de la expectativa. Lo irónico es que donde más fácilmente escapan a la decepción las influencias de las expectativas de los experimentadores es en los campos convencionales e incontrovertidos de la investigación.

Son innegables las pruebas de la existencia de efectos del experimentador en la medicina y las ciencias del comportamiento. Y ésa es la razón de que las «claves sutiles» adquieran entonces un papel explicativo tan importante. Casi todo el mundo está de acuerdo en que claves sutiles tales como gestos, movimientos de los ojos, posturas del cuerpo y olores puedan influir mucho en las personas y los animales. Los escépticos están muy pendientes de resaltar la importancia de esas claves, y con razón. Un socorrido ejemplo que muestra la importancia de las claves sutiles es la historia del Schlauer Hans (Hans el listo), un famoso caballo berlinés de principios de siglo. Aquel caballo hacía indudables proezas aritméticas

36. Hasted y otros (1975).

en presencia de su dueño dando golpes con un casco en el suelo para dar una respuesta contada. El fraude no parecía probable, puesto que el dueño permitía que otras personas (fuera de sospecha) le hicieran las preguntas al caballo. El psicólogo Oskar Pfungst investigó científicamente aquel fenómeno en 1904, y sacó en conclusión que Hans recibía claves a través de gestos hechos, probablemente inconscientemente, por el dueño o los demás preguntones. Pfungst halló también que podía lograr que aquel listo caballo le diese la respuesta correcta con sólo concentrarse él en el número, aunque no era consciente de haber hecho ningún movimiento que pudiera delatarlo.[37]

Nadie niega que esas claves sutiles procedentes de los experimentadores, pasando a través de canales sensoriales normales, puedan afectar a las personas y a los animales. Los escépticos aseguran que esas influencias podrían explicar muchos ejemplos de aparente comunicación telepática. Pero, tenido todo esto en cuenta, sigue en pie la posibilidad de que desempeñen algún papel *tanto* las claves sensoriales sutiles *como* las influencias «paranormales».

El caso de la investigación del Schlauer Hans por Pfungst ha sido relatado una vez tras otra a generaciones y más generaciones de estudiantes de psicología. Es menos conocido en cambio, el que, tras la investigación de Pfungst descrita en su libro sobre el Schlauer Hans, publicado en 1911, estudios ulteriores sobre caballos dotados de facultades matemáticas similares revelan que hay implicado algo más que las claves sensoriales sutiles. Por ejemplo, cuando Maurice Maeterlinck investigó los famosos caballos calculadores de Elberfeld, sacó en conclusión que, más que responder a claves sensoriales sutiles, le leían la mente de alguna manera. Tras una serie de pruebas, cada vez más rigurosas, se le ocurrió una que «debido a su simplicidad misma, quedaba a salvo de cualquier sospecha estudiada o traída por los pelos». Tomó tres tarjetas con un número cada una, las barajó sin mirarlas, y las puso boca abajo sobre una tabla donde el caballo sólo podía ver los lados del revés en blanco. «En consecuencia, en aquel momento, no había un alma en esta Tierra que conociera las cifras.» Sin embargo, sin vacilar, el caballo contaba con golpes de los cascos el número formado en las tres cartas. Ese experimento se repitió con éxito con los demás caballos calculadores «con toda la frecuencia con que lo intenté».[38] Esos resultados rebasan incluso la posibilidad de la telepatía, dado

37. Inglis (1986), pág. 194.
38. Íd., pág. 195.

que el mismo Maeterlinck desconocía las respuestas correctas en el momento en que los caballos las daban con golpecitos. E implican o bien que los caballos eran capaces de la clarividencia, al saber directamente lo que había en las tarjetas, o de la precognición, al conocer el número que iba a estar en la mente de Maeterlinck después de haber dado él vuelta a las tarjetas.

Durante más de ochenta años se ha citado una y otra vez el caso de Schlauer Hans como un triunfo del escepticismo. Ha adquirido un significado mítico, permitiendo la explicación a través de claves sutiles de efectos aparentemente paranormales. Pero ¿qué pasa si algunas de esas claves sutiles son a su vez paranormales? Es un auténtico tabú sostener esa posibilidad, y no digamos investigarla. Sin embargo, la posible importancia de las influencias parapsicológicas le fue indicada a Rosenthal por uno de sus colegas de Harvard justo al principio de su investigación sobre los efectos del experimentador:

> Si tuviera yo el ingenio o el valor para hacerlo, podría haber llevado a cabo fácilmente un estudio en el que se impediría que unos experimentadores con diversas expectativas tocante a las respuestas de sus sujetos tuvieran contacto sensorial con ellos. Mi predicción, entonces y ahora, era (y sería) que en esas condiciones no podían producirse en absoluto efectos de expectativa. Pero nunca hice ese estudio.[39]

Y si alguien ha hecho en realidad ese estudio, podría ser que la predicción de Rosenthal estuviese equivocada. Es posible que algunos de los efectos de las expectativas de los experimentadores sean paranormales. Unas influencias de tal sutileza no se opondrían a las claves sutiles; normalmente seguirían un curso paralelo a éstas, y funcionarían de un modo justo igual de inconsciente.

Aunque las ciencias médicas y del comportamiento reconocen ampliamente los efectos del experimentador, el hecho de que los expliquen —o desechen— como «claves sutiles» evita que se les tome en serio en otros campos de investigación como la bioquímica. Mientras una persona o una rata podría captar las expectativas de un científico y responder de acuerdo con ellas, nadie esperaría que un enzima situado dentro de un tubo de ensayo respondiese a un lenguaje corporal sutil, a gestos faciales inconscientes, etc. Por supuesto que existe un reconocimiento general de la posibilidad de una observación sesgada, pero ella no es el resultado de ninguna

39. Rosenthal (1984).

influencia real sobre el sistema experimental mismo. El científico puede «ver» una diferencia que encaja en su expectativa, pero se supone que esa diferencia está únicamente en los ojos del observador, y no en el material estudiado.

En cualquier caso, todo ello es únicamente una suposición. No ha habido prácticamente investigación alguna sobre la influencia de las expectativas de los experimentadores en campos científicos como la agricultura, la genética, la biología molecular, la química y la física. Como se supone que el material estudiado es inmune a tales influencias, se suponen innecesarias las precauciones contra ellas. Exceptuando las ciencias del comportamiento y la investigación clínica, rara vez se acude a los métodos de doble anonimato.

Voy a indicar una serie de pruebas para explorar la posibilidad de que los efectos del experimentador podrían estar mucho más extendidos de lo que se pensaba hasta ahora.

Experimentos sobre la posibilidad de efectos del experimentador paranormales

Al buscar los efectos del experimentador, creo que lo mejor es empezar por situaciones donde los fenómenos muestren una variabilidad y un indeterminismo inherentes, lo que deja margen para los efectos sesgadores de la expectativa. Tal es el caso desde luego del comportamiento humano y de los animales, donde se han demostrado muy claramente los efectos de la expectativa. No esperaría yo que unos sistemas físicos dotados de un alto grado de uniformidad y predecibilidad dejen mucho margen a los efectos sesgadores, por ejemplo, la dinámica de las bolas de billar (aunque incluso ahí, en una partida de billar muy acalorada, un jugador podría estar motivadísimo para afectar el resultado de los impactos y las colisiones, siendo concebible que pudiese incorporar al juego poderes psicocinéticos inconscientes).

De hecho unos resultados variables, estadísticos, son lo normal en la mayoría de los campos de la investigación social y biológica, incluyendo la sociología, la ecología, la medicina veterinaria, la agricultura, la genética, la biología evolutiva, la microbiología, la neurofisiología, la inmunología, etc. Y lo son también en la física cuántica, donde las probabilidades son cosa esencial. Hay también muchas áreas de las ciencias físicas donde salta a los ojos una variabilidad inherente, como en los procesos de cristalización —por ejemplo, cada copo de nieve es diferente. E incluso los sistemas más mecanicistas, las máquinas producidas en serie, son variables. Su tendencia a romperse, por ejemplo, se mide en términos estadísticos, como en las cifras de «fiabilidad» correspondientes a distintas marcas, que se publican en las encuestas del consumidor. Y todos hemos oído de las «maulas», determinados modelos de coches u otros aparatos que son excepcionalmente poco de fiar —en los casos extremos se dice incluso que están «gafados».

Lo que propongo ahora es un tipo general de experimento susceptible de empleo en muchos campos de indagación. El diseño experimental sigue el método estándar de Rosenthal, sólo que se extiende a otras áreas que no han sido exploradas hasta ahora. El objetivo es averiguar qué sistemas son susceptibles a la influencia de las expectativas de los experimentadores, y comparar la susceptibilidad de los diferentes sistemas. Vamos a ver dos ejemplos extremos.

En el primero, se les da a los estudiantes dos muestras de trazadores radiactivos del tipo utilizado de rutina en la investigación bioquímica y biofísica y se les da a entender que uno es más radiactivo que el otro. De hecho son los dos iguales. A continuación proceden a hallar los niveles de radiactividad siguiendo métodos estándar de laboratorio, con contadores Geiger o de centelleo. ¿Tienden a hallar más radiactividad en las muestras donde esperan hallarla?

En el segundo ejemplo, en el campo de la investigación del consumo, se da a unos voluntarios muestras de un artículo estándar, digamos, una cámara automática, y se les dice que van a participar en un experimento para estudiar el efecto «del lunes por la mañana», habida cuenta de que los lunes por la mañana se produce una proporción inusualmente elevada de cámaras «tramposas». La mitad de las cámaras en cuestión, tomadas al azar de una partida normal, se marcan como «Muestra de lunes por la mañana». Las otras llevan la marca de «Control fiable». El experimento está diseñado de forma tal que los dos lotes de cámaras se utilizan en una misma extensión y en condiciones comparables, y se les pide a los voluntarios que informen con regularidad de cualquier problema que hayan encontrado. ¿Tienden a presentar más defectos las cámaras del «lunes por la mañana»?

Yo diría de entrada que el experimento de las cámaras podría presentar fácilmente un efecto de expectativa mayor que el de la radiactividad. Las expectativas de la gente tendrían, para empezar, más modos de afectar los resultados —por ejemplo, estando acaso más en guardia tocante a defectos de las cámaras de «los lunes por la mañana», o tratándolas con más descuido, manejándolas más a la ligera. Y podría darse la posibilidad de influencias paranormales inconscientes; por ejemplo, sus expectativas negativas tocante a las cámaras de los lunes por la mañana podrían introducir de algún modo cierto «gafe» en ellas. Sin embargo, el experimento mismo de la radiactividad da margen a varios tipos de influencias, incluyendo errores conscientes o inconscientes en la preparación de la muestra para el análisis radiactivo, y una influencia psicocinética en el proceso mismo de degradación radiactiva, o en el manejo del instrumento de medir. Cuando esos experimentos hayan proporcionado realmente pruebas positivas de efectos de expectación, se podrá diseñar entonces una investigación ulterior para cribar las posibilidades, separando los posibles efectos paranormales de otras fuentes de sesgos.

He aquí unos cuantos ejemplos más de experimentos de este tipo general:

1. UN EXPERIMENTO CON LA CRISTALIZACIÓN

Muchos compuestos no cristalizan enseguida, incluso a partir de soluciones sobresaturadas; pueden pasar horas, días o incluso semanas antes de que aparezcan los cristales. Sin embargo, se puede iniciar la cristalización echando «semillas» o «núcleos» en torno de los que se pueden formar los cristales. En este experimento, se les da a los estudiantes una solución sobresaturada de una sustancia de cristalización difícil, así como dos muestras de un polvo fino, definida una como «intensificador de la nucleación», producida mediante un proceso especial de enriquecimiento de la siembra, y la otra como un «control inerte». En realidad los dos polvos son idénticos. En cada uno de varios recipientes idénticos que contienen una cantidad fija de la solución sobresaturada echan los estudiantes una cantidad pequeña y determinada de «intensificador de la nucleación»; en un número igual de recipientes idénticos con la misma cantidad de solución sobresaturada echan la misma cantidad de un polvo «inerte de control». Luego examinan las muestras a intervalos regulares, anotando cuáles han cristalizado. ¿Las muestras que ellos esperan que cristalicen antes presentan alguna tendencia a hacerlo?

2. Un experimento bioquímico

Se entrega a los estudiantes de una clase de prácticas de bioquímica dos muestras de un enzima determinado. Se indica que una de ellas ha sido tratada con un inhibidor que bloquea parcialmente su actividad; se describe la otra como un control sin tratamiento. Las dos muestras son en realidad idénticas. Los estudiantes miden la actividad enzimática utilizando técnicas bioquímicas estándar. ¿El enzima «inhibido» tiende a mostrar una actividad inferior a la del «de control»?

3. Un experimento genético

Se les da a los estudiantes de una clase de prácticas de genética semillas de una especie de planta de crecimiento rápido, por ejemplo, de *Arabidopsis thaliana*, una planta pequeña de la familia de la mostaza, de uso corriente en la investigación genética. Ellos dividen este lote de semillas en dos muestras. Una es la de control. Colocan la otra en una cámara blindada con plomo contra la radiación, tapizada de señales que dicen «Peligro — Radiactividad», y la dejan allí durante un período determinado antes de sacarla, con gran cuidado. Se supone entonces que estas semillas han estado sometidas a potentes radiaciones inductoras de mutaciones (aunque en realidad no hay ningún elemento radiactivo en la cámara). De hecho se han criado ambas muestras en condiciones idénticas, y los estudiantes anotan en su momento el número de forma de desarrollo anormal existentes en las muestras respectivas. ¿Tienden a hallar más formas «mutantes» en las muestras «irradiadas»?

4. Otro experimento genético

Se les da a los estudiantes de otra clase de prácticas de genética moscas de la fruta del género *Drosophila* que contienen genes mutantes, por ejemplo, de los que provocan la mutación *bitorácica* y dan lugar a las drosofilas que los tienen una tendencia a tener cuatro alas en vez de dos (fig. 18). Esas mutaciones son recesivas; en otras palabras, sólo aquellas drosofilas que tienen una dotación doble de los genes mutantes presentan un desarrollo normal. Los híbridos de primera generación entre esas moscas mutantes y las normales tiene un aspecto normal. Pero cuando se los cruza entre

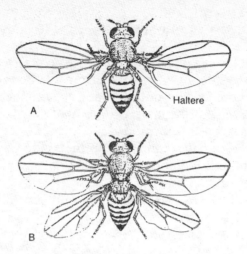

FIGURA 18. (A) Una drosofila (mosca de la fruta) normal de la especie *Drosophila melanogaster*.

(B) Una mutante de mosca de la fruta cuyo tercer segmento torácico se ha transformado de manera que es copia del segundo. Las *halteras* (órganos del equilibrio) se han
transformado en un segundo par de alas. Estas drosofilas se conocen como mutantes
bitorácicas.

sí, dan lugar a una progenie que presenta la segregación mendelia-
na; la mayoría de esos híbridos de segunda generación tiene un
aspecto normal, pero una minoría de ellos muestra la forma mutante, en distintos grados.[40]

Se les da a los estudiantes dos muestras de las drosofilas híbridas de aspecto normal, tomadas del mismo grupo, pero se les dice
que una de ellas tiene un gen «intensificador» que hace que el carácter *bitorácico* muestre un carácter más *penetrante* y *expresivo* en
la población segregadora. (En la jerga técnica de la genética «penetración» hace referencia al porcentaje de organismos que muestran
los efectos del gen en cuestión, y «expresividad» a la intensidad con
que se evidencian los efectos del gen.) Y se les dice que la otra muestra de moscas híbridas procede de una cepa dotada de un gen «inhibidor» que produce el efecto contrario.

Los estudiantes proceden a la cría de las drosofilas con el gen
«intensificador» y las que tienen el gen «inhibidor», y examinan
cuidadosamente las poblaciones de drosofilas resultantes. ¿Tienden
las poblaciones del gen «intensificador» a mostrar una proporción
mayor de moscas anormales, y tiende ese carácter a expresarse con
más fuerza? (Hay que conservar las drosofilas de ambas poblacio-

40. Véanse, por ejemplo, Waddington (1957); Ho *y otros* (1983).

nes, por ejemplo en alcohol, para poder reexaminarlas después independientemente).

5. Un experimento agrícola

Se les dice a unos estudiantes de agricultura que, como ejercicio práctico, van a efectuar un ensayo de un nuevo estimulante del crecimiento, que mediante pulverización en las plantas a intervalos regulares, produce un aumento de la cosecha. Llevan a cabo un experimento de campo en un cultivo, por ejemplo de alubias, utilizando un diseño estándar, con cuadros de cultivo idénticos y una asignación aleatoria de los tratamientos de prueba y de control. A lo largo de toda la época de floración y fructificación, rocían las alubias que crecen en los cuadros de experimentación a intervalos de una semana con la solución del «estimulante del crecimiento» y las de control con un volumen igual de agua. En realidad la solución «estimulante del crecimiento» no es otra cosa que agua pura. En cada ocasión examinan las plantas cuidadosamente, anotando cuantas diferencias observen entre las alubias «tratadas» y las de control. Cuando el cultivo ha madurado, cosechan las plantas de los diferentes cuadros y miden el peso total y producción de alubias respectivos. ¿Han crecido más las plantas «estimuladas» y dado más producción de alubias que las «de control»?

No hace falta seguir multiplicando los ejemplos. Es evidente que los mismos principios generales podrían extenderse a muchos campos de la investigación. Esos experimentos serían sumamente fáciles de llevar a la práctica, a poco coste, en el contexto de las clases de prácticas universitarias con la colaboración de los profesores auxiliares del curso.

El engaño

La única desventaja de estos experimentos es que implican un engaño. Siguen en ese aspecto los precedentes sentados por Rosenthal y sus colegas y por la utilización de placebos en la investigación médica. Algunas personas podrían objetarlos por razones éticas, y yo no estoy del todo a gusto con la utilización del engaño como medio de afectar las expectativas de la gente. Pero creo que este tipo de investigación puede justificarse debido a su importancia para ayudar a descubrir la posible extensión de los efectos de la expectativa en la práctica científica, junto con los peligros de engañarse uno mismo.

Creo también, sin embargo, que si semejantes engaños se hicieran cosa común, se autolimitarían mucho. Si experimentos de este tipo producen resultados interesantes y significativos, y se llegara a extender una mayor investigación sobre el tema, y si se diera mucha difusión a los resultados, los estudiantes serían cada vez más conscientes de la posibilidad de que los engañen a veces sus profesores auxiliares. Y tenderían a volverse más escépticos tocante a lo que les dijeran que se debería esperar, y por lo mismo, menos propensos a los efectos de la expectativa. Si la deliberada práctica del engaño hace que los estudiantes sean más conscientes del efecto de la expectativa, y se pongan más en guardia contra él, ello sería una valiosa contribución a su educación científica.

Los efectos del tipo de engaño empleado en estos experimentos pueden ser relativamente débiles, porque las expectativas de los estudiantes serían poco acentuadas y no implicarían gran compromiso personal; se limitan en realidad a llevar a cabo unos ejercicios prácticos que nadie toma demasiado en serio. Los investigadores profesionales, muy empapados en los paradigmas aceptados hoy en día y con su carrera y su fama de por medio, pueden mostrar unos efectos de expectativa mucho mayores y ser también más dados a engañarse ellos mismos.

Sería cosa fascinante buscar los efectos de la expectativa en áreas debatidas de la ciencia, especialmente en aquellas situaciones en las que los propugnadores de una teoría determinada consiguen unos resultados que la apoyan, mientras sus opositores obtienen los resultados opuestos. Un modo de hacerlo consistiría en invitar a ambos bandos de la controversia a efectuar los mismos experimentos en un laboratorio neutral, bajo condiciones estandarizadas, previamente acordadas por todas las partes. Si continúan tendiendo a obtener resultados opuestos y de acuerdo con sus expectativas, ese efecto de expectativa, incluyendo las posibles influencias paranormales, podría ser investigado en detalle en una situación investigativa de la vida real.

Desde luego esta idea podría convertirse en la base de un nuevo tipo de centro de investigación, que combinaría las investigaciones del método experimental con una especie de servicio de arbitración científica (incluyendo acaso medios de asesoramiento para los litigantes que lo visitasen).

Consecuencias

Si aparecen cualesquiera efectos de expectativa significativos, será necesario seguir adelante con las investigaciones a fin de averiguar qué clases de factores, normales o paranormales, podrían haber desempeñado un papel. Por ejemplo, si en el experimento 4 apareciera algún sesgo en las razones de las drosofilas anormales frente a las normales en las poblaciones de híbridas de segunda generación de acuerdo con las expectativas de los experimentadores, lo primero que habría que cotejar sería un posible sesgo en la recogida de datos. Podría encargarse de ello un tercer grupo evaluador, que recontaría por el sistema de simple anonimato las moscas conservadas, sin saber de quién era cada una de las muestras. Tal vez ese control demostraría ya que el efecto de experimentador entero se podría explicar como una cuenta sesgada. Por otra parte, demostraría tal vez que sólo una parte del sesgo se había introducido en esa fase; podría confirmar también que se había alterado en realidad la proporción entre las drosofilas normales y anormales. Entonces habría que controlar la posibilidad de que los experimentadores no hubiesen conservado y contado todas las moscas de segunda generación, sino sólo una muestra seleccionada que podría ser susceptible de sesgo. Pero si resultaba que todas las drosofilas habían sido conservadas, la alteración de las razones respectivas empezaría a tomar visos de un efecto paranormal.

Sería necesario un nuevo experimento para resolver ese problema. Ese segundo experimento sería una repetición del primero, exceptuando que los experimentadores presenciarían el cruce de las moscas híbridas, pero no se les permitiría manejar las moscas o las botellas con moscas hasta que la segunda generación de drosofilas hubiese madurado y estuviera lista para ser contada. Podrían encargarse entretanto de las drosofilas unas personas que no supieran qué expectativas se sometían a prueba. Si seguían manifestándose los efectos de la expectativa una vez comprobado que los experimentadores no habían tenido medios normales de influir en la cría y desarrollo de las drosofilas, se podría inferir que eran resultado de alguna influencia paranormal.

El posible descubrimiento de sutiles efectos paranormales de expectativa en éste y otros campos de la ciencia sería una cosa escandalosa, incluso sensacional. Y habría muchas implicaciones. Una de las más importantes afectaría a esa noción de realidad consensuada en la que descansa la ciencia empírica. Los datos científicos se consideran objetivos si pueden repetirlos unos observadores independientes. Pero no existe todavía ese consenso en las áreas nuevas y controvertidas de la investigación. Cuando se establece un consenso, los resultados de los experimentos relevantes pasan a concordar cada vez mejor con las expectativas. Pero ¿cuál es la causa y cuál es el efecto? ¿Constituyen los resultados repetibles la base de las expectativas consensuadas, o son estas últimas la base de la repetibilidad de los resultados? Tal vez ambos procesos actúan de consuno. Pero, al menos en el caso de la educación científica, la realidad consensuada va delante.

Los estudiantes se pasan muchas horas en los laboratorios haciendo clases prácticas en la que llevan a cabo experimentos estandarizados que ilustran los principios fundamentales del paradigma reinante. Esos experimentos dan resultados «correctos», es decir, aquellos que se pliegan a un cuadro de expectativas bien establecido. Sin embargo, no son siempre ésos los resultados que obtienen los estudiantes. Tengo años de experiencia enseñando en clases de laboratorio de estudiantes no graduados, y me he visto sorprendido a menudo por la variación existente en sus resultados. Claro está que los datos divergentes son atribuidos inmediatamente a errores y a la inexperiencia. Y nadie ve unos investigadores prometedores en aquellos estudiantes que una vez tras otra no logran que sus experimentos funcionen correctamente. Sacan malas calificaciones en los exámenes prácticos y no es probable que traten de seguir una carrera científica. En cambio, los científicos profesionales han logrado éxito en un largo proceso de preparación y selección, durante el cual han demostrado su aptitud para conseguir los resultados esperados en los experimentos estándar. ¿Es ese éxito simplemente un asunto de competencia práctica? ¿O implica también una capacidad sutil e inconsciente para producir efectos de experimentador concordantes con las expectativas ortodoxas?

Conclusiones de la tercera parte

Si resulta que las constantes son variables, cambiaría radicalmente nuestro conocimiento de la naturaleza. Pero es improbable que el edificio de la ciencia oficial llegue a derrumbarse como un castillo de naipes. Los científicos son por lo general sumamente pragmáticos, y en su mayoría se adaptarían probablemente a las nuevas condiciones con bastante facilidad. Los valores últimos de las «constantes» aparecerían con regularidad en revistas tales como *Nature*, de un modo bastante parecido a los informes meteorológicos o las cotizaciones de la Bolsa y las fluctuaciones de las divisas en las páginas financieras de los periódicos. Y las personas que necesitasen esos valores exactos, puestos al día, para hacer sus cálculos, harían uso de ellos, aunque para la mayoría de los objetivos prácticos las variaciones en cuestión no tendrían probablemente mucha importancia.

Pero aunque los científicos podrían, sin duda alguna, adaptarse en la práctica a la fluctuación de las constantes, el espíritu de la ciencia tendría que cambiar mucho. La vieja fe en la inmutabilidad matemática de la naturaleza se nos antojaría ingenua. La naturaleza daría la impresión de tener vida propia, de ser impredecible en los detalles y estar llena de sorpresas —igual que la vida real.

Los matemáticos tratarían probablemente de hacer modelos de las fluctuaciones de las constantes, pero sus predicciones podrían no ser más exactas que los modelos matemáticos de la meteorología, la economía o los ciclos del mercado de valores.

Igualmente, si se demostrara que los efectos de experimentador están mucho más extendidos de lo que se supone actualmente, la mayoría de los científicos responderían probablemente de una manera pragmática. El empleo de los métodos de doble anonimato se haría extensivo lo más posible dentro del ámbito de la ciencia. En la práctica, los experimentos de doble anonimato se convertirían en un fastidio para muchos biólogos, químicos y físicos, y restarían mucho aliciente entretenido a la investigación. Pero los psicólogos experimentales y los investigadores clínicos han convivido con esa situación durante décadas, por lo que su ejemplo demuestra que es posible adaptarse.

Aun así, los métodos de doble anonimato no eliminan enteramente la influencia de las expectativas, según muestran los efectos de placebo que analizamos en las págs. 217-221. Las condiciones del doble anonimato hacen suponer que el experimentador anda buscando el efecto esperado por todas partes, sin saber exactamente en qué muestras o sujetos va a aparecer. Esa expectativa del anonimato tiende a que el efecto aflore en los controles: los pacientes que reciben placebos «farmacológicos» acusan a menudo los efectos esperados del tratamiento sometido a prueba, incluyendo los colaterales.

Si hubiese que tomar en serio los efectos de experimentador en la mayoría de las ramas de la ciencia, y no sólo en la medicina y la psicología, un debate en torno a sus efectos y el interesarse por su naturaleza conduciría probablemente a una expansión de la investigación de este tema, y el campo en cuestión atraería enseguida más y más fondos. Pero no volvería a reinar nunca jamás esa fe ingenua en la inherente objetividad de los experimentadores que sigue prevaleciendo hoy en día.

¿Y qué diremos de los experimentos que se proponen en este libro? ¿No estarían también sujetos a los efectos de experimentador? Puede ser, pero creo yo que a mucha menor escala. Siempre que sea posible, los experimentos implicarán métodos de anonimato. Consideremos, por ejemplo, los efectuados con animales de compañía que parece que saben cuándo su dueño está a punto de volver a casa. La persona que los estudie *en la casa* debe observarlos desde el anonimato, sin saber en absoluto cuándo la persona ausente está en camino de regreso. Si el animal, desprovisto de claves y rutinas sensoriales, sigue siendo capaz de «anunciar» el regreso de aquella, habrá tres explicaciones posibles. O bien lo hace debido a la existencia de una conexión directa con su dueño, o porque está respondiendo a las expectativas de la persona que lo observa, y esa persona capta telepáticamente cuándo la persona ausente viene hacia casa; o una combinación de las dos.

Entonces se podría hacer un estudio ulterior para cribar esas posibilidades. Se podría investigar directamente la explicación a través de un efecto de experimentador mediante la telepatía. Se podría someter a prueba la persona que está en casa para ver hasta qué punto es capaz de anticiparse al regreso del ausente sin estar presente *el animal de compañía*. También se podría controlar el comportamiento del animal mediante una cámara de vídeo de manejo automático, sin estar presente *esa persona*. Si el animal sigue prediciendo el regreso de su amo en ausencia de un observador humano, no se podría desechar ese comportamiento como un efecto de experimentador.

En el experimento de orientación hacia casa del capítulo 2 resultó que las mensajeras pudieron localizar palomares que se habían desplazado a distancias considerables; la idea de que lo hiciesen debido a expectativas de los experimentadores haría ese efecto aún más misterioso, y seguiría dejando sin explicación sus poderes de hallazgo de la dirección. En el experimento con termitas del capítulo 3, si los miembros separados de una colonia se comportaban de un modo coordinado, sería muy poco convincente tratar de achacarlo a un efecto de experimentador.

En el capítulo 6, las mediciones de una constante en cualquier ubicación dada no serían factibles con el método del doble anonimato; pero comparando las mediciones de la constante obtenidas en sitios diferentes para ver si se correlacionaban las fluctuaciones, se podrían llevar al mínimo los efectos de expectativa —en tanto que los investigadores implicados no comparasen las notas en el curso del experimento.

Estos ejemplos revelan que la investigación práctica sigue siendo perfectamente factible aunque estén muy extendidos los efectos de las expectativas de los investigadores. Pero habría que abandonar en hora buena la asunción actual de una separación tajante entre el sujeto y el objeto, entre el investigador y el sistema experimental.

Podría ocurrir por otro lado, que en la mayoría de los campos de la ciencia fueran raros o brillaran por su ausencia los efectos de expectativa del investigador, y que no hubiera siquiera el menor asomo de influencia paranormal. Esto es lo que dan por sentado la mayoría de los científicos, y constituye un dogma de fe para los escépticos. En tal caso se habría comprobado por vez primera empíricamente esa creencia. Se habría hecho un intento de refutarla, y el fracaso del mismo le proporcionaría alguna prueba a su favor.

Bien vistas las cosas, los escépticos, con el coraje que les da sus convicciones, deberían dar la bienvenida a este programa de investigación lo mismo que aquellas personas que, como yo, creen que los efectos de investigador son posibles también, si no probables, en la investigación científica convencional.

Conclusiones generales

El programa de investigación sugerido en este libro somete a prueba algunas de las asunciones más atesoradas de la ciencia oficial. Examinamos siete creencias «científicas» típicas. Se dan tan por sentado, se las cuestiona tan poco, que ni siquiera se las considera como hipótesis, sino más bien como cosas de sentido común científico. Las posiciones opuestas se consideran sencillamente «acientíficas».

1. Los animales caseros no pueden tener en realidad poderes inexplicables.

2. La orientación hacia casa y la migración son explicables a partir de los sentidos y fuerzas físicas conocidos.

3. Las colonias de insectos no son superorganismos con un alma o colectivo campo misterioso. No existen tales cosas.

4. Las personas no pueden saber en realidad cuándo están mirándolas desde atrás, excepto acaso debido a ciertas claves sutiles.

5. Los miembros fantasma no «están» en realidad donde parecen estar; se hallan en el cerebro.

6. Las constantes fundamentales de la naturaleza son constantes.

7. Los científicos profesionales competentes no permiten que su opinión llegue a influir en los datos que consiguen.

Desde la perspectiva científica convencional, no tiene sentido despilfarrar valiosos recursos científicos examinando la posibilidad de que esas asunciones pudieran estar equivocadas. Ni siquiera vale la pena perder tiempo pensando en ellas, especialmente habiendo tantos problemas auténticos científicos que reclaman nuestra atención. Esos dogmas no son hipótesis refutables, forman parte de la ciencia oficial. Las alternativas propuestas son sencillamente acientíficas, y no tiene sentido tomarlas en serio. Uno podría tomar en serio de la misma manera la idea de que la Luna está hecha de queso azul.

Si yo fuese apostador, procuraría implicar a un corredor de apuestas en el resultado de estos siete experimentos. Probablemente la mayoría de los defensores del panorama cósmico científico oficial apostarían a favor del fracaso de unos experimentos encaminados a desvelar cualesquiera efectos inexplicables para la ciencia establecida. Pero algunas personas se arriesgarían a apostar por la actitud opuesta, y los puntos de ventaja darían una medida de la relativa fuerza de las expectativas de los jugadores. Por ejemplo, ¿cuánto apostaría *usted* a que los animales de compañía no pueden *sentir* realmente el regreso de sus dueños, si eliminamos todos los medios convencionales de saberlo? O ¿cuánto apostaría a que pueden sentirlo?

No puedo predecir el resultado final de los experimentos que propongo en este libro, pero pienso que hay una buena probabilidad de que, al menos algunos de ellos, arrojen unos resultados interesantísimos. De otra manera no hubiese escrito este libro.

Precisamente porque los tipos de investigación propuestos en este libro son *tabú* para la ciencia entronizada se les ha relegado tanto. Y por ese mismo motivo presentan tan sorprendentes oportunidades de descubrimiento. Podríamos encontrarnos en el umbral de una era nueva de la ciencia, con una euforizante sensación de frescura y descubrimiento, de apertura y de participación general. Probablemente en una década o dos podría haberse establecido una nueva ortodoxia, y retoñado el profesionalismo exclusivo, de nuevo bajo el control de la burocracia. Pero la perspectiva inmediata es emocionante.

¿Cómo podrían cambiar al mundo estos experimentos? En primer lugar, creo que podrían hacerlo ayudando a la ciencia a abrirse, tanto en la teoría como en la práctica. Los efectos culturales de un cambio así en la ciencia serían profundos de verdad. Habría una nueva valoración de las creencias folklóricas y populares, como son la fe en poderes misteriosos de los animales y la sensación de que lo están mirando a uno. Habría un mayor sentido de nuestra vinculación y afinidad de unos con otros y con el mundo natural que nos rodea. Tendríamos una nueva arremetida contra la idea de que los humanos tenemos derecho a conquistar y explotar la naturaleza a nuestras anchas, sin preocuparnos por ninguna otra cosa que los intereses humanos, mientras tratamos al resto de la naturaleza como cosa inanimada y mecánica. Habría grandes cambios en la educación. Y habría también probablemente un notable aumento en el interés público por las ciencias.

En segundo lugar los experimentos de la primera parte podrían llevarnos a un modo nuevo de entender los poderes de los animales —y de los poderes humanos. Podrían brindarnos pruebas a favor de la existencia de unos nexos invisibles entre los animales y las personas, entre los animales y sus habitáculos, y dentro de los grupos sociales. La naturaleza de esos vínculos exigiría mucha investigación ulterior, pero podría llevarnos también más allá de cualquier cosa soñada hasta ahora dentro de las ciencias establecidas. Sería necesario interpretar de nuevo toda una gama de fenómenos biológicos y humanos, incluyendo la migración de los animales, el sentido de la dirección, la vinculación social y la organización de las sociedades.

En tercer lugar, los experimentos de los capítulos 4 y 5 podrían conducir a un modo nuevo de entender nuestra relación con el propio cuerpo y con el mundo que nos rodea, derribando la convencional separación existente entre la mente y el cuerpo, y entre el sujeto y el objeto. Las implicaciones psicológicas, médicas, culturales y filosóficas de ese cambio serían muy profundas.

En cuarto lugar, los experimentos de la tercera parte podrían socavar las creencias científicas convencionales en la inmutabilidad de la naturaleza y la objetividad de la investigación científica. Pondrían muy de manifiesto una indicación hecha por el filósofo de la ciencia Karl Popper en su libro *La lógica de la investigación científica*:

> La ciencia no descansa sobre un lecho de sólida roca. La osada estructura de sus teorías se alza, por decirlo así, sobre un pantano. Es como un edificio asentado sobre pilotes. Los pilotes penetran hacia abajo desde encima del pantano, pero no llegan hasta ninguna base natural o «dada».[1]

Podría muy bien resultar que la inmutabilidad de las «constantes de la naturaleza», asumida desde hace mucho como una base

1. Popper (1959), pág. 111.

natural o dada del edificio de la ciencia, no sea otra cosa que un pilote de ésos, en un pantano. Podría ocurrir lo mismo con la asunción de que las expectativas de los investigadores no introducen toda una fuente de distorsiones en la investigación. Conforme esos cimientos vayan perdiendo estabilidad, se tendrá cada vez más en cuenta la necesidad de introducir los pilotes más abajo —o de hallar otro tipo de soporte, por ejemplo, unas balsas.

Por último, sea cual sea el resultado final de estos experimentos, espero que por lo menos este libro sirva para manifestar que hay muchísimas cosas que no entendemos. Muchas cuestiones fundamentales están abiertas. Y los humanos tenemos que mantener también la mente abierta.

Detalles prácticos

Capítulo 1 Animales de compañía que saben cuándo regresan sus dueños

Es esencial anotar siempre muy detalladamente el momento exacto en que el animal manifiesta su comportamiento anticipativo y el momento exacto en que su dueño se pone en movimiento hacia casa. Es también muy importante anotar detalladamente los medios de transporte que emplea y el itinerario que sigue. Si se toman vídeos de los animales para grabar su comportamiento anticipativo, hay que anotar el momento con claridad. El modo más sencillo de hacerlo es situar un reloj dentro del campo de visión.

Capítulo 2 ¿Cómo se orientan las palomas hacia su casa?

Para conseguir información sobre las organizaciones de colombófilos en España, diríjase a:

Real Federación Colombófila Española
C/ Eloy Gonzalo, 34
28010 Madrid
Tel.: (91) 448 88 42. Fax: (91) 448 72 04

Si le interesan direcciones de organizaciones nacionales de otros países, para conseguir información sobre agrupaciones locales, escriba a:

Fédération Colombophile Internationale
39 rue de Livourne
Ixelles
Bruselas 1050
Bélgica

Para conseguir información sobre abastecedores (y precios) de equipos para palomar, accesorios, comida para palomas, etc., diríjase a la mencionada Real Federación Colombófila Española.

CAPÍTULO 3   LA ORGANIZACIÓN DE LAS TERMITAS

Los lectores que tengan la suerte de vivir en países tropicales donde abundan las termitas, disponen de todo un abanico de aplicación de los experimentos sugeridos en este capítulo. Es recomendable, desde luego, aprender lo más posible sobre las especies a investigar de mano de los zoólogos profesionales, naturalistas aficionados y la gente de la región, además de las publicaciones respectivas.

En cuanto a los que viven en países más templados, junto al Mediterráneo pueden tener alguna oportunidad; de lo contrario, pueden hacer sus pinitos trabajando con hormigas, tal como se enseña al final del capítulo. Hay una serie de métodos sencillos disponibles para tener colonias de hormigas, y los receptáculos se pueden construir con materiales baratos y fáciles de conseguir, como yeso mate o cubas de plástico. Métodos prácticos para la construcción de recipientes y para recoger, cuidar y alimentar las hormigas aparecen en las obras siguientes:

Hölldobler y Wilson (1990), capítulo 20, «Collecting, culturing, observing».
Skaite (1961), capítulo 7, «Artificial nests for ants».

Recipientes de plástico de lados transparentes («granjas para hormigas») pueden conseguirse también en el comercio, a menos de 3.000 ptas. en:

Tridias
124 Walcot Street
Bath BA1 5BG
Inglaterra
Tel.: 0225 469455; Fax: 0225 448592

CAPÍTULO 4 LA SENSACIÓN DE QUE NOS ESTÁN MIRANDO

Los resultados de las pruebas deberán anotarse en una hoja de puntuar con dos columnas. Cada prueba se señala en una línea aparte: las respuestas acertadas se indican con palomitas, las erróneas con cruces. En la página siguiente se representa una de esas hojas de puntuar correspondiente a un intervalo de prueba de unos 20 minutos.

Se puede efectuar el análisis estadístico de los resultados de esas pruebas mediante el test t de muestras pareadas. En cada intervalo de prueba el número total de aciertos y equivocaciones constituye una muestra de datos pareados; en el ejemplo que se adjunta esos números son 21 y 15 respectivamente. Cuanto más juegos pareados de datos, mejor; deben hacerse por lo menos diez, tanto si proceden de una secuencia de pruebas hechas por las mismas personas como si provienen de pruebas hechas por diferentes parejas. En los manuales estándar de estadísticas aparecen los métodos empleados para calcular la significación estadística del conjunto de los resultados mediante el test t de muestras pareadas; este cálculo se puede hacer también fácilmente con ordenadores personales utilizando programas del tipo de Statworks o StatView.

CAPÍTULO 5 LA REALIDAD DE LOS MIEMBROS FANTASMA

El registro de los datos se puede efectuar con métodos similares a los del capítulo 4, sustituyendo las palabras «mirando» y «sin mirar» por las palabras «fantasma presente» y «fantasma ausente». Los resultados pueden representarse gráficamente como en la figura 11, de modo que presenten el número acumulativo de aciertos en relación con el de errores. Se les puede analizar estadísticamente también utilizando los datos resultantes de una serie de pruebas hechas con el test t de muestras pareadas, igual que en el capítulo 4.

Hoja de puntuación del experimento de mirar

Resultado con: ....   mirando a: ....
Fecha: ....
Lugar: ....
Hora: ....

	Mirando (cabezas)	*Sin mirar (colas)*
	✔	
	✔	✗
	✔	✗
	✔	✗
		✗
		✔
	✔	✔
	✗	
	✗	
	✔	
	✔	✗
		✔
		✗
	✔	
	✗	
	✔	
	✗	
	✔	
	✔	✔
	✔	
	✔	✔
	✔	
	✗	
		✗
		✔
	✗	
		✔
	✔	✔

Totales por columna	*Mirando*	*Sin mirar*
	aciertos 13	aciertos 8
	errores 7	errores 8
Sumas de totales	aciertos 21	
	errores 15	

CAPÍTULO 6   LA VARIABILIDAD DE LAS «CONSTANTES FUNDAMENTALES»

La comparación estadística de datos obtenidos en lugares y tiempos diferentes para ver si se correlacionan los «errores» exigiría una forma sofisticada de análisis correlativo, por lo que es recomendable consultar con personas experimentadas en las estadísticas antes de intentarlo.

CAPÍTULO 7   EFECTOS DE LAS EXPECTATIVAS DE LOS EXPERIMENTADORES

Se puede efectuar la comparación estadística de los resultados correspondientes a los dos tipos de muestra —por ejemplo, la actividad de unos enzimas «inhibidos» y «activados, respectivamente— mediante el test t de muestras pareadas, tomando los datos de cada experimentador como un par de muestras. De ese modo, la actividad del enzima «activado» y del «inhibido» medida por cada experimentador constituiría una muestra pareada.

QUÉ HACER CON LOS RESULTADOS OBTENIDOS

En la planificación de un experimento y durante su ejecución suele ayudar mucho compartir su análisis con amigos y colegas, que pueden hacer sugerencias muy útiles relativas al perfeccionamiento de los métodos empleados. Una vez completado el experimento, se debe exponer por escrito en forma de informe, incluyendo detalles sobre los métodos empleados, los datos obtenidos y un análisis estadístico, donde proceda. También en ese momento los amigos y colegas podrían brindar una crítica constructiva traducible fácilmente en una presentación e interpretación más claras de los resultados.

Sería de agradecer el que enviase usted un informe de ese tipo con sus resultados a uno de los centros coordinadores del Proyecto de los Siete Experimentos. Su centro del Reino Unido se ha establecido bajo la égida del Scientific and Medical Network. Los centros coordinadores cotejarán los resultados de los diferentes investigadores, pondrán a éstos en contacto unos con otros, ayudarán a la publicación de los resultados, y a establecer contactos con los grupos coordinadores similares existentes en otros países. Se han establecido ya grupos de esa índole en Alemania, España, Estados Unidos, Francia y Holanda, donde se ha editado ya también este libro. Cada centro coordinador procede a establecer redes de asesoradores científicos al servicio del Proyecto de los Siete Experimentos. Su dirección en España es la siguiente:

Ediciones Paidós Ibérica
Mariano Cubí, 92
08021 Barcelona

INFORMES SOBRE PROGRESOS LOGRADOS

Se publicarán con regularidad informes sobre los programas de este proyecto en la *Newsletter* (circular) del Scientific and Medical Network. Si desea más información, escriba a la dirección siguiente:

David Lorimer
Scientific and Medical Network
Lesser Halings
Tilehouse Lane
Denham
Middlesex UB95DG
Inglaterra

Bibliografía

Able, K.T. (1982), «The effects of overcast skies on the orientation of free-flying nocturnal migrants», en F. Papi y H.G. Wallraff (comps.), *Avian Navigation*, Berlín, Springer.

Abraham, R. y C.D. Shaw (1984), *Dynamics: The Geometry of Behavior*, Santa Cruz, Aerial Press.

Abraham, R., T. McKenna y R. Sheldrake (1992), *Trialogues at the Edge of the West*, Santa Fe, Bear.

Anderson, I. (1988), «Icy tests provide firmer evidence for the fifth force», *New Scientist*, 11 de agosto de 1929.

Arp, H.C., G. Burbidge, F. Hoyle, J.V. Narlikar y N.C. Wickramasinghe (1990), «The extragalactic universe: an alternative view», *Nature* 346, 807-812.

Bacon, F. (1881), *Essays*, Londres, Macmillan (trad. cast.: *Ensayos*, Madrid, Aguilar, s.f.).

Baker, R.R. (1980), *The Mystery of Migration*. Londres, Macdonald.

Baker, R.R. (1989), *Human Navigation and Magneto-Reception*, Manchester, Manchester University Press.

Bardens, D. (1987), *Psychic Animals: An Investigation of their Secret Powers*, Londres, Hale (trad. cast.: *Poderes secretos de los animales*, Madrid, Apóstrofe, 1990).

Baring, A. y J. Cashford (1991), *The Myth of the Goddess*, Londres, Viking.

Barja, R.H. y R.A. Sherman (1985), *What to Expect When You Lose a Limb*, Fort Gordon, GA, Eisenhower Army Medical Center.

Barrow, J.D. (1988), *The World Within the World*, Oxford, Oxford University Press.

Barrow, J.D. y F. Tipler (1986), *The Anthropic Cosmological Principle*, Oxford, Oxford University Press.

Bearden, J.A. y J.S. Thomsen (1959), «Résumé of atomic constants», *American Journal of Physics* 27, 569-576.

Bearden, J.A. y H.M. Watts (1951), «A re-evaluation of the fundamental atomic constants», *Physical Review* 21, 73-81.

Becker, G. (1976), «Reaction of termites to weak alternating magnetic fields», *Naturwissenschaften* 63, 201.

Becker, G. (1977), «Communication between termites by biofields», *Biological Cybernetics* 26, 41-51.

Benson, H. y D. McCallie (1979), «Angina pectoris and the placebok effect», *New England Journal of Medicine* 300, 1424-1429.

Berman, M. (1974), « "Hegemony" and the amateur tradition in British science», *Journal of Social History* 8, 30-50.

Berthold, P. (1991), «Spatiotemporal programmes and the genetics of orientation», en P. Berthold (comp.), *Orientation in Birds*, Basilea, Birkhäuser.

Birge, R.T. (1929), «Probable values of the general physical constants», *Reviews of Modern Physics* 1, 1-73.

Birge, R.T. (1941), «A new table of the general physical constants», *Reviews of Modern Physics* 13, 233-239.

Birge, R.T. (1945), «The 1944 values of certain atomic constants with particular reference to the electronic charge», *American Journal of Physics* 13, 63-73.

Blackmore, S. (1983), *Beyond the Body: An Investigation of Out-of-The-Body Experiences*, Londres, Paladin.

Braud, W.G. (1992), «Human interconnectedness: research indications», *ReVision* 14, 140-148.

Braud, W.G., D. Shafer y S. Andres (1990), «Electrodermal correlates of remote attention: autonomic reactions to an unseen gaze», *Proceedings of Parapsychological Association 33rd Annual Convention, USA*, Metuchen, NJ, Scarecrow Press.

Broad, W. y N. Wade (1985), *Betrayers of the Truth: Fraud and Deceit in Science*, Oxford, Oxford University Press.

Bromage, P.R. y R. Melzack (1974), «Phantom limbs and the body schema», *Canadian Anaesthetists' Society Journal* 21, 267-274.

Budge, W. (1930), *Amulets and Superstitions*, Oxford, Oxford University Press.

Burnford, S. (1961), *The Incredible Journey*, Londres, Hodder & Stroughton (trad. cast.: *Viaje increíble*, Barcelona, Molino, s.f.).

Carthy, J.D. (1963), *Animal Navigation*, Londres, Unwin.

Carus, C.G. (1989), *Psyche: On the Development of the Soul*, Dallas, Spring Publications.

Chaudhury, J.K., P.C. Kejariwal y A. Chattopadhyay (1980), «Some advances in phantom leaf photography and identification of critical conditions for it», trabajo presentado en la 4th Annual Conference of the International Kirlian Research Association, 13-15 de junio de 1980.

Clarke, D. (1991), «Belief in the paranormal: a New Zealand survey», *Journal of the Society for Psychical Research* 57, 412-425.

Coemans, M. y J. Vos (1992), «On the perception of polarized light by the homing pigeon», tesis doctoral Universidad de Utrecht.

Cohen, E.R., J.W.M. DuMond, T.W. Layton y J.S. Rollett (1955), «Analysis of variance of the 1952 data on the atomic constants and a new adjustment, 1955», *Reviews of Modern Physics* 27, 363-380.

Cohen, E.R. y B.N. Taylor (1973), «The 1973 least-squares adjustment of the fundamental constants», *Journal of Physical and Chemical Reference Data* 2, 663-734.

Cohen, E.R. y B.N. Taylor (1988), «The 1986 CODATA recommended values of the fundamental physical constants», *Journal of Physical and Chemical Reference Data* 17, 1795-1803.

Conan Doyle, A (1884), «J. Habakuk Jephson's Statement», *Cornhill Magazine*, enero, reimpreso en *The Conan Doyle Stories* (1956), Londres, Murray (véase *Novelas inmortales. Tomo 33. Arthur Conan Doyle*, Madrid, Axel Springer Publicaciones, 1985).

Condon, E.U. (1963), «Adjusted values of constants», en E.U. Condon y H. Odishaw (comps.), *Handbook of Physics*, 2ª ed. (1967), Nueva York, McGraw Hill.

Cook, A.H. (1957), «Secular changes of the units and constants of physics», *Nature* 160, 1194-1195.

Coover, J.E. (1913), «The feeling of being stared at», *American Journal of Psychology* 24, 570-575.

Crookall, R. (1961), *The Study and Practice of Astral Projection*, Londres, Aquarian Press.

Crookall, R. (1964), *More Astral Projections*, Londres, Aquarian Press.

Crookall, R. (1972), *Case-Book of Astral Projection*, Secaucus, Nueva Jersey, University Books.

Damour, T., G.W. Gibbons y J.H. Taylor (1988), «Limits on the variability of G using binary pulsar data», *Physical Review Letters* 61, 1151-1154.

Darwin, C. (1859), *On The Origin of Species by Means of Natural Selection*, Londres, Murray (trad. cast.: *El origen de las especies*, Barcelona, Bruguera, 1976).

Darwin, C. (1873), «Origin of certain instincts», *Nature* 7, 417-418.

Darwin, C. (1881), *The Variation of Animals and Plants Under Domestication*, Londres, Murray.;

Davies, P. (1992), *The Mind of God*, Londres, Simon & Schuster (trad. cast.: *La mente de Dios*, Madrid, McGraw Interamer. España, 1993).

Davies, P. y J. Gribbin (1991), *The Matter Myth: Towards 21st-Century Science*, Londres, Viking.

De Bray, E.J.G. (1934), «Velocity of light», *Nature* 133, 948.

Dirac, P. (1974), «Cosmological models and the large numbers hypothesis», *Proceedings of the Royal Society A* 338, 439-446.

Dossey, L. (1991), *Meaning and Medicine*, Nueva York, Bantam.

Dousse, J.C. y C. Rheme (1987), «A student experiment for the accurate measurement of the Newtonian gravitational constant», *American Journal of Physics* 55, 706-711.

Dröscher, V.R. (1964), *Mysterious Senses*, Londres, Hodder & Stoughton.

Dumitrescu, I.F. (1983), *Electrographic Imaging in Medicine and Biology*, Neville Spearman, Suffolk.

Dunpert, K. (1981), *The Social Biology of Ants*, Boston, Pitman.

Elsworthy, F. (1895), *The Evil Eye*, Londres, Murray.

Evans, F.J. (1984), «Unravelling placebo effects», *Advances: Institute for the Advancement of Health* 1 (3), 11-20.

Evans-Pritchard, E.E. (1937), *Witchcraft, Oracles and Magic Among the Azande*, Oxford, Oxford University Press (trad. cast.: *Brujería, magia y oráculos entre los azande*, Barcelona, Anagrama, 1976).

Feldman, S. (1940), «Phantom limbs», *American Journal of Psychology* 53, 590-592.

Feynman, R. (1985), *Surely You're Joking, Mr Feynman: Adventures of a Curious Character*, Nueva York, Norton (trad. cast.: *¿Está usted de broma, señor Feynman?*, Madrid, Alianza, 1987).

Fischbach, E., D. Sudarsky, A. Szafer, C. Talmadge y S.H. Aronson (1986), «Reanalysis of the Eötvös experiment», *Physical Review Letters* 56, 3-6.

Fischbach, E. y C. Talmadge (1992), «Six years of the fifth force», *Nature* 356, 207-215.

Fischer, R. (1969), «Out on a (phantom) limb», *Perspectives in Biology and Medicine*, invierno, 259-273.

Franks, N.R. (1989), «Army ants: a collective intelligence», *American Scientist 77*, 139-145.

Frazer, J. (1911), *The Golden Bough:* Part 1, *The Magic Art and the Evolution of Kings*. Londres, Macmillan (trad. cast.: *La rama dorada*, Madrid, ICE, 1989).

Frazier, S.H. y L.C. Kolb (1970), «Psychiatric aspects of the phantom limb», *Orthopedic Clinics of North America 1*, 481-495.

Gallup, G.H. y F. Newport (1991), «Belief in paranormal phenomena among adult Americans», *Skeptical Inquirer 15*, 137-146.

Gillies, G.T. (1990), «Resource letter MNG-1: measurements of Newtonian gravitation», *American Journal of Physics 58*, 525-534.

Gleik, J. (1988), *Chaos: Making a New Science*, Londres, Heinemann (trad. cast.: *Caos*, Barcelona, Seix Barral, 1988).

Gordon, D.M., B.C. Goodwin y L.E.H. Trainor (1992), «A parallel distributed model of the behaviour of an colonies», *Journal of Theoretical Biology 156*, 293-307.

Gould, J.L. (1982), «The map sense of pigeons», *Nature 296*, 205-211.

Gould, J.L. (1990), «Why birds (still) fly south», *Nature 347*, 331.

Gould, S.J. (1984), *The Mismeasure of Man*, Harmondsworth, Pelican (trad. cast.: *La falsa medida del hombre*, Barcelona, Orbis, 1987).

Green, C. (1968a), *Lucid Dreams*, Oxford, Institute of Psychophysical Research.

Green, C. (1968b), *Out-of-the-Body Experiences*, Institute of Psychophysical Research, Oxford.

Griaule, M. (1965), *Conversations with Ogotemmêli*, Oxford, Oxford University Press.

Gross, Y. y R. Melzack (1978), «Body-image: dissociation of real and perceived limbs by pressure-cuff ischemia», *Experimental Neurology 61*, 680-688.

Haraldsson, E. (1985), «Representative national surveys of psychic phenomena», *Journal of the Society for Psychical Research 53*, 145-158.

Hasler, A.D., A.T. Scholz y R.M. Horrall (1978), «Olfactory imprinting and homing in salmon», *American Scientist 66*, 347-355.

Hasted, J.B., D.J. Bohm, E.W. Bastin y B. O'Reagen (1975), «Scientists confronting the paranormal», *Nature 254*, 470-472.

Haynes, R. (1973), *The Hidden Springs: An Enquiry into Extra-Sensory Perception*, Londres, Hutchinson.

Heaton, J.M. (1978), *The Eye: Phenomenology and Psychology of Function and Disorder*, Londres, Tavistock Press.

Hellings, R.W., P.J. Adams, J.D. Anderson, M.S. Keesey, E.L. Lau, E.M. Standish, V.M. Canuto y I. Goldman (1983), «Experimental test of the variability of *G* using Viking Lander ranging data», *Physical Review Letters* 51, 1609-1612.

Hill, C. (1985), «Boomerang flying», *Racing Pigeon Pictorial* 15, 116-118.

Hindley, J. y C. Rawson (1988), *How Your Body Works*, Londres, Usborne (trad. cast.: *Cómo trabaja tu cuerpo*, Esplugues de Llobregat, Plaza & Janés, 1985).

Ho, M.W., C. Tucker, D. Keeley y P.T. Saunders (1983), «Effects of successive generations of ether treatment on penetrance and expression of the *Bithorax* phenocopy in *Drosophila melanogaster*», *Journal of Experimental Zoology* 225, 357-368.

Hofstadter, D.R. (1979), *Gödel, Escher, Bach: A Metaphorical Fugue of Minds and Machines*, Brighton, Harvester Press (trad. cast.: *Gödel, Escher, Bach*, Tusquets Editores, Barcelona, 1989).

Holding, S.C., F.D. Stacey y G.J. Tuck (1986), «Gravity in mines — an investigation of Newton's law», *Physical Review D* 33, 3487-3494.

Holding, S.C. y G.J. Tuck (1984), «A new mine determination of the Newtonian gravitational constant», *Nature* 307, 714-716.

Hölldobler, B. y E.O. Wilson (1990), *The Ants*, Berlín, Springer.

Holton, G. (1992), «How to think about the "anti-science" phenomenon», *Public Understanding of Science* 1, 103-128.

Honorton, C. (1975), «Has science developed the confidence to confront claims of the paranormal?», en J.D. Morris *et al.* (comps.), *Research in Parapsychology*, Metuchem, Scarecrow Press.

Honorton, C. y W. Barksdale (1972), «PK performance with waking suggestions for muscle tension versus relaxation», *Journal of the American Society for Psychical Research* 66, 208-212.

Hubacher, J. y T. Moss (1976), «The "phantom leaf" effect as revealed through Kirlian photography», *Psychgoenergetic Systems* 1, 223-232.

Humphrey, N. (1983), *Consciousness Regained: Chapters in the Development of Mind*, Oxford, Oxford University Press.

Hutton, A.N. (1978), *Pigeon Lore*, Londres, Faber & Faber.

Huxley, F. (1990), *The Eye: The Seer and the Seen*, Londres, Thames & Hudson.

Inglis, B. (1986), *The Hidden Power*, Londres, Jonathan Cape.

James, W. (1887), «The consciousness of lost limbs», *Proceedings of the American Society for Psychical Research* 1, 249-258.

Kahn, F. (1949), *The Secret of Life: The Human Machine and How It Works*, Londres, Odhams.

Karagalla, S. y D. Kunz (1989), *The Chakras and the Human Energy Fields*, Wheaton, Ill, Quest Books.

Keeton, W.T. (1972), «Effects of magnets on pigeon homing», en S.R. Gallers *et al.* (comp.), *Animal Orientation and Navigation*. Washington, D.C., Nasa, págs. 579-594.

Keeton, W.T. (1974), «The mystery of pigeon homing», *Scientific American*, diciembre.

Keeton, W.T. (1981), «Orientation and navigation of birds», en D.J. Adley (comps.), *Animal Migration*, Society for Experimental Biology Seminar Series 13, Cambridge University Press, Cambridge.

Keller, E.F. (1985), *Reflections on Gender and Science*, New Haven, Conn., Yale University Press (trad. cast.: *Reflexiones sobre género y ciencia*, Valencia, Alfons el Magnànim, 1991).

Kennedy, J.E. y J.L. Taddonio (1976), «Experimenter effects in parapsychological research», *Journal of Parapsychology* 40, 1-33.

Kiepenheuer, J., M.F. Neumann y H.G. Wallraff (1993), «Home-related and home-independent orientation of displaced pigeons with and without olfactory access to environmental air», *Animal Behaviour* 45, 169-182.

Krippner, S. (1980), *Human Possibilities: Mind Exploration in the USSR and Eastern Europe*, Nueva York, Doubleday.

Kuhn, T.S. (1970), *The Structure of Scientific Revolutions*, Chicago, University of Chicago Press (trad. cast.: *La estructura de las revoluciones científicas*, Madrid, ICE, 1975).

LaBerge, S. (1985), *Lucid Dreaming*, Los Ángeles, Tarcher.

Lewis, C.S. (1964), *The Discarded Image*, Cambridge, Cambridge University Press.

Lipp, H.P. (1983), «Nocturnal homing in pigeons», *Comparative Biochemistry and Physiology* 76A, 743-749.

London, J. (1991), *The Call of the Wild*, Londres, Mammoth (trad. cast.: *La llamada de la selva*, Barcelona, Vicens-Vives, ²1993).

Long, W.J. (1919), *How Animals Talk*, Nueva York, Harper.

Lorimer, D. (1984), *Survival? Body, Mind and Death in the Light of Psychic Experience*, Londres, Routledge & Kegan Paul.

McFarland, D. (1981), «Homing», en D. McFarland (comp.), *The Oxford Companion to Animal Behaviour*, Oxford, Oxford University Press.

Maddox, J. (1986), «Turbulence assails fifth force», *Nature* 323, 665.

Maddox, J. (1988), «The stimulation of the fifth force», *Nature* 335, pág. 393.

Marais, E. (1973), *The Soul of the White Ant*, Harmondsworth, Penguin.

Mastrandrea, M. (1991), «The feeling of being stared at», Project Report, Hillsborough, CA., Neuva Middle School.

Matthews, G.V.T. (1968), *Biord Navigation*, 2ª ed. Cambridge, Cambridge University Press.

Medawar, P. (1968), *The Art of the Soluble*, Londres, Methuen.

Melzack, R. (1989), «Phantom limbs, the self and the brain», *Canadian Psychology* 30, 1-16.

Melzack, R. (1992), «Phantom limbs», *Scientific American*, abril, 120-126.

Melzack, R. y P.R. Bromage (1973), «Experimental phantom limbs», *Experimental Neurology* 39, 261-269.

Mitchell, S.W. (1872), *Injuries of Nerves and theis Consequences*, Filadelfia, Lippincott.

Monroe, R.A. (1973), *Journey Out of the Body*, Nueva York, Doubleday.

Monroe, R.A. (1985), *Far Journeys*, Nueva York, Doubleday.

Moody, R.A. (1976), *Life After Life*, Nueva York, Bantam (trad. cast.: *Vida después de la vida*, Madrid, Edaf, 1984).

Moore, B.R. (1988), «Magnetic fields and orientation in homing pigeons: experiments of the late. W.T. Keeton», *Proceedings of the National Academy of Sciences*, USA 85, 4907-4909.

Moore, B.R., K.J. Stanhope y D. Wilcox (1987), «Pigeons fail to detect low-frequency magnetic fields», *Animal Learning and Behavior* 15, 115-117.

Moritz, R.F.A. y E.F. Southwick (1992), *Bees as Superorganisms: An Evolutionary Reality*, Berlín, Springer.

Murphy, J.J. (1873), «Instinct: a mechanical analogy», *Nature* 7, 483.

Murphy, M. (1992), *The Future of the Body*, Los Ángeles, Tarcher.

Noirot, C. (1970), «The nests of termites», en K. Krishna y F.M. Weesner (comps.), *The Biology of Termites*, vol. 2, Nueva York, Academic Press.

Osman, A.H. y W.H. Osman (1976), *Pigeons in Two World Wars*, Londres, The Racing Pigeon Publishing Co.

Pagels, H. (1985), *Perfect Symmetry*, Londres, Michael Joseph.

Palmer, J. (1979), «A community mail survey of psychic experiences», *Journal of the American Society for Psychical Research* 73, 221-251.

Papi, F. (1982), «Olfaction and homing in pigeons: ten years of experiments», en F. Papi y H.G. Wallraff (comps.), *Avian Navigation*, Berlín, Springer.

Papi, F. (1986), «Pigeon navigation: solved problems and open questions», *Monitore Zoologia Italiana (NS)* 20, 471-517.

Papi, F. (1991), «Olfactory navigation», en P. Berthold (comp.) *Orientation in Birds*, Basilea, Birkhäuser.

Papi, F., P. Ioale, P. Dall'Antonia y S. Benvenuti (1991), «Homing strategies of pigeons investigated by clock shift and flight path reconstruction», *Naturwissenschaften* 78, 370-373.

Papi, F., W.T. Keeton, A.I. Brown y S. Benvenuti (1978), «Do American and Italian pigeons rely on different homing mechanisms?», *Journal of Comparative Physiology* 128, 303-317.

Papi, F., P. Luschi y P. Limonta (1992), «Orientation-disturbing magnetic treatment affects the pigeon opioid system», *Journal of Experimental Biology* 166, 169-179.

Parker, R.L. y M.A. Zumberge (1989), «An analysis of geophysical experiments to test Newton's law of gravity», *Nature* 342, 29-32.

Peterson, D. (1978), «Through the looking glass: an investigation of the faculty of extra-sensory detection of being stared at», tesina de licenciatura, Departamento de Psicología, Universidad de Edimburgo.

Petley, B.W. (1985), *The Fundamental Physical Constants and the Frontiers of Metrology*, Bristol, Adam Hilger.

Piaget, J., *La representación del mundo en el niño*, Madrid, Morata, 1984.

Poeck, K. y B. Orgass (1971), «The concept of the body schema: a critical review and some experimental results», *Cortex* 7, 254-277.

Pogge, R.C. (1963), «The toxic placebo», *Medical Times* 91, 773-781.

Poortman, J.J. (1959), «The feeling of being stared at», *Journal of the Society for Psychical Research* 40, 4-12.

Popper, K. (1959), *The Logic of Scientific Discovery*, Londres, Hutchinson (trad. cast.: *La lógica de la investigación científica*, Madrid, Tecnos, 1973).

Popper, K. y J. Eccles (1977), *The Self and its Brain*, Berlín, Springer (trad. cast.: *El yo y su cerebro*, Barcelona, Labor, 1985).

Pratt, J.G. (1953), «The homing problem in pigeons», *Journal of Parapsychology* 17, 34-60.

Pratt, J.G. (1956), «Testing for an ESP factor in pigeon homing»,

Ciba Foundation Symposium on Extrasensory Perception, Londres, Ciba Foundation.

Prigogine, I. y I. Stengers (1984), *Order Out of Chaos*, Londres, Heinermann.

Reasenberg, R.D. (1983), «The constancy of G and other gravitational experiments», *Philosophical Transactions of the Royal Society A* 310, 227-238.

Reber, A.S. (1985), *The Penguin Dictionary of Psychology*, Harmondsworth, Penguin.

Rhine, J.B. (1934), *Extrasensory Perception*, Boston, Boston Society for Psychical Research.

Rhine, J.B. (1951), «The present outlook on the question of psi in animals», *Journal of Parapsychology* 15, 230-251.

Rhine, J.B. y S.R. Feather (1962), «The study of cases of "psitrailing" in animals», *Journal of Parapsychology* 26, 1-22.

Robinson, G.E. (1993), «Colonial rule», *Nature* 362, 126.

Rosenthal, R. (1976), *Experimenter Effects in Behavioral Research*, Nueva York, John Wiley.

Rosenthal, R. (1984), «Interpersonal expectancy effects and psi: some commonalities and differences», *New Ideas in Psychology* 2, 47-50.

Rosenthal, R. (1991), «Teacher expectancy effects: a brief update 25 years after the Pygmalion experiment», *Journal of Research in Education* 1, 3-12.

Rosenthal, R. y D.B. Rubin (1978), «Interpersonal expectancy effects: the first 345 studies», *Behavioral and Brain Sciences* 3, 377-415.

Sacks, O. (1985), *The Man Who Mistook his Wife for a Hat*, Londres, Duckworth (trad. cast.: *El hombre que confundió a su mujer con un sombrero*, Barcelona, Muchnik Editores, 1987).

Schietecat, G. (1990), «Pigeons and the weather», *The Natural Winning Ways* 10, 13-22, Bélgica, De Scheemaecker Bros.

Schmidt, H.S. (1973), «PK tests with a high-speed random number generator», *Journal of Parapsychology* 37, 115-118.

Schmidt, H.S. (1974), «Comparison of PK action on two different random number generators», *Journal of Parapsychology* 38, 47-55.

Schmidt-Koenig, K. (1979), *Avian Orientation and Navigation*, Londres, Academic Press.

Schmidt-Koenig, K. (1987), «Bird navigation: has olfactory orientation solved the problem?», en *Quarterly Review of Biology* 62, 33-47.

Schmidt-Koenig, K. y J.U. Ganzhorn (1991), «On the problem of bird navigation», en P.P.G. Bateson y P.H. Klopfer (comps.), *Perspectives in Ethology*, vol. 9, Nueva York, Plenum Press.

Schmidt-Koenig, K. y H.J. Schlichte (1972), «Homing in pigeons with impaired vision», *Proceedings of the National Academy of Sciences USA* 69, 2446-2447.

Schweiger, A. y A. Parducci (1978), «Placebo in reverse», *Brain/ Mind Bulletin* 3 (23), 1.

Seeley, T.D. (1989), «The honey bee colony as superorganism», *American Scientist* 77, 546-553.

Seeley, T.D. y R.A. Levien (1987), «A colony of mind: the beehive as thinking machine», *The Sciences* 27, 38-43.

Serpell, J. (1986), *In the Company of Animals*, Oxford, Basil Blackwell.

Shapiro, A.K. (1970), «Placebo effect in psychotherapy and psychoanalysis», *Journal of Clinical Pharmacology* 10, 73-77.

Sheldrake, R. (1981), *A New Science of Life: The Hypothesis of Formative Causation*, Londres, Blond & Briggs (trad. cast.: *Una nueva ciencia de la vida: hipótesis de la causación formativa*, Barcelona, Kairós, 1990).

Sheldrake, R. (1988), *The Presence of the Past: Morphic Resonance and the Habits of Nature*, Londres, Collins (trad. cast.: *Presencia del pasado: resonancia mórfica y hábitos de la naturaleza*, Barcelona, Kairós, 1990).

Sheldrake, R. (1990), *The Rebirth of Nature: The Greening of Science and God*, Londres, Century.

Sherman, R.A., J.C. Arena, C.J. Sherman y J.L. Ernst (1989), «The mystery of phantom pain: growing evidence for psychophysiological mechanisms», *Biofeedback and Self-Regulation* 14, 267-280.

Shreeve, J. (1993), «Touching the phantom», *Discover*, junio, 35-42.

Simmel, M.L. (1956), «Phantoms in patients with leprosy and in elderly digital amputees», *American Journal of Psychology* 69, 529-545.

Skaite, S.H. (1961), *The Study of Ants*, Londres, Longman.

Smith, P. (1989), *Animal Talk: Interspecies Telepathic Communication*, Point Reyes Station, CA, Pegasus Publications.

Sole, R.V., O. Miramontes y B.C. Goodwin (1993), «Oscillations and chaos in ant societies», *Journal of Theoretical Biology* 161, 343-357.

Soloman, G.F. y K.M. Schmidt (1978), «A burning issue: phantom limb pain and psychological preparation of the patient for amputation», *Archives of Surgery* 113, 185-186.

Spruyt, C.A.M. (1950), *De Postduif van A-Z*, Gravenhage, Van Stockum.

Stamford, R.G. (1974), «An experimentally testable model for spontaneous psi occurrences. II. Psychokinetic events», *Journal of the American Society for Psychical Research* 66, 321-356.

Stillings, D. (1983), «The phantom leaf revisited: an interview with Allan Detrich», *Archaeus* 1, 41-51.

Stuart, A.M. (1963), «Studies on the communication of alarm in the termite *Zootermopsis nevadensis*», *Physiological Zoology* 36, 85-96.

Stuart, A.M. (1969), «Social behavior and communication», en K. Krishna y F.M. Weesner (comps.), *The Biology of Termites*, vol. 1, Nueva York, Academic Press.

Suzuki, D. (1992), *Inventing the Future: Reflections on Science, Technology and Nature*, Londres, Adamantine Press.

Thom, R. (1975), *Structural Stability and Morphogenesis*, Reading, Mass, Benjamin (trad. cast.: *Estabilidad estructural y morfogénesis*, Barcelona, Gedisa, 1987).

Thom, R. (1983), *Mathematical Models of Morphogenesis*, Chichester, Horwood.

Titchener, E.B. (1898), «The "feeling of being stared at"», *Science New Series* 8, 895-897

Van Flandern, T.C. (1981), «Is the gravitational constant changing?», *Astrophysical Journal* 248, 813-818.

Vetter, R.J. y S. Weinstein (1967), «The history of the phantom in congenitally absent limbs», *Neuropsychologia* 5, 335-338.

Von Friesen, S. (1937), «On the values of fundamental atomic constants», *Proceedings of the Royal Society A* 160, 424-440.

Von Frisch, K. (1975), *Animal Architecture*, Londres, Hutchinson.

Waddington, C.H. (1957), «The genetic basis of the assimilated bithorax stock», *Journal of Genetics* 55, 241-245.

Walcott, C. (1989), «Show me the way you go home», *Natural History* 11, 40-46.

Walcott, C. (1991), «Magnetic maps in pigeons», en P. Berthold (comp.), *Orientation in Birds*, Basilea, Birkhäuser.

Walcott, C. y R.P. Green (1974), «Orientation of homing pigeons altered by a change in the direction of an applied magnetic field», *Science* 184, 180-182.

Waldrop, M.M. (1993), *Complexity: The Emerging Science at the Edge of Order and Chaos*, Londres, Viking.

Waldvogel, J.A. (1987), «Olfactory navigation in homing pigeons:

Are the current models atmospherically realistic?», *The Auk* 104, 369-379.

Wallraff, H.G. (1990), «Navigation by homing pigeons», *Ethology, Ecology and Evolution* 2, 81-115.

Weinstein, S. y E.A. Sarsen (1961), «Phantoms in cases of congenital absence of limbs», *Neurology* 11, 905-911.

Weinstein, S., E.A. Sarsen y R.J. Vetter (1964), «Phantoms and somatic sensation in cases of congenital aplasia», *Cortex* 1, 276-290.

Wesson, P.S. (1980), «Does gravity change with time?», *Physics Today* 33, 32-37.

Westfall, R.S. (1973), «Newton and the fudge factor», *Science* 180, 1118.

White, I., B. Tursky y G. Schwartz (comps.) (1985), *Placebo: Theory, Research and Mechanisms*, Nueva York, Guilford Press.

White, R. (1976), «The influence of persons other than the experimenter on the subject's scores in psi experiments», *Journal of the American Society for Psychical Research* 70, 132-166.

Whitehead, A.N. (1933), *Adventures of Ideas*, Cambridge, Cambridge University Press.

Whyte, L.L. (1979), *The Unconscious Before Freud*, Londres, Freidmann.

Wilber, K. (comp.) (1984), *Quantum Questions: Mystical Writings of the World's Great Physicists*, Boulder, CO, Shambala.

Williams, L. (1983), «The feeling of being stared at: a parapsychological investigation», tesis en Filosofía y Letras, Departamento de Psicología, Universidad de Adelaida, Sur de Australia; se publicó un resumen de esta obra en *Journal of Parapsychology* (1983), 47, 59.

Wilson, D.S. y E. Sober (1989), «Reviving the superorganism», *Journal of Theoretical Biology* 136, 337-356.

Wilson, E.O. (1971), *The Social Insects*, Cambridge, Mass., Harvard University Press.

Wiltschko, W. (1993), «Magnetic compass orientation in birds and other animals», en *Orientation and Navigation: Birds, Humans and Other Animals*, Londres, Royal Institution of Navigation.

Wiltschko, W. y R. Wiltschko (1976), «Die Bedeutung des Magnetikompasses für die Orientierung der Vögel», *Journal of Ornithology* 117, 363-387.

Wiltschko, W. y R. Wiltschko (1988), «Magnetic orientation in birds», en R.F. Johnston (comp.), *Current Ornithology*, vol. 5, Nueva York, Plenum Press.

Wiltschko, W. y R. Wiltschko (1991), «Orientation by the Earth's magnetic field in migrating birds and homing pigeons», *Progress in Biometeorology* 8, 31-43.

Wiltschko, W., R. Wiltschko y M. Jahnel (1987), «The orientation behaviour of anosmic pigeons in Frankfurt a. M., Germany», *Animal Behaviour* 35, 1328-1333.

Wiltschko, W., R. Wiltschko y C. Walcott (1987), «Pigeon homing: different aspects of olfactory deprivation in different countries», *Behavioral Ecology and Sociobiology* 21, 333-342.

Witherby, H.F. (1938), *Handbook of British Birds*, vol. 2, Londres, Witherby.

Wolman, B.B. (comp.) (1977), *Handbook of Parapsychology*, Nueva York, Van Nostrand Reinhold.

Woodhouse, B. (1980), *Talking to Animals*, Londres, Allen Lane.

Zuk, G.H. (1956), «The phantom limb: a proposed theory of unconscious origins», *Journal of Nervous and Mental Disorders* 124, 510-513.

Índice analítico

(Los números de página en cursiva se refieren a figuras o ilustraciones).

EL RENACIMIENTO DE LA NATURALEZA
La nueva imagen de la ciencia y de Dios
RUPERT SHELDRAKE

En este libro inspirador, una de las biblias de la ecología actual, el biólogo Rupert Sheldrake no sólo aboga apasionadamente por un nuevo tipo de ciencia que reconozca a la naturaleza como un organismo vivo, sino que clama además por un cambio de nuestras actitudes políticas, económicas y religiosas que nos permita sobrevivir, es decir, abandonar las concepciones mecanicistas que han dominado nuestro pensamiento durante los últimos tres siglos para abrazar una visión de la naturaleza mucho más positiva y optimista.

A la vez que expone su teoría, sin embargo, Sheldrake va construyendo una fascinante historia del pensamiento científico y religioso en la que explora los misterios biológicos que aún intrigan a los investigadores y filósofos más inquietos de nuestros días: por qué las cosas vivas asumen una determinada forma para diferenciarse de las demás, cómo se regeneran ciertas plantas y animales, o cuál es la verdadera naturaleza de la vida en sí misma.

Poético, atractivo e intelectualmente estimulante, el libro combina así lo más interesante de las ciencias biológicas con ideas procedentes de la mitología, la psicología, la historia y la religión, con el fin de proporcionar una impresionante síntesis de las tendencias que más importancia están adquiriendo a medida que nos acercamos al siglo XXI. Una refutación de agoreros y apocalípticos, pues, que intenta explicarnos el fin de una era, pero también mostrarnos el camino hacia una nueva relación con la naturaleza y con nosotros mismos.

Rupert Sheldrake obtuvo su doctorado en Bioquímica en la Universidad de Cambridge. Becario investigador de la Royal Society, miembro del Clare College de Cambridge y especialista en biología celular, estudió Filosofía en Harvard y ha realizado investigaciones sobre plantas tropicales en Malaysia y la India. Es autor de *Una nueva ciencia de la vida* y *Presencia del pasado: resonancia mórfica y hábitos de la naturaleza*. Vive en Londres con su esposa, Jill Purce, y sus dos hijos.

También publicado por Paidós

EL CEREBRO FUGITIVO
La evolución de la singularidad humana
CHRISTOPHER WILLS

Todos sabemos que el cerebro humano es sorprendentemente distinto del de cualquier otro animal. Pero, ¿por qué? ¿Acaso hemos conseguido burlar a la madre naturaleza y escapar así a las leyes de la evolución? Escrito como una novela policíaca, este libro asimila completamente la riqueza de las más recientes investigaciones en paleontología, genética y neurobiología, con el fin de explicar la rapidísima evolución de nuestro cerebro. Los especialistas han tendido a suponer hasta ahora que el intelecto humano empezó a tomar forma cuando nuestros antepasados desarrollaron la capacidad para andar erguidos o para agarrar y llevar objetos. Pero Christopher Wills nos demuestra que ésta es sólo una de las últimas etapas de una larga historia que empezó hace un billón de años: nuestros antepasados más remotos fueron la única especie capaz de abrir un camino evolutivo nuevo, un bucle de retroalimentación que consiguió que sus cerebros y sus cuerpos fueran cada vez más complejos. Se trata de una evasión, de una huida de las tinieblas de la ignorancia que provocó que el cerebro humano evolucionara absorbiendo todo tipo de conocimientos. Y es precisamente este cerebro «fugitivo» el que acaba retratando el presente libro, recurriendo a una serie de ejemplos altamente ilustrativos y describiendo sus fulminantes procesos de evolución, el llamado modelo de los «orígenes múltiples», según el cual los primeros individuos similares al hombre actual surgieron a la vez en diferentes regiones del mundo antiguo. Espléndida síntesis entre las cuestiones más actuales de la genética y los interrogantes fundamentales que plantea la cuestión del cerebro humano, este libro, de fácil lectura y de amplio alcance, es ya, desde ahora, un punto de referencia indispensable en la historia de la ciencia del siglo XX.

Christopher Wills es catedrático de Biología de la Universidad de California en San Diego. Científico interesado por la exploración del ámbito de la evolución y las complejidades del genoma humano, ha publicado además *The Wisdom of the Genes, New Pathways in Evolution* y *Exons, Introns and Talking Genes: The Science Behind the Human Genome Project.*